もし友だちが
ロボットだったら？

哲学する教室のつくりかた
30の授業プラン

ピーター・ウォーリー

永井玲衣＋小川泰治＋古賀裕也＋後藤美乃理
田中理紗＋得居千照＋西山渓＋堀越耀介＝訳

晶文社

ブックデザイン　アルビレオ
カバー・本文イラスト　市村 譲
DTP組版・作図　山口良二

そのときどきに、かけがえのない支えとなってくれた
私の両親であるイアンとロレインへ、
そして義理の両親であるクリスとジョスリンへ

Contents

第1部
理論編 ── 子どもと哲学するために

第2部
実践編 ── じっさいにやってみよう

巻 末 資 料

凡 例

・訳注は[ ]であらわしている。

・原書が刊行されたイギリスと日本では学年制度が異なるため、

日本版では訳注として年齢で表記している。

「1年生」は「5～6歳」に、「6年生」は「10～11歳」に、「9年生」は「13～14歳」としている。

謝辞

今回もまた、最高に素晴らしい（私の心からの表現です！）編集者であるハンナ・マーストン、そしてブルームズベリー社の他のスタッフの皆さんに感謝を申し上げます。

さらに、2009年に本書の初版をコンティニュアム社に依頼してくれた、メラニー・ウィルソンにも感謝を申し上げます。原著の構想を練る手助けをしてくださり、おかげで無事にこうして形になりました。

また、キャロライン・シャファリツキー・ド・ムカデルが最近出版されたデンマーク版『もし友だちがロボットだったら？（原題 "The If Machine"）』（Tænk højt med dine elever）のメモや一歩踏み込んだ問いや提案を共有してくれたことは、今回の第2版での修正や改良の多くの部分で役立ちました。特に、読者にとってきっと役立つ資料となるトラブルシューティングの表（p.340）は、キャロラインのアイデアによるものでした。ここに感謝の意を表します。

そして、スティーブ・ホギンズには、幼い子どもたちとの関わり方について、その経験と専門知識を提供してもらったことに感謝を申し上げます。

また、この本（そして私の本全て）を世に送り出す上で、妻のエマ（・ウォーリー）の協力には本当に助けられ、今までもこれからも、私にとって必要不可欠なものとなっています。ザ・フィロソフィー・ファウンデーション（The Philosophy Foundation）のコアチーム（スティーブ・ホギンズ、ジョセフ・タイラー、エマ）の支えは本当にはかりしれません。また、ザ・フィロソフィー・ファウンデーションのチーム全体と、私が受けたさまざまなサポートのために時間を割いてくれたボランティアの方々にも感謝の意を表したいと思います。

　同様に、インスピレーションをこれまでも、今も、私の仕事に与え続けてくれている他の組織や個人にもこの機会に感謝の気持ちを表したいと思います。キャサリン・マコール（CoPI Community of Philosophical Inquiry）、EPIC（The European Philosophical Inquiry Centre）、ピーター・モスタート、ジョセフ・オイラー（IAPC the Institute for the Advancement of Philosophy for Children）、ジェイソン・バックリー（The Philosophy Man）、グレース・ロックロビン（旧姓ロビンソン）（Thinking Space）、ロジャー・サトクリフ（Dialogue Works）、ジョアンナ・ヘインズ、カリン・ムリス、オスカー・ブルニフィエ、デイヴィッド・シャピロ、トーマス・ワーテンバーグ、スーザン・ガードナー、マイケル・ハンド、ローラ・ドリンピオ、ティム・スプロッド、フィリップ・キャム、ジョージナ・ドナーティ、アンディ・ウエスト、スティーブン・キャンベル・ハリス、マーサリ・グレイ、エレン・フリードランド、M. M・マッケイブ、ピーター・アダムソン、エヴァ・ホフマン、ミッシェル・ソーイです。そしてもちろん、ソクラテス、プラトン、マシュー・リップマンとアン・シャープ、ジョン・ロック、ヤヌス・コルチャックにも心からの感謝を。

　そして、初版の誕生を手助けしてくれた人たち、キャシー・パーマー、ジュリー・オデジ、故アマンダ・クルック、アネット・ゴードン、オリバー・リーチ、ロバート・トリントン、ルース・オズワルド、アンドリュー・デイ、ミリアム・コーエン・クリストフィディスにも感謝を申し上げます。

　そして、この本［訳注：原書 "The If Machine"］や私の他の多くの本に素晴らしい挿絵を描いてくれているタマル・レヴィにも感謝の意を表します。

はじめに〈新版によせて〉

　本書の初版の序文で、私は古代ギリシアの「アリアドネとテセウス」の物語になぞらえて、哲学をすることを迷宮に入ることに譬えました。子どもたちは、物語の中で迷宮（哲学）に入るテセウスであり、アリアドネは、2つの重要な意味において、ファシリテーターなのです。彼女はテセウスに、迷宮に進むために必要なもの（「クリュー」と呼ばれる糸玉）を提供します。しかしアリアドネは、テセウスが迷宮を進むとき、一緒にはいないということが重要なのです。つまり、彼女はファシリテーターにとって2つの重要なテーマを示していて、これが本書全体を糸のようにつなぎあわせています。1つは「いること」。議論に影響を与えるために、ファシリテーターがどれくらい行動するのかということです。もう1つは「いないこと」。議論に影響を与えないために、ファシリテーターがどれくらい行動しない、あるいは行動を控えるのかということです。この2つのバランスをうまくとることが、優れたファシリテーションの技術なのです。ただ、ファシリテーションの方もまた、迷路に入り込んだような感覚になるということを私は初版では触れていませんでした!

『もし友だちがロボットだったら?』（私の最初の著書）の初版が出版されてから10年近くが経ちました。それから8冊、9冊近くが出版され、ザ・フィロソフィー・ファウンデーションにも、この本に書かれているアイデアにも、多くの変化がありました。しかし、学校やその他の公共の場で哲学を行うためのザ・フィロソフィー・ファウンデーションのアプローチの中心となる考え方が、この初版に多く盛り込まれていたのは

驚くべきことです。それ以降、私たちのアプローチに加わった最も重要な要素である「オープン・クエスチョン・マインドセット」（下記およびp.34）も、新しいのは名前だけで、その精神はこの本の初版を貫いています。

　初版を執筆して以来、私は、この本や他の本に掲載されているセッションを実施できるように、多くのトレーニングを行ってきました。ここでは、哲学者や先生をトレーニングしてきた経験から、本書に初めて触れる人にも、50回目の人にも、提供できるような洞察を紹介します。まずは、先生も哲学者もこうしたらどうでしょう。つまり、哲学者は、教育学を十分に学ぶ必要があり、先生は哲学を十分に学ぶ必要があるのですが、どちらの場合も、正しいマインドセットを採用することで、他のすべてのことがより簡単にうまくいくようになります。おそらく最も大事なことは、ファシリテーターが行うべき仕事が少なくなるということです。そのときに最も重要なのは、マインドセットであり、より具体的には「オープン・クエスチョン・マインドセット（OQM）」なのです。

　最もシンプルな形では、OQMとは、ファシリテーターが発言に積極的に耳を傾けるということです。ファシリテーターは生徒が何を考え、何を言っているか（または言おうとしているか）を聞き、次に生徒がなぜ自分がそう思うのかを（可能なら）言ってもらいます。実用的には、これだけ知っていれば始められます！　これは、ファシリテーターが求めていることを考える人を聞き出す（あるいは探し出す）「クローズド・クエスチョン・マインドセット（CQM）」とは対照的なものです。そこでは子どもたちは先生が言ってほしいと思っていることを言い始めてしまいます。つまり、哲学のセッションを運営するための基本的な仕組みは、とてもシンプルです。【A】子どもたちに、自分が何を考えているのか、そしてなぜそう考えるのかを言ってもらう。互いの考えに対する批判的

な関わりを促すために、こんなふうに広げてみてもよいでしょう。【B】互いの考えについてどう思うか、そして、なぜそう思うかを話してもらう。次にすべきことは、考えの多様性（違う考え、対立する考え）に耳を傾け、その多様性を尊重することです。このメカニズムにこだわると、哲学的な探究心が生まれることが多いでしょう。

そして、もしこの基本のメカニズムにこだわるのなら原則として、グループにまかせましょう。一歩下がって、耳を傾け、うながしましょう（ふつうは、トークボールを持った人が話します）。手を挙げている人がいたら、その人のところに行き、発言者に感謝し、ボールを渡します。とてもシンプルなことです。もちろん、「先生のワザ」のセクション(p.67)を見ていただくとわかるように、もっとできることはありますし、もっと多くのものが必要な場面もあるでしょう。しかし、ほとんどの場合(想像以上に)、哲学的な探究を促進する際のあなたの基本の行動は、静かにし、ボールを渡し、耳を傾けることなのです。

新版では、旧版のセッションとは異なるトピックを扱った5つのレッスンプランが追加されています。これらは、私自身やザ・フィロソフィー・ファウンデーションの同僚、そして他の先生たちによって、教室で試され、実践されてきたものです。「オープン・クエスチョン・マインドセット」などの新しいコンセプトや「いったりきたり」などの教え方も加え、さらに巻頭の「ヒントとコツ」(p.101)で、以前よりも読みやすくしています。しかし、最も価値のある追加項目の1つは、トラブルシューティングのセクション（p.340）だと思います。ファシリテーションやグループの運営で困ったことがあれば、そこを覗いてみてください。トレーニングコースや見学でよく聞かれる質問も掲載しています。

新版の本書が、楽しく、そして役に立つものであることを願っています。

セッション一覧

難易度		
★	……	かんたん
★★	……	ふつう
★★★	……	むずかしい

スターレイティングは、それぞれのセッションの難易度の目安になるものです。これは、必ずしも年齢に対応するものではありません。たとえば、「シービーのお話」はすべて7歳以上の子どもができるようになっていますが、一部のセッションは他のセッションよりも難易度が高いでしょう。難易度の高いセッションに取り組むためには、実践者の説明の明確さが鍵になってきます。まずは、自分がそれぞれのセッションに精通していて、しっかりと理解していることを確認してみてください。くれぐれも、より難しいセッションにクラスで挑戦することを恐れないでください。きっと、クラスの子どもたちの方があなたをあっと驚かせることがあるでしょう。

セッション・タイトル	テーマ	ページ	対象年齢	難易度
椅子	・物体とそれが私たちにとって何なのか ・知覚 ・観点 ・名前と指示語	p.108	7歳以上	★★
アリの生きる意味	・目的と運命 ・実存主義 ・神と宗教 ・価値	p.118	9歳以上	★★
同じ川に2回入ることってできる？	・変化 ・議論 ・同一性 ・必要条件と十分条件 ・川と水の循環	p.123	8歳以上	★
無人島ゲーム	・グループでの意思決定 ・政治 ・公正さ ・ルール ・社会 ・シティズンシップ ・島	p.130	7歳以上	★
なくしものをしてみよう！	・失うこと ・見つけること ・知識 ・死別 ・悲しみ	p.143	5歳以上	★
ギュゲスの指輪	・権力 ・善い行い ・道徳的責任	p.149	8歳以上	★★
王子さまとブタ	・幸福 ・価値 ・観点 ・動物	p.156	5〜11歳	★

テセウスの船	・同一性 ・人格の同一性 ・変化	p.165	9歳以上	★★
コッチとアッチ	・移民 ・文化の同一性 ・人格の同一性 ・文化相対主義 ・道徳性と礼儀のルール	p.174	7歳以上	★
幸せな囚人	・自由 ・意志の自由 ・道徳的責任	p.182	9歳以上	★★
黄金の指	・言語 ・意味 ・精度と正確さ ・幸福 ・願い事	p.188	5〜9歳	★
アリとキリギリス	・はたらく ・幸福 ・ケア ・正義 ・公平	p.197	5歳以上	★
カエルとサソリ	・遺伝・環境 ・自由意志 ・選択 ・道徳的責任 ・利己心 ・自制心 ・意志の弱さ	p.204	すべての 年齢層	★
人生の本	・未来 ・自己 ・選択 ・自由意志	p.212	10歳以上	★★

ピラミッドの影	・論証 ・知恵 ・問題解決 ・詭弁	p.219	9歳以上	★★
魔法の杖	・科学 ・実験 ・因果関係 ・繋がり ・信念 ・証明 ・迷信	p.235	9歳以上	★★
ぶっちゃうビリー	・自制心 ・感情 ・信念 ・幸福	p.240	6歳以上	★
何もないということについて考える	・実在 ・言語 ・参照 ・意味 ・数字 ・数学 ・古代ギリシア	p.251	8歳以上	★★
6人の賢者たち	・部分と全体（一対多） ・観点 ・知識 ・知恵 ・協力	p.256	7歳以上	★★
別の惑星のあなた	・人格の同一性 ・同一性／アイデンティティ ・人間性	p.264	10歳以上	★★★
シービーのお話	——	p.269	7歳以上	——
シービーのお話： 友だち	・友愛 ・関係性 ・エンパシー	p.270	7歳以上	★

シービーのお話： トニー・テスト	・人工知能（AI） ・コンピューター ・思考 ・言語	p.279	7歳以上	★★
シービーのお話： 泥棒	・責任 ・知識 ・歴史 ・選択	p.288	7歳以上	★★★
シービーのお話： アンドロイド	・人間であること ・類比 ・人格の同一性	p.299	7歳以上	★
シービーのお話： ウソ	・ジレンマ ・意思決定 ・価値 ・友情 ・ウソ	p.305	7歳以上	★★★
シービーのお話： 再生	・変化 ・人格の同一性 ・物質	p.314	7歳以上	★★
シービーのお話： 人間になれた？	・人間であること ・類比 ・人格の同一性	p.319	7歳以上	★★
永遠の端っこへ	・論拠 ・無限	p.322	7歳以上	★★
どこにいるの？	・個人のアイデンティティ ・私とは誰か? ・心と脳	p.327	8歳以上	★★
公平の井戸	・公正 ・正義 ・願い	p.333	7歳以上	★★

理 論 編

子どもと
哲学するために

イントロダクション

この本を読むみなさんへ

　この本は、学校や子どもや若者たちの団体をはじめとしたさまざまな場で、子どもと一緒に哲学をしたいと思っているすべての人が使える資料集のようなものです。この本で紹介する哲学の素材は、私が3歳から18歳までの子どもたちと16年間にわたって一緒に**哲学**してきた（太字の単語はp.346の用語集で簡単に説明してあります）経験を集めて作りました。この本の主な対象は特に5歳から13歳の子どもたちですが、ちょっとだけ調整すれば、多くのレッスンプランはさらに年長やさらに年少の子どもたちにも使えるでしょう。これまで哲学を勉強したことがないって？　ご安心を。この本はそうした人のために書かれたのです。これらのレッスンプランは、あなたが哲学的な気づきの基礎を身につけ、自信をもって教えられるようにし、実りのある哲学の授業をすることに役立つはずです。この本はまた、哲学の入門書としても書かれています。この本によって、哲学についてもっと学んだり哲学書を読んだりすることについて、より積極的になってもらえるといいなと思っています。

　哲学の素晴らしさの1つは、子どもたちが哲学する際に、哲学について詳しく知っていなくても良いということです。とはいえ、哲学的な議論をファシリテートできるようになるためには、この本で紹介するセッションに出てくる哲学的なトピックや哲学的な議論についての、基礎的な知識があると役に立ちます。基礎的な知識を身につけておくだけで、子どもたちの哲学的な洞察を促したり、子どもたちがどんな哲学的な視

点を持っているかを知ることができるようになりますし、そのセッションがより哲学的になるよう対話を導けるようにもなります。とにかく大事なことは、哲学とは単に一緒におしゃべりすることや、考えをシェアすること以上のものであるということです。哲学は「ある種の」トピックについての「ある種の」思考のことを指します（用語集の「哲学」を参照）。哲学が生み出すこうした「ある種」の思考は、ほとんどすべての教科に応用することもできます。それぞれのセッションの初めには、その背後にある哲学についての簡単なまとめ的な導入を入れてあります。

　この本に出てくる哲学の知識は、子どもたちの哲学セッションで「これを教えろ、あれを教えろ」と指示するものでは**ありません**。哲学についてのあれこれを載せた理由は、セッションをファシリテートする際に大切になる哲学的な気づきを育てていくためです。言い換えれば、哲学の知識によって、セッションの中での哲学的なポイントに気づくことができるようになり、議論を適切に導いていくことができるようになるのです。この本を読みながら子どもたちと哲学をしている間は、みなさんは単なる「先生」ではなく、「好奇心旺盛なファシリテーター」となります。つまり、先生は子どもたちと同じく、目下議論となっている考えに興味をもち、子どもたちが考えを探っていくことにすべての力を注ぐ一方で、いつもやっているような「先生」として何かを教えたり、自身の考えを表明したりすることはしなくなるのです。

　学校での哲学は、批判的かつ共同的な探究を中心に置いたアプローチである、**探究の共同体**（Community of Inquiry: CoI）の教育学に支えられています。哲学を定期的にクラスで実践し、本書で紹介する方法論や教育法（p.67）に精通するようになると、普段の教育活動にも何らかの影響が出てくるようになるでしょう。とくに、子どもたちの批判的・創造的思考だけでなく、子どもたちの話す能力、聞く能力、推論する能力、問う能力、ひとりで考える能力といった、他の状況にも応用可能な能力

を育てることにもなるのです。この本で紹介する教育法は、あなた自身の教え方をも成長させます。たとえば、問いかけたり、討論したりする能力についての自信をつけたり、教室でより共同的な人間関係を生み出したり、アクティブラーニングや探究のための良い雰囲気を生み出すことができるようになる、といったことです。

この本のつくり

この本は2つのセクションがあります。最初のセクションは「どうやって哲学的な探究を教室で行うか」に関するもので、子どもの哲学についての導入と、探究のやり方についての大まかな説明がなされています。続いて、この本で取り上げているさまざまな実践の手法に関する包括的なリストがあります。これらの手法はどのような教育現場でも使うことができ、子どもたちから多くの考えを引き出し、子どもたちが教材や仲間に対して批判的に関わり合うような質問力を身につけることで思考を深められるようになります。

2つ目のセクションでは、異なる哲学的なトピックに関する30ものセッションを紹介します。これらのセッションはいずれも1時間程度でできるものです。もちろん、問いや探究に関する議論をどれくらいするかによって、1セッション分の時間を超えることもあるかもしれません。「椅子」、「無人島ゲーム」、「ぶっちゃうビリー」、「ピラミッドの影」といったセッションは、1セッション分以上の時間が必要になるかもしれません。各セクションを円滑に行うためのチェックボックス（先生のワザ、テツガク、ヒントとコツ、チャレンジ!）があるので、それもぜひご参照ください。これらはいずれも以下のアイコンの形で記してあります。

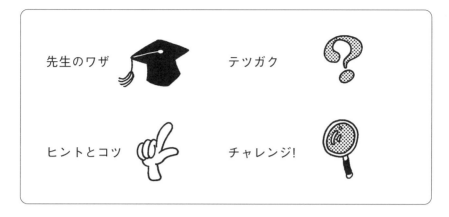

先生のワザ　　　　　　　テツガク

ヒントとコツ　　　　　　チャレンジ!

この本の使い方

　まずはセッションを始める前にセクション1をきちんと読んでみることをお勧めします。p.107から始まるセクション2は、どの順番でやってみても構いません。ただし、「シービーのおはなし」だけは、他とはちょっと違います。というのも、それぞれのセッションが関連し合っているからです。というわけで、「シービーのおはなし」に関しては、順番どおりに行った方が良いでしょう。各セッションを別々に行う場合は、レッスンの前に、子どもたちにきちんと背景がわかるようにストーリーを教えておくと良いです。p.13以降にある表やそれぞれのセッションのはじめには、扱われるテーマや対象年齢、難易度などが書かれています。このページの後には、セッションのサンプルがあるので、そちらも参照してください。

本書の使い方・ページの見方

各セッションの冒頭には、タイトルに続いて、難易度、対象年齢、そしてそのセッションで取り上げるテーマのリストを載せています。

実践編 3

同じ川に2回入る
ことってできる？

対象年齢
8歳以上

難易度
★

テーマ

・変化
・議論
・同一性

・必要条件と十分条件
・川と水の循環

続いて、セッションの背景となっていたり、あるいはセッションから派生して出てくるような、哲学的なテーマ、問題、トピックについて解説しています。

▼

哲学的背景

これは最も有名な哲学的問いの1つで、エフェソスのヘラクレイトス（紀元前500年頃）が最初に問いかけたと考えられています。……

次に、「哲学の素材」が来ます。そのあとに子どもたちに問いかけるとよい「お題の問い」(実践編では「クエスチョン（Q)」と表記します)、さらにファシリテーターがどうやってセッションを進めていったらいいか、そして子どもたちにどんなことを求めたらいいのかについての注意とガイダンスを記載しています。

▼

哲学の素材

ティミーとティナは両親と一緒に川へピクニックに出かけました。川岸の近くを泳ぎながら網を振りまわして、オタマジャクシを捕まえようとしています。……

Q1：なぜティナは違う川だと思ったのかな？　その理由は何だろう？

まず子どもたちにペアで話し合ってもらいます。そして子どもたちが何を考えているのか確認しましょう。もしも子どもたちが、「水はずっと流れているから、同じ川ではない」というヘラクレイトス的な考えをもっていなければ、それを引き出すために、……

こんなふうに四角で囲んだ枠は、「先生のワザ」「ヒントとコツ」「テツガク」「チャレンジ!」のいずれかです。「先生のワザ」や「ヒントとコツ」に関しては、理論編で一般的な書き方をしたものについて、それぞれのセッション内では個別の文脈に合わせて、より明確な使用例を紹介しています。

先生のワザ：何が必要で何があれば十分?
(p.73)

先ほどの2人組での話し合いに続けて、「川ってなにからできているの?」ということを子どもたちと一緒に考えてみるのも1つの方法です。「川とは何か?」について、何が必要条件で何が十分条件なのか、ということについて子どもたちと一緒に考えます。板書に「川」という単語を書き、川であるために必要な特徴をすべて挙げる、という課題を設定します。こんな感じです。

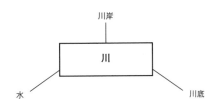

セッション全体で中心となったり、関連したりしている哲学者の名前やキーワードを掲載しました。関心のある場合は、書籍やウェブサイトなどでさらに勉強してみてください。

▼

哲 学 の キ ー ワ ー ド

中心となる哲学 ▶ ヘラクレイトスと変化
関連する哲学 ▶ アリストテレスと三段論法
バークリーと観念論
ホッブズと唯物論
ライプニッツと同一性
アウグスティヌスと時間
ソクラテス以前の哲学者たちと自然哲学、形而
上学：「ある」とはどういうことか?

みなさんの探求のメソッド（PhiE）のセッションは本書で記したものとは違う形で展開することだってあります。ですが、セッションでよく登場するアイデアや起きる問題についての私の経験を共有するように努めています。さらに、先生のワザを共有する目的で、セッション内で実際に行ったことのある指導もいくつか含めました。

子どもに問うこと

「もし〜なら」というワザ

「もし〜なら」というワザ（問いや文章を「もし〜なら…」という形式に落とし込むこと）は、この本の中心となる考えで、紹介するさまざまな「先生のワザ」の中にも見出すことができます。まず、同じ問いを扱った次の2つの文章を見てみましょう。

1. お肉を食べてもいい。でもなんでペットは食べちゃダメなの?
2. もしお肉を食べても良いなら、なんで私たちはペットを食べたりしないの?

　2つ目の文章は、条件を問うもの（もし〜なら、……はどうなる?）です。こうした問いによって、争点となっている議論をあえて脇道にそらし、哲学的あるいは概念的に興味を引くような素材について考えることができるようになります。たとえば、2つ目の問いについて、グループのそれぞれの人が肉を食べることについてどう思っているかは、そんなに大事ではありません。なぜならこの文章の目的は、肉を食べることが良いのであれば、そこからどのような結論が導き出されるかについて思索をめぐらせることにあるからです。ですから、ここでは肉を食べてもいいという主張に縛られることはありません。ここでの目的は、議論をより面白くすることにあるからです。

　「もし〜なら」というワザは、仮説を立てる思考法の1つです。それは、

実際には起こらなかったかもしれないような状況を想像して、それが私たちにとって何を意味するかを考えてみることです。仮説を立てる思考法が示すのは、哲学というのは、論理的な思考法であり、かつ想像力を働かせた思考法でもあるということです。子どもと一緒に哲学をすることをファシリテートするための方法とは、つまるところ「もし〜なら」というワザを身につけさせることでもあるのです。

　仮説を立てる思考法に関する活動は、哲学それ自体にとって本当に大切なことです。事実に基づいて仮説が正しいかどうかを確かめることが科学だとすれば、哲学は概念的に仮説が正しいかどうかを確かめます。違う言い方をすれば、科学は「Aは真実なのか?」と問いかけるのに対して、哲学は「Aは道理に適っているのだろうか?」と問いかけます。そしてこういった問いかけをするためには、条件を問うことがとても大事になります。

　仮説を立てる思考法は、私が「哲学的な能力」と呼ぶものを見抜くための大事な基準となっています。以下にあるのは、(全部をカバーしているわけではありませんが)実際に行われたセッションの中から取り上げた、子どもたちの哲学的な能力の例を書いたリストです。このリストは、すでに哲学的な能力を持っている子どもたちがいるかどうかを見抜くための1つの基本的な基準となります。もちろんこれは哲学をしている子どもたちが将来どんな領域の能力を育んでいってほしいかを考える上でも役に立ちます。ただし、哲学的な能力を持っている子は、一般的な意味での「できる子」とは意味が違うことに注意してください。こうした子は、リストにあるスキルを持っていたり、あるいは持っていなかったりすることだってあります。哲学は、通常のやり方ではその能力をうまくすくい上げることができないような子どもを見つけることに役に立つのです。なぜなら、哲学は通常とは異なる思考の方法を必要とするからです。

哲学的な能力

　以下にあるのは、実際に私が経験したセッションの例を参考に作った、哲学的な能力のリストです。

- 仮説に対する感性：「もし〜しなかったら、どうなっているだろう・それは何を意味するのだろう」ということについて考える能力。たとえば、「もしみんなが白色と黒色で世界を見ていたとしても、それは色が存在しないということではなく、私たちが色を感じることができないというだけだろう」と考えることなどです。
- 反例を作る能力：考えや理論の誤りを指摘するための例を出すこと。以下の9 〜 10歳のやりとりは1つの例です。

　　　A：飛ぶことができる全てのものには羽があるよ。

　　　B：風船はどうだろう？　風船は空を飛ぶけど、羽なんかないよ。
- 概念整理をする能力：以下の9 〜 10歳のやりとりがそれにあたります。

　　　A：飛ぶことができる全てのものには羽があるよ。

　　　B：風船はどうだろう？　風船は空を飛ぶけど、羽なんかないよ。

　　　A：風船は浮いているんだよ。飛ぶことは浮いていることとは違うよ。
- 新しい情報を得たときに、自分のもともとの立場を考え直し、それがよいかもう一度確かめてみること：「Aの話を聞いたおかげで、いま僕は自分が間違っていると思うようになったよ」など。
- 論理的思考に従って意見を組み立てたり、意見を出す筋道をつくっていくこと：「Xが良いとは言ってないんだ。僕が言いたかったことは、もしAの考えが正しければ、それはXが本当だということになるということなんだ。で、僕はそういう答えになってしまうことはよくないと思うんだ」（10 〜 11歳のやりとり）

- 抽象的な思考：「数字は実際には存在しないよね。だって、触ることも見ることもできないもん。（中略）うん、君がいうとおり、確かに数字の列の中には数字の7があるってわかるよ。でも、それって数字それ自体じゃなくて、紙に書いてあるインクでしょ」（6 ～ 7歳）
- 複数の考えの間にある対立関係や思い込みなどを見つけること：「お化けなんていないのに、なんであの子はお化けを怖がるんだろうというのが問いだよね？　でも、あの子はお化けが本当にいると信じているんだよ。だとすると、君の問いってなんか変だと思うなぁ」（6 ～ 7歳のやりとり）
- 概念的な思考：「「囚人」という言葉は、「自由じゃない」ということを意味するよね。だから、囚人は自由じゃないんだ」（12 ～ 13歳のやりとり。「幸せな囚人」も参照）
- 弁証法的であること：論破することを目指した議論ではなく、対話を通じて他のグループのメンバーたちと一緒に、考えを深めていくことができる。
- 経験に頼らないで頭で考えられること：ある議論が正しいかどうかを確かめるために、経験に頼らない形で、純粋に論理的・概念的な論証をすることができる。
    - たとえば「宇宙の端っこが有限か無限かを確かめるために、わざわざそこに行く必要はないと思うんだ。それを確かめるためには、6かける8が48だって考えるのと同じように、ただひたすら考えればいいんだよ」

なぜ哲学を教えるのか?

　学校で哲学をすることでどんな力がつくかを明らかにした研究はそれなりにありますし、そうした研究があること自体はとても良いことだと思います（Trickey and Topping 2004; Topping and Trickey 2007; Gorard et al 201; García-Moriyón et al, 2005のメタ分析、Yan et al, 2018など）。でも、哲学を学校でする理由は、なにも認知的なスキルや自信を育むことだけではないと思っています。哲学は、いつも忙しそうで、「役に立つ」ことだけしか学ばず、教科の内容の学習とテストを中心としたカリキュラムを学ぶ子どもたちに、「ゆっくり考えるための時間」をつくるものなのです。さらに、哲学は、子どもたちの民主的な意見表明と、それに伴う責任を学ぶための場を与えます。哲学はよく考えることを実践するものであり、批判的に物事を考えられるようになることを助け、何よりも、考えるために考えるよう促すものなのです。

哲学に正解・不正解はあるのか?

「哲学やってると、たまに答えがなかったり、逆にめっちゃたくさんの答えみたいなものがあったりするんだ。でも、どれが正解なのかはよくわからないんだ」（ジョン・ボール小学校の6年生［訳注：10 〜 11歳］の言葉）

　哲学の良さは、正解や不正解がないから、間違えることがない点にあると言う人がいます。でも私はそうは思いません。なぜなら、哲学でも間違える人だっているからです。たとえば、矛盾したことを言ったり、誤った議論を組み立てたりして、他人の議論を誤解したりする人だっています。あるいは、哲学には絶対に正しい答えがあると言ったり、「正しい答え」を言った子にご褒美をあげたりすることも間違っていると思います。というのは、何が正しい答えかどうかを決めることがとても難しいからです。なので、大事なことは、子どもたちがいろいろな考えを検討し、その中でたくさん間違え、ファシリテーターが間違っていると言わなくても、自分たちの力で間違えたと認めることができる場をつくることなのです。こうした難しい課題に取り組む際に大事なことは、ふりかえることと自分の力で考えることです。この2つは、哲学をする中

で生じる大切なポイントです。まず第一に、誰の考えが「正しい・正しくない」かを決めるのは、ファシリテーターではありません。それは子どもたちが、自分で考えて決めることなのです。そして、それを決めるためには、自分たちが聞いたり考えたりした中で最も良いと思った理由に基づいて決めた結論に従わなければなりません。また、その結論は時間と共に変化していくこともちゃんと理解しておくということも大切です。このようにして、子どもたちは、教師から「正しい答え」を聞かずとも、自分たちの力で答えを評価していく方法を学ぶのです。逆に、何か自分の意見を言ったからといって、それらがすべて「正しい」と思い込む必要はありません。

　このように、哲学の特徴は、間違いはないといえど、正しい答えにたどり着くことが難しいという点にあります。哲学の問いは、科学や宗教のような他の学問分野でまだ十分な答えが出ていないことが多いです。それは必ずしも、こうした学問分野がこれらの問いに応えられなかったからではありません。むしろ、こうした学問分野は、哲学らしい性質の問いとはあまり相性が良くないのです。だからこそこうした問いは、哲学が取り扱うべき分野のものであり続けているのです。でも、哲学は議論と推論（そして批判的思考）の応用であるからこそ、何が良い推論で何が悪い推論かを見分けることができます。そうして悪い推論をしたとき、哲学では「間違える」ことがあるのです。哲学は、英語や数学のような他の科目で言われている「正しい答え」はありません。哲学が大事にしていることは、思考のプロセスであり、そのプロセスの結果というわけではないのです。哲学で結論が出ることはほとんどありませんが、哲学は間違いというものが一切ない思考のプロセスであるというわけでもないのです。問いや問題が必ずしも解決されていないけれども、自己矛盾をしたり、誤った議論を組み立ててしまうことだってあるのです。

オープン・クエスチョン・マインドセット
（答えが1つではない問いへの態度）

　哲学のセッションは「自分で考える」ためにはぴったりの場です。そのセッションの中で、怒られたらどうしようという不安を抱えることなく、「間違える」ことを学び、自分の力で考えていくことが認められる必要があります。そこでは、ファシリテーターは自分たちが「正しい答え」だと思っているものを伝えたり、説明したりするような誘惑に打ち勝つ必要があります。また、ファシリテーターが「正解」だと思っていることそれ自体も、ファシリテーター自身がまだ知らないような重要な批判に対して開かれています。これは哲学だからこそ起こることです。ファシリテーターは教えるという誘惑に打ち勝つ必要があります。たとえこうした態度を常に取り続けることが教師にとってほとんど不可能だと思っても、少なくとも毎週行われる哲学対話の探究のセッションではその態度は貫かれるべきなのです。この態度のことを、私は「オープン・クエスチョン・マインドセット（答えが1つではない問いに対する態度）」（Worley 2015a）と呼んでいます。p.10「はじめに」にもこのことが書いてあります。

ふりかえり

「正解に辿り着くやり方」以上に、「答えを見つけ、吟味するやり方」は哲学にとって大事なスキルの1つです。セッションの終わりになると多くの子どもたちは答えを知りたがります。でも、この本で紹介するような問いに取り組んでいると、たとえ先生が正解だと思っているものを子どもたちに伝えたとしても、すべての子どもたちが100パーセント賛成するということは、ほとんどありません。むしろ議論がさらに続いていくことがほとんどです。ひとたび子どもたちが答えを吟味し始めると、教師がどのような答えを示したとしても、子どもたちは教師のその答え

自体を評価することができる力を持てるようになります。先生だって、本だって、間違えることはあるのです。

ある議論で「答えって何だ?」という問いを避けて通ることができなくなったとき、「正解」「不正解」というトピックについて子どもたちが出した問いの例について考えてみましょう。

- もし先生が、自分が「正解」だと思ったものを示したら、ぼく・わたしたちはそれに同意しなければならないのだろうか?
- 先生や本が「正解」を教えてくれたとして、どうやったらそれが「正解」だとわかるんだろう?

以下のシナリオも考えてみましょう。

2人の子どもたちに先生は「2たす2は?」と聞きました。1人目の子どもは「4」と言いました。「なんで?」と聞くと、その子は「だってそれは僕のラッキーナンバーだからだよ」と言います。2人目の子どもは「5」と言いました。理由を尋ねると、その子は最初は指を折りながら数を数えていたけど、途中で数え間違いをしたことがわかりました。

問い:どっちの子が、より良い答えを出したでしょう?
　　　その理由は?

教室での哲学探究

　探究のメソッド（PhiE：Philosophical Enquiry）は、哲学的に探究することを子どもたちに体験してもらうためのメソッド（手法）です。このメソッドには哲学的活動に欠かせない重要なポイントが含まれています（p.30にある「哲学的な能力のリスト」を参照してください）。子どもが哲学的に探究するための他のメソッドと同様に、子どもたちは哲学を**する**のであって、思考の道へ積極的に参入するようになります。さらに、子どもたちは哲学者たちのアイデアの本質にふれることで、哲学の歴史についても学ぶでしょう。探究のメソッドの中には、「ファシリテーションの技術」、「話し手への接し方」、そして「先生のワザ」が含まれます。これらのものは哲学的な思考を後押しし、哲学的な思考をその他の議論ベースのやり方（たとえばサークルタイム）と区別するために開発されました。探究のメソッドは、「**思考実験**」として知られている哲学的なツールも活用します。

「思考実験」とは何か、哲学の舞台を整える

　子どもとする哲学は民主的であることが望ましく、それゆえ子どもたちが物語や対話の素材について探究するための問いを選択できるようにすべきだと広く考えられています。探究の問いを引き出すために「物語」がよく使われますが、物語は「思考実験」と違うので、問いの選択の仕方も当然異なると理解しておくことは重要です。

　物語への子どもたちの反応はとても多様です。子どもたちは哲学的な

だけでなく、感情的にも、そして無数の方法でも刺激を受けるからです。しかし思考実験は、特定の方法で考えるための素材としてつくられています。たとえば哲学者や科学者たちが、ある理論やアイデアそしてそこに含まれる**概念**の限界や関連項目をテストするためにつくられています。シンプルで無駄がなく、問いもセットになった思考実験の例を見てみましょう。

こんな事を考えてみましょう。ある日トムは気づきました。むかし自分はまったくの別人で、ジェフと呼ばれていたと。ジェフはあらゆる種類の犯罪に手を染めた悪人でしたが、自分の記憶を消してまったくの別人（つまりトムの）の作りものの記憶と取り替える手術が行われたのです。トムは法律を守る善良な市民です。

・**この人物はだれ？（トム？　ジェフ？）**
・**トムはジェフが行った犯罪の責任をとるべき？**

　この思考実験は、特定の問題について私たちの直感をテストするためにデザインされています。つまり私たちが自己というものをどのように受け止めるかについて、また私たち自身を理解するときに記憶がどのような役割を果たすかについて考えるよう導いてくれるのです。
　この本に取り上げた物語の多くは（すべてではありませんが）、哲学史上の有名な思考実験に基づいています。私は「お題となる問い」をつくるときにある程度の方向性を示すことにしました。つまり民主的で自由な問いづくりのアプローチを避けて、思考実験という哲学の舞台へと到達できるようにしたのです。しかし哲学の舞台が整えられたなら、そ

こで哲学をする主役である子ども中心のアプローチを忘れてはなりません。つまり議論を前進させるときには子どもたちについていき、哲学的な探究について新たに生まれてくる問いと言葉を引き出すべきなのです（用語集の「思いがけない問い」を参照）。議論をリードすること、議論の中の哲学的要素を押さえること、そして子どもについていくことのバランスをとってください。そうすれば子どもたちは自己決定でき、興味を失わないようになります。

対話の場をつくる

対話の場はサークル型、タマゴ型、U字型に座ってつくると上手くいくことが多いです。生徒同士が見える形だと、対話の各要素の質が上がるからです。個人的には円形よりU字型の方が好みです。なぜなら必要なときにボードを見せやすく、ボードは議論を理解するための視覚的な手がかりになるらしいからです。

本書では、子どもが何かのアイデアを理解するために図が役に立つということをたびたび提案しています。図を描くためにボードを使うので、ファシリテーターはボードを近くに置きましょう。ストーリーは耳から入ってきますが、図を描けば目からも理解できます。できれば図やコンセプトマップは記録に残しておくとよいでしょう。もし電子黒板などを使っていれば、「哲学」や「探究」のフォルダに保存しておけます。これは数週間にわたるような議論の助けになるはずです。また、生徒が手に持つためのボールもよく使います。誰がしゃべるターンか見てわかるからです［訳注：ボールを持っている生徒に発言権がある］。ボールは跳ねないものが良いでしょう（対話の道具は、可能なかぎり気が散らないものにします）。子どもが哲学的な議論に慣れてくるとボールは徐々に不要になっていきますが、その過程はよく注意しておきましょう（p.58にある「ディスカッションを自らコントロールすること」の中の「話し

手への接し方」を参照)。

　形式面で一言付け加えます。多くの先生はサークル型やU字型にする授業を好みません。講義式の状態から対話用に変えるには、机をどけて椅子を並べ替える必要があるからです。しかし私の同僚で学校の先生でもある方が、この問題を解決どころか改善（本人いわく）しました。机も含めてU字型にすれば、対話だけでなくすべての授業が探究モデルで進められるというのです。この手段によって生じる議論の質の向上は、机や椅子を動かすことで生じる小さな問題を帳消しにするでしょう。

探究のメソッドのモデル

　ファシリテーターの指示は、セッションをどのように進めるかの細かいガイドラインになっています。しかし基本的には、「探究のメソッド」のモデルは次に述べるようなものです。この基本的な流れをとりちがえないことが、探究の中に哲学が生まれやすくするために重要です。この

流れは哲学的な探究が「生まれやすい」というだけなのですが、いまのところ最良の方法であることも忘れないでください。

基本的哲学探究モデル

ステップ1：はじめに、**哲学の素材**の指示された箇所を音読して提示します。

ステップ2：様子を見て**最初の考え、トークタイム、読解タイム**を設けましょう。**最初の考え**について述べるために、もし可能なら生徒から率直な短い反応を引き出します。特定の目標を設定せず、ただ物語について話し合う時間です。自分たちが聞いた物語について、どんな疑問点、感想、アイデアでも構いません。そして少し時間をとり、出てきたものを共有し、疑問の答えを考えます。この時間によって、メインの探究に入る前に理解が深まります。この段階でも**思いがけない問い**や**お題の問い**が出てくることがあります。もしなければ次のステップ3に進んでください。

ステップ3：**お題の問い**をボードに示し、全員が見えるようにします。

ステップ4：**お題の問い**に取り組むために、ペアか少人数のグループをつくり、しばらく（2〜5分ほど）**トークタイム**を設定しましょう。ファシリテーターはこの時間を使ってペアやグループ同士の議論を結びつけられますが、教室すべてを見る余裕はない

でしょう。

ステップ5：**探究**に入ると、子どもたちはクラス全体かグルー
　　　　　プに対してアイデアを共有します。いま議論に
　　　　　なっている問題や話題について、協働的なグルー
　　　　　プ探究を通して自分たちのアイデアを組み立てた
　　　　　り発展させたりするのです。

ステップ6：もっと**お題の問い**があれば、ステップ3 〜 5を繰
　　　　　り返してください。もしかすると議論の中からそ
　　　　　の場にぴったりの**お題の問い**が生まれるかもしれ
　　　　　ません。

　これは一般的なモデルですが、多くのセッションは（理由も多くあり
ますが）このモデルに厳密に従っているわけではありません。「最初の
考え」のステップが含まれていないセッションもありますが、それは用
意された「お題の問い」がセッションをすぐに哲学的な探究へと変える
ことが確実だからです。いくつかのセッションでは「読解タイム」も必
要ありません（たとえばp.108「椅子」）。

哲学の素材

　各セッションの「哲学の素材」は、ふつうお話の形になっています。
そうはいっても、いくつかの場合は体験型だったり（p.251「何もない
ということについて考える」）、活動だったりします（p.130「無人島ゲー
ム」）。お話はそのまま読んでもいいですが、セッションの始まりに示さ
れるものとしては、年齢によって難しく思えたり幼く思えたりするかも
しれません。ややかたい言葉は、シンプルなものに置き換えても良いで
しょう（「外周」を「ふち」にするとか、「繁茂する」は「しげる」にす

るなど）。また、不必要であれば丸々読み飛ばすこともできます（「凡庸な」や「陰鬱な」など）。子どもたちが知らないかもしれない言葉をあえて使うのは、個人的には好きです。知らない言葉を使うと子どもはそれを使おうとしますし、文脈から意味を推測する機会を与えることにもなりますから。その代わり、お話の理解に必要そうな言葉であれば、意味を軽く説明します。かたい言葉をたまに飛ばすとはいえ、書かれたものにこだわることは重要です。なぜなら、特定の哲学的な問題を正確に示すために、ある筋書きや一連の場面を通して明確にデザインしている可能性があるからです（p.36「「思考実験」とは何か、哲学の舞台を整える」）。

読解タイム

　お話を使うので、純粋にその内容を理解するために時間を使うのも良いことです。込み入ったお話を読んだあとには「読解タイム」を作ってください（例：「シービーのお話：ウソ」や「別の惑星のあなた」）。普段は必要なくても、時には2度読んだほうがいいと感じることもあるでしょう。子どもたちへの最初の指示として、グループでお話を語り直し（再話）するように言う方法もあります。最初の子どもは、覚えていることを詳しく話したり、先生が止める指示を出すまで話をしてもらいます。そして先生は他の生徒に「まだ話されていないこと」で何か付け足すことはないか聞きます。この指示がないと、話が長くなりすぎて子どもの興味が失われることもあります。何人かが協力してくれることで、たいていはクラス全体がストーリーのできごと全体について十分理解できるようになります。「読解タイム」がそのまま自然と議論へとつながることもありますが、そうでなければ「お題の問い」に進みましょう。

小道具、図、身振り

　小道具と図は、探究を始める前に生徒の理解を促す重要な要素です。本書で小道具と図の使用が必要なところには記載しています（p.165「テ

セウスの船」）。図を描くときに重要なのは、**シナリオをおさらいするようにクラスに説明すること**です。これが複雑な状況をとらえる最善の方法だからです（p.305「シービーのお話：ウソ」）。もし用意された図をただボードに写すだけなら効果は薄くなるでしょう。お話を聞くことは、耳からの学習経験なのです。図を見ることは目からの学習経験です。生徒に声を出させることなく、シナリオを身振りで表すよう求めることもあるでしょう。

書く哲学

　もし子どもに、書くことで哲学をさせたければ、「哲学ジャーナル」を渡すか宿題シートを出しましょう。シートにはすでに行ったセッションの「お題の問い」、または適切な**おみやげの問い**［訳注：セッションが終わったあとも子どもたちが考え続けられる問い］を載せます。すると学校でのセッションは、子どもたちがアイデアをひらめかせるための準備段階として働きます。出てきたアイデアは、今度は他の活動でさらなるアイデアを生むでしょう。

ファシリテーション

　そのセッションの構成を読み、「哲学の素材」を提示することは、実際のセッションを成功させるための第一歩に過ぎません。成功は先生のマインドセットとファシリテーションスキルにかかっています。効果的に存在感を出したり消したりしましょう（介入したり、控えたりします）。その技術をこの一冊で示すのは難しいですが、正しい方向から逸れないようにガイドラインを示しています。いくつかのファシリテーションスキルも含まれていますので、もし更にトレーニングしたければ詳細は本書の最後（p.359）を御覧ください。

教室で哲学をするには：先生のための基本的な手法

　シンプルで基本的な手法を示します。ファシリテーターがこれに従えば、問いや課題を共に考えるグループの中で哲学的な探究が開かれるのを十分可能にするでしょう。

参加者に聞いてみましょう

a **考えていること**について。多くの場合は、メインの**お題となる問いや思いがけない問い**への答えについて聞くことになるでしょう（p.346）。

b **広げる**。そのように思う理由（判断）、情報の付け足し（連想）、○○とはどういう意味か（説明）などについて聞いてみましょう（p.90）。

　本質にふれる態度を後押しするために、いま挙げた基本的な手法（aとb）からもう一歩深く進めることもできます。

参加者に聞いてみましょう

c **他の人が言ったことについてどう考えているか**、もしくはざっくりと「誰かの意見について何か言いたいことがある人は?」とか、もっとピンポイントに「あなたは○○に賛成する?」と聞いてみましょう。

d そのあとに、**他の人の考えについて述べたことの理由**や、なぜ○○に**賛成しないのか**などと、「広げる」のです。

　「オープン・クエスチョン・マインドセット」（p.34）をとりいれると、哲学することにおいて基本的な問いかけ方がわかるようになるでしょう。**子どもが何を考えているか**を聞くということは、**子ども自身が何を**考えているかを聞くことであって、**あなたが言ってほしいことを子ども**がどう考えているのか聞くことではありません。これが「オープン・ク

エスチョン・マインドセット」と「クローズド・クエスチョン・マインドセット」の違いです（p.90）。プラトンの対話篇『国家』の中で、登場人物のソクラテス（ご存知のように、「オープン・クエスチョン・マインドセット」を常に発揮しているわけではない人ですが……）はこう述べています。「まだ不確かで不安に感じるかもしれないが、議論が風のように導いてくれるところこそ、我々が進むべきところなのだ」（「教訓づけない」p.103参照）。

明瞭にする問いかけ

たくさん問いかけましょう。たとえば「もっと付け足せる?」「○○をどんな意味で使っている?」「別の言葉を使ってもう一度説明して」などです。子どもは自分が言いたいことを言おうとすると時間がかかります。しかし、その機会を奪ってしまうかどうかはあなた次第です。

「ウェイターのアプローチ」

考えていることを言いたくなるのを我慢しましょう。ある先生は、探究を進めるときに意見を言いたくなる欲求を抑えるのが難しいと語ってくれました。そこで私は「これは**あなただけ**の問題ではなく、まさに**私たち全員**が直面する問題なのです」と伝えました。「探究のメソッド」を進行するということは、自己抑制の訓練をするということです。あなたがファシリテーターになっているとき、ふだんのあなたはそこにいません。ファシリテーターは「ロール・プレイ」や「緊張関係の演出」などの方法で子どもたちをゆさぶりますが、個人的な都合で行うべきではありません。その理由は、あなたが誘惑に抗えなかったときにすぐにわかるでしょう。というのも、もしファシリテーターが自分の考えを口に出したら、子どもたちはそれが正解だと思うからです（これこそ子どもたちが学校で受けた思考トレーニングの到達点なのです）。そしてファシリテーターの考えをそのまま繰り返し、「探究のメソッド」のセッショ

ンにあったはずの多様性を消してしまうのです。子どもたちが「トーク
タイム」に続けて探究を始めたとき、もし子どもの「先生が言ってたん
だけど」というような発言に気づいたら、それはあなたが自分の意見を
言い過ぎたというサインです。私はこのサインを「エゴ探知機」と呼ん
でいます。すぐれたファシリテーターは、すぐれたウェイターのように、
居るけれど気づかれないものです。つまりすぐれたファシリテーターの
スキルは、発揮されていてもそのエゴが見えないものなのです。

考えるためのゆとり

　問いは、はっきりと、1回につき1つにして、子どもたちが自分の考え
を整理するための十分なゆとりを用意しましょう。このゆとりの大切さ
を実感するためには、適当に1篇の詩を読んでみるといいでしょう。きっ
と初見では、ほとんど何もわからないことを痛感します。すると立ち止
まって考え、特定の行を再読したくなるでしょう。そして詩の世界に
浸ってイメージが形成されるにはもっと時間が必要になります。それに
は数日かかるかもしれません。素早く考えられる子どももいますが、多
くの場合はアイデアが形になる時間やそれを表現するためのさらなる時
間が必要です。「探究のメソッド」を見学した先生が最もよく言う感想
の1つに、自分はもっと子どもに問いかけたあとに考えるための時間を
つくるべきでした、というものがあります。先生は問いと答えの間に少
なくとも3秒の間をつくるべきだとアドバイスを受けることが多いよう
です。しかし私は最大1分待ちます。子どもに考える時間をあげましょう。
ときには何かアンカー（錨）のようにつなぎとめる（つなぎなおす）も
の（「椅子」のセッションの「先生のワザ」p.111参照）があれば、いま
何について考えるべきかを思い出させることができます。何を考えるの
か忘れても恥ずかしくて言えず、実は考えていないのにそこに座って考
えているふうに見せる子どもは珍しくありません。

繰り返す

　もし必要なら、子どものアイデアをこだまのように繰り返しましょう。もともとの言葉に近いまま行います。繰り返すことは、言い換えとは違います。言い換えは言葉を変えてしまいます。また「○○さんは〜と言っていた」と断言してはいけません。「あなたは〜って言っている?」とたずね、訂正する機会を確保しましょう。とくに年少の子どもと対話するとき、繰り返しを行う必要性は高いです。単純にグループ全体に聞こえるほどの声で話してくれないことが多いからです。繰り返しはあるアイデアをグループの中にとどめておくのにも有効です。そしてアイデア同士をつなげたり、対比させたりするのにも使えます。

覚えておく

　誰がいつ何を言ったのか覚えておきましょう。どのアイデアが誰の発言かを知っていれば、グループの中でお互いに言及し合ったり、あとでアイデアを付け加えたりすることができます。

マッピングする

　子どもたちから出されたアイデアを頭の中でマッピングしましょう。誰が何を言ったか覚えているのなら、アイデア同士がどう関係するか組み立てる必要があります。そうすれば必要なときに子ども同士で話し合わせることができ、議論が哲学的に深まっていきます(p.47「繰り返す」)。

つなげる

　子どもたちの発言やアイデアをつなぎましょう。子どもたちはアイデア同士を非常にうまくつなぐこともありますが、そうでないときはあなたがアイデアのつながりを明確にしなければなりません。似たアイデア同士だけでなく、互いに対立するものもつなぎましょう。「では、さっ

きのアリスの発言についてどう思う?」(p.53「緊張関係の演出」参照)。

備える

「お題となる問い」や、「さらなる問い」、そのほかの活動のストックを用意しておきましょう。経験が増えると、議論がどこへ向かうか、どんな道筋を通るかがわかるようになります。この本の各セッションには、「さらなる問い」がリストアップされていますが、もっと多く考えて書き留めておいてもいいでしょう。

引き出す

子どもが何を言っているのかもっとよく理解するために、別の方法はないか考えてみましょう。子どもが何か言うときは、考えのプロセスの最後の部分だけです。それゆえ子どもがなぜそういうふうに言ったのか、ファシリテーターとしてはその理由の部分を注意深く引き出せるようにしてください。ただし強制はせず、やさしく振る舞ってください。もし理由を引き出すための問いを投げかけても、その子どもが何も答えられそうにないのなら、そのまま流して良いのです。あとになってまたいつでも確認できるのですから。

ファシリテーションのガイドライン

子どもたちがお互いを信頼し、敬意をもって質問しあうことを学べるように、ここでは、探究のメソッド(PhiE)のセッションを進行するためのガイドラインをいくつか紹介します。

・ほとんどの部分で、問いを投げかける役割に徹しましょう。

- 「ファシリテーター」としての思考と「参加者」としての思考を自分自身の中で明確に区別してください。一般的には、ファシリテーターとしての思考を常に保ちながら、参加するとよいでしょう。
- どうしても必要な場合を除き、相手の言葉を言い換えたり、要約したり、誇張したり、一部を切り取ったり、勝手に解釈したりしないようにしましょう。もしそうする必要があるときには、常に「間違っていたら訂正してね。あなたが言いたいことは……ってこと?」という言い回しを使うようにしましょう。
- お互いのアイデアについて、あなたより子どもたちのほうがなるべくたくさん反対意見を出せるようにしましょう。機会を与えれば、子どもたち同士のほうが、むしろ上手に対話できるようになります。
- 信頼と責任のある環境、つまり、子どもたちが恐れることなく発言ができ、互いに敬意をもって反対意見を述べることができると感じられる環境を育みましょう。
- セッションをどのように進めたいかという哲学的、概念的な目標が役に立つことはあります。しかし、自分自身がそこに無理やりもっていきたくなる誘惑に負けないようにしましょう。もし子どもたちが、あなたが目指していた目標を達成できなかったとしても、時には、それを受け入れることも必要です。
- 「オープン・クエスチョン・マインドセット」をキープできるようにしましょう（p.10とp.34参照）。

話し手への接し方

「探究のメソッド」のグループにおいて、ファシリテーターが直面する主な問題の1つは、話し手にどう接するかということです。グループには、たくさん話したい人、黙っていたい人、話したいけれどもその場に馴染めないかぎりは難しいと思っている人など、さまざまな人がいます。あなたは、全員の発言の頻度を上げ、対話における貢献度をより均等にすることを目指しているかもしれません。もしかしたら、一つひとつの発言の質の向上を目指しているのかもしれません。具体的には、より深い哲学的な洞察から、単に裏付けとなる理由を提供すること、あるいは、普段は静かな子どもがより自分らしく発言できることなどが考えられます。これから、「探究のメソッド」として話し手に接するためのテクニックをいくつか紹介します。

対話に招き入れること

すべての人に発言の機会を提供し、あなた自身が彼らのアイデアや考えに興味があるということを明確にします。「トークタイム」を使って、さまざまなアイデアがあることに気づき、興味深い新しいアイデアに耳を傾けましょう。そして、そのような最初のアイデアについて話してもらうことで、グループでの探究を始めていきます。

声を出さない貢献

声を出してディスカッションに貢献していなかったとしても、必ずしも子どもたちが議論に貢献していないことを意味するものではありません。これは、話すように促してはいけないということではありませんが、反対に無理に急ぐ必要もないということを示しています。「トークタイム」を使って、子どもたちが何を考えているのかを確認しましょう。そうすれば、彼らが何かしらを考えていることがわかり、実際に議論に貢

献しているかどうかも確認できます。

フリープレイ

　自由参加で、発言したい人が手を挙げる方法です。不自然な演出を避けることができ、多くの場合には一番盛り上がる方法です。フリープレイを使う場合は、なるべく公平に話し手を選ぶようにします。つまり、まだ発言していない話し手を選ぶようにしましょう。

小グループでの対話の導火線

　フリープレイに進む前に、ペアやグループでアイデアを共有してもらうことから始めると役立つことがあります。特にグループ内で意見の相違がありそうな場合に有効です。これは論点を明確にすることができるという点で、クラスの他のメンバーにとっても良い刺激となります（p.86に、論点を明らかにすることに関して言及があります）。

探究の途中のミニ対話

　小グループでの対話のアイデアをより発展させるために、トークタイムで話していたことをより大人数のグループで議論し、探究を深めることも可能です。このとき、残りのクラスメンバーがそれを見守ります。これは、1、2分ほど、議論が進むままに任せておいてもよいでしょう。

挙手制

　まず、挙手をして話すというルールをつくります。誰かが考えているときや話しているときは、手を下げなければならないことも、子どもたちにあらかじめ確認するようにしましょう。これを習慣化するためには、定期的に何度も伝えることが必要です。最初に、時には手を下げてもらうようお願いすることもあることも伝えておきましょう（この後の「ランダム選択」で詳しく説明します）。

ランダム選択

子どもたちに手を下ろし、誰かにボールを渡してもらいます。渡された相手は、何も話すことがない場合や話したくない場合は、再びボールを戻すことができることをはじめに確認しておきましょう。これは、普段「発言することがないメンバー」が挙手することをただ待つのではなく、発言の機会を与える良いタイミングです。（そしてこのようなちょっとした機会が無ければ、永久に発言しないこともありえます。）本当にランダムにしたい場合は、子どもたち全員の名前が書かれたロリポップ（棒つきのキャンディ）をカップに入れて、その中から1つ選ぶとよいでしょう。もしくは、ランダムな数字が出てくるようなソフトウェアやアプリを利用するのもよいでしょう。

話し手が選択すること

もう1つの方法は、ボールを持っている人が話し終わったら、次の話し手を選べるようにすることです。実は、私はこの方法には少し問題があると思っています。というのも、彼・彼女らはしばしば友人を選ぶので、誰かがイライラしたり傷ついたりして、子どもたちが心がかき乱されてしまう可能性もあるからです。しかし、たまに用いるのであれば良いと思います。私がこの方法を最もよく使うのは、次のような状況です。

ピアサポート

誰かの発言や思考が「行き詰まり」、どうにもできなくなったら、クラスの中で誰か助けてくれそうな人がいないか尋ねてみます。

応答する権利

誰かが言ったことに対して、別の人がコメントしたときに、私はこのルールを使います。これは、自分の考えについて発言された人が、すぐ

にそれに対して応えたり、自分の立場を守るための追加の発言をしたり、また考え直しをする機会さえも与えます。子どもたちは、事前にこのルールのことを知ってさえいれば、一見、平等に意見を振っているとはいえない状態でも、受け入れてくれることが多いです。また、議論で思考を深める良い方法であるともいえます。これは、子どもたちにあらかじめ明確に伝えておくといいテクニックの1つです。

ラウンド制

それぞれの子どもたちがそのラウンドの中で何かしらの貢献をするというルールのもと、ラウンド制（答えを一人ひとり言っていくこと）を採用するのもよいでしょう。ラウンドの定義は「ある特定の質問や議論に対するさまざまな応答」とすることが一般的です。これは、フリープレイ方式を使用する場合に、うまくいきます。

発言頻度を確認すること

セッションのある時点で（セッションまたはラウンドの終わり頃がいいかもしれません）、今日発言していない人、または1度だけ発言した人に挙手を求め、それらの子どもたちに1ラウンドを渡してみます［訳注：これまで出た問いや議論についての答えを、まだ話していない子どもたちに聞いてみる］。もちろん、発言したくない場合は発言しなくて構いません。

緊張関係の演出

互いに対立するアイデアを特定し、関係をマッピング等で整理したら（「ファシリテーション」セクションのp.43以降にマッピングとリンキング（つなげること）について説明がされています）、これらの緊張関係を利用して、さまざまな方法で探究を発展させることができます。グループ全体として洗練されたレベルに議論を深めることもできます。また、

子どもが自分の立場を守るためにそれぞれの意見をより改善することを促すこともできます。また、ディベートに発展させることによって、探究を深めていくこともできます（下記の「ミニ・ディベート」で詳細な説明をします）。

ミニ・ディベート

　時には、「緊張関係の演出」と同様に、2人の子どもがはげしく意見をぶつけあいます。ただし、これはお互いに敬意をもって発言や応答が行われることが前提で、1〜2分間ほど、連続して互いに応答しあう時間を設けます。これは「緊張関係の演出」と同様に、セッションに多くの気づきや学びをもたらします。

応答の探知

　弁証法のような議論が起きるためには、ある考えに対して、適切なタイミングで、適切な応答を見極める必要があります。しかし、弁証法は多くの子どもたちを置いてけぼりにしてしまうことがあるので、常日頃から用いないほうがよいでしょう。弁証法のようなやりとりを奨励するためには、特定のアイデアに対しての応答を拾いあげることが、時には必要であり、非常に有益であるといえます。これにより、独自の新しいアイデアを持つ人たちの応答との違いを見極めます。何度かこのようなやりとりを経験すると、この方法は思考を深め、思考の道筋を明らかにできることがわかるでしょう（詳細はp.93参照）。

トークタイム（生徒同士が話す時間）とグループワーク

　話し手を勇気づけるもう1つの方法は、トークタイム（生徒同士が話す時間）を設けることです。これは、これまで説明したものとまったく異なる原動力として、子どもたちによっては話しやすいと感じさせるでしょう。静かな子どもたちと一通り話をした後、探究が始まったところ

で、その子たちに、次のような方法で参加するように促します。たとえば、あなた自身がその子どもたちの考えについて少し紹介をして、その後、彼・彼女らにもっと詳しく話をするように頼んだり、「あなたが私にさっき言ってくれたことをクラスのみんなにも話してもらえる?」と問いかけることができます。トークタイムは主にペアで行うことが多いですが、全員が誰かと話す機会があれば、何人で話していてもかまいません。

バズ(ざわざわ話すこと)

子どもたちがあるアイデアに興奮して、話をするタイミングではないにもかかわらず、お互いに話し始めたら(私はこれを「バズ(ざわざわ話すこと)」と呼んでいます)、それを静めようとして抗うのではなく、このエネルギーを建設的に使い、反対に1、2分話す時間を与えてみましょう。もし彼・彼女らがあるアイデアに対してこちらの想定以上にワクワクしているのなら、それこそまさにあなたが望んでいることではありませんか。その「ざわざわ」を抑えるべきものと考えず、活かせるものだと考えるのです。武術の太極拳では、相手のエネルギーに抗うのではなく、逆にそれを利用することを教わります。子どもたちを敵と考えるのはやめましょう。そして、彼・彼女らのエネルギーを抑制すべきものと考えるのではなく、セッションを活性化させるために、どのようにポジティブに活用していくかを考えるほうがいいでしょう。

グループ・ダイナミクス(集団の力学)

私は、主に2つの議論において大きく影響を及ぼすダイナミック(力学)を特定しました。特にこれから紹介する2つ目のダイナミックは、持続的な議論を促進するものです。それは、時には1つの質問から丸1時間、難なく議論を続けることさえもできます。2つのダイナミクスは、ハニカム・ダイナミクス(ハチの巣の力学)とウェブ・ダイナミクス(クモ

の巣の力学）と呼ぶことにします。

● ハニカム・ダイナミクス（ハチの巣の力学）

　ハニカム・ダイナミクス（ハチの巣の力学）では、ファシリテーターがそれぞれの参加者の発言に対して反応し、次の発言者に移るときにもファシリテーターの承認が必要です。このことで、ファシリテーターは議論をしっかりとコントロールし続けられます。これは教室で教師がよく生徒に行う対話の方法であり、教師とそれぞれの子どもたちとの間で多くの一方通行の対話が行われることになります。これは、あたかも蜂の巣の中の独立した細胞の中に子どもたちがいるようになります。つまりはそれぞれのやり取りが閉ざされたものになるので、教師がとある生徒とのやり取りと別の生徒とのやり取りに繋がりがあると認識した場合を除き、他の生徒の応答と関連づけられることがないのです。図にすると、このようになります。

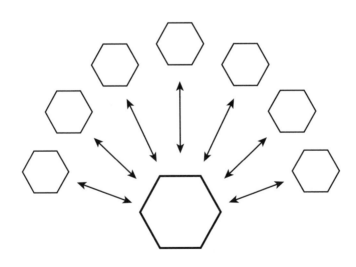

ハニカム・ダイナミクス（ハチの巣の力学）は、ディスカッションを盛り上げたり、先に進めるのに最適な方法とはいえません。実際には、先生がディスカッションの中で大きな役割をもつことになります。1時間後には、先生はとても疲れていることでしょう。

● ウェブ・ダイナミクス（クモの巣の力学）

　ファシリテーターは、ボールを次の人に渡す前に、発言者からボールを受け取ることはあっても、発言に対して承認したり、反応したりする必要がありません。（ただし、発言者の言ったことを繰り返したり、その内容を明確にしたりすることが必要なことはあります。）このため、子どもたちがお互いに反応する余白が残されているといえます。ファシリテーターは、意見が述べられた直後に挙手をするなどの意見への反応をほのめかすサインを探します。あるいは、ファシリテーターは、その意見について生徒たちが何か言いたいことがある場合のみ挙手を求めることもあります（詳細はp.54の「応答の探知」）。ウェブ・ダイナミクス（クモの巣の力学）では子どもたちはお互いにディスカッションを盛り上げるので、ファシリテーターはあまり仕事をする必要がありません。ファシリテーターは、ディスカッションの炎にそっと息を吹きかけ、燃えさしが互いに火をつけ合うようにする役割です。ウェブ・ダイナミクス（クモの巣の力学）は、次のような図で表すことができます。

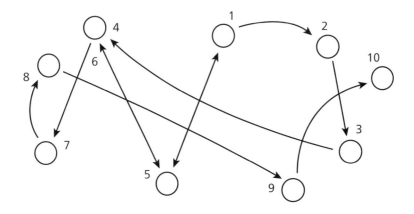

　時には、ハニカム・ダイナミクス（ハチの巣の力学）のようなスタイルから探究のメソッド（PhiE）が始まることもあります。これは必ずしも悪いことでありませんが（子どもたちが何らかの影響で意見を言いづらくなっている可能性もあるからです）、できるだけ早く、セッションがよりウェブ・ダイナミクス（クモの巣の力学）になることを目指していくのがよいでしょう。

ディスカッションを自らコントロールすること

　ファシリテーターがグループやディスカッションから「抜け出す」方法の1つは、グループが自らディスカッションをコントロールする方法を学ぶことです。この成長が自分にもクラスにもはっきりと認識できる方法は、ボールをなくしてしまうことです。私は、9歳から11歳の子どもたちの成熟度に合わせて、5分から10分間、ボールなしでディスカッションを進めてもらうことにしています。その際、子どもたちはディスカッション中に発言することができる余白を見つけて、自ら発言し、貢献する必要があります。その間、他の子どもたちは発言者が発言できるような余白をつくり、後で今度は自分自身が自然に発言できるタイミングを見つけてディスカッションに貢献するようにしてもらいます。この

方法は、グループの成熟を必要とし、また促進するものですが、他の発言者をコントロールする方法と同様に、偏りが生まれることがあることもわかりました。たとえば、より支配的で自信に満ちた声がより多く聞かれることになります。少人数のグループであれば、ファシリテーターが時折促したり、声をかけることでうまくいくことがあります。しかし、クラス全体でそれを継続することはかなり難しいといえます。子どもたちが通常の「ボール」を使った対話に慣れるまでは、この方法は使わないことをお勧めします。

　また、誰かが話し始めたら、輪の中にあえて座り、子どもたちがあなたに向かって話すのをやめて、応答しているグループや子どもに対して話し始めるようになれば、話し合いから「抜け出す」ことができます。探究のメソッド（PhiE）がウェブ・ダイナミクス（クモの巣の力学）に移行すると、この方法でより簡単に「抜け出す」ことができます。これを促すために、私はときどき発言者に、私ではなくグループに向かって発言するように言うこともあります。

発言者をコントロールする方法のバリエーション

　発言者をコントロールする方法はどのようなものでも偏りが生まれることがあるので、そのときどきで方法を変化させることが重要です。そこで、「挙手」から「挙手なし」、または「ランダム選択」に頻繁にやり方を変えます。いずれにしろ、選ばれた子どもが必ず話さなくてはいけないわけではないことも確認するようにしましょう。また、子どもたちの座席の配置を変えて、トークタイム（生徒同士が話す時間）で普段話さない人と話すようにするのも有効です。セッションの円滑な運営を妨げるとあなた自身が感じない限り、トークタイムのたびに子どもたちを移動させ、新しい人と話すようにしてもらうこともよいでしょう。そのやり方の1つとしては、たとえば、円であなたの隣の子どもから数えて、2の倍数になる席に座っている子どもたちには、それぞれ2席ずつ移動し

て、新しい人と隣り合うようにしてもらいます。ただし、時には、子どもたちが選んだ座席に座ったままで始めるようにしましょう。友達と一緒に話せる方が、より自然な姿で、また話しやすいことも多いからです。話し手を選ぶときに、性別によるあなた自身の偏見が無意識に入り込んでしまう心配があるならば、どの話し手をコントロールする方法を使っていたとしても、単純に女子の後には男子、男子の後には女子というルールをしっかり守るように意識をしましょう。また、子どもたちに、話し手を選んだときに、なぜその子を選んだかという理由を明確に説明することもよいでしょう。そうすることで、子どもたちになぜそのような選び方をしているのかを理解してもらえ、安心感につながります。（たとえば、その子自身が、グループの中の他の選ばれた子どもたちよりも、比較的最近または、頻繁に話す機会があったかもしれないことに気づくことができます。）というのも、子どもたちから、私と目が合っていたのに、他の人にボールを渡すのは、正直あまり良い気持ちがしないという声を聞いたことがあります。子どもたちは、あなたがその子たちの言いたかったことを聞きたくないと思っているんだと勘違いすることがあるのです。でも、なぜ他の子が選ばれたのかを説明することで、子どもたちは気にしなくなります。

幼い子どもたちとの哲学

　かつてジョン・ロックは、子どもは論理的に考えることができるので、「彼らの年齢と理解力に見合った論理性」と「少なく平易な言葉」を用いることによって、理性的な生き物として扱われるべきであると書いていました。幼い子どもたちとの「哲学」を純粋に哲学的と表現するか、あるいは私のように哲学の前段階のものと表現するかは別として、「哲学的」と表現できるような思考をするために必要な論理的思考力は、3歳から6歳までの間に発達しはじめます。論理的に考えられる子どもはそのように考え、まだできない子どもたちはできる人を見たり真似たり

して学ぶのです。それには、それを認知する能力の発達が必要ではあります。幼い子どもたち（3〜6歳児）への哲学と成長しつつある子どもたち（7歳以上）の哲学も、本質的には同じなのです。少し違うところがあるとすれば——そしてそれをあえて強調しておくと——ジョン・ロックが言う「少なく平易な言葉」を用いることを心に留めておくことが、成功の鍵です。

　探究のメソッド（PhiE）の手法が、特に幼い子どもたちの取り組みでも効果を発揮することに驚かれるかもしれません。たとえば、文法的に閉じた質問（例：「イザベラは迷子ですか」）をする方法は、年少の子どもたちにとって答えやすいものです。彼・彼女らは、たとえまだ理由を説明できなくても、「はい」「いいえ」または一言で答えることはできます。そして、まだ詳しく述べたり、分析したりすることが難しくとも、簡単な理由を述べることができる場合があります。以下は、幼い子どもたちと哲学的な探究のセッションを行う際のヒントです。

少人数で取り組むこと

　6〜8人程度のグループでの活動がうまくいきます。というのは、この場合、子どもたちが飽きないように、直接、何度も声をかけることができるからです。あまり長い時間集中することを期待しないようにしましょう。10分から15分程度で十分です。私は通常、子どもたちの注意力が限界に達したところで止めます。今まで保育園の子どもたちと行った最長のセッションは35分でしたが、10分でも十分満足する内容になります。

自らの期待値を調整すること

　自らの期待値を調整し、一度にすべてを満たすことを期待するのはやめましょう。まず、全員が短時間でも座って聞くことができるでしょうか？　そうであれば、次に進みます。彼・彼女たちは文法的に閉じた質

問（「はい」「いいえ」または一語で答えられる質問）に答えられるでしょうか？　そうであれば、次に進みます。彼・彼女たちは理由を説明できるでしょうか（「そう思ったのはなぜかというと……」と促してみましょう）？　さらに次に進みます。彼・彼女たちは前提が変化することに応じて、考えを変えることはできるでしょうか（たとえば、「もし彼女がそれを見つけたとしても、それは失われたと言えるのでしょうか？」というような問いです）？　それから、（これは幼い子どもたちには特に難しいといえますが）他の人が言ったことに対して、コメントすることはできるでしょうか？　これには、次のような方法も試してみてください。「○○に賛成ですか、それとも反対ですか」でもいいのですが、幼い子どもたちとの哲学的探究のスペシャリストであるスティーブ・ホギンズ（The Philosophy Foundation）は、「賛成」「反対」という言葉が幼い子どもたちには難しすぎると言います。そのため、彼は「繰り返し」（p.47）をし、そのあとに「それは正しいですか?」と尋ねることを勧めているそうです。たとえば、「インディは、『同じ色だから、それらは同じものだ』と言いました。それは正しいですか?」と尋ねるのです。言い回しのテンプレートや話し始めの言葉（上記の括弧内参照）をいくつか用いながら、彼らの対話が構造的でわかりやすく進められるように手助けするのもよいでしょう。

平易な説明を用いること

　次に、簡単な指示と最小限のルールで取り組むようにしましょう。ボールがあるときにだけ話をし、ボールを持っている人の話を聞くというルールだけで十分でしょう。スティーブ・ホギンズは、ジェスチャーや大げさな表情を多用して、幼い子どもたちが自分に求められていることを理解できるようにします（たとえば、何かを見てほしいときには、自分自身の目を指さしながら、何をしてほしいかをはっきり言います。もしくは「こうしてほしい」とはっきり言いながら、手を使って見本を見

せながら、何かを指さすように指示します）。スティーブは、手を使ったサインも使います。たとえば、親指を立てると「イエス」もしくは「その通り」、親指を下げると「ノー」や「絶対ダメ」、親指を横にすると「もしかしたらね」、「よくわからない」、「知らない」などです。彼は何かについての判断をこれらのサインを使って表現する方法を用いています（たとえば、「大きなテディが小さなテディより多くのケーキをもらうのは公平？」という質問に対して親指を使ったサインを用いて答えてもらいます）。

　スティーブは「見せてごらん！（Show me!）」というメソッドを用いて、身振り手振りや指差しで子どもたちに答えてもらいます。たとえば、「どれが違うと思うか見せてごらん。はい、指差して！」とか、「ケーキがここにあるとするよ。どれだけもらえると思うか（手でもしくは身体で）見せてごらん！」などと声を掛けます。また、必要に応じて絵を描いてもらうのもよいでしょう。

　テディベアやパペットを使って、ある種の思考を促してみましょう。たとえば「頭の中の反対論者」（p.73）をするときに使うことができます。もし、子どもたち全員が「鉛筆はなくなったの？」という質問に対して「うん」と答えたら、テディベアを耳に当てて、「テディは『いいえ』と思っているんだって。誰かテディの話になぜそう思うのかを聞いてあげてもらえますか？」と言うことができます。スティーブは、子どもたちが友だちに対して、クリティカルな関わりをすることが難しい場合でも、テディベアを通じて別の立場の考え方を思いつけることを目の当たりにしてきました。つまり、テディベアは、あなたが認める結論に到達させるために使うのではなく、今あるものとは別の考えにたどり着いたり、クリティカルに関わりあうことで見えていなかった別の考えに気づくために使うのです。

　幼い子どもたちに効果的な、質問の手順の基本を紹介します。

・文法的には閉じているが、概念的には開いている単純な質問をするようにしましょう。たとえば「それは公平といえる?」というような質問です。
・答えが得られたら、それをさらに開いた問いで詳しく聞きましょう。よく「なぜ?」もしくは「なぜそうではないといえる?」という問いを用いますが、問いの形は必ずしもそうでなくても構いません。
・答えが得られたら、他の人に「〇〇の考えに賛成?」と聞いたり、エコーをしたあとに「それは正しいですか?」(p.47)を使って、尋ねてみましょう。
・それに対して関係しそうな答えが得られたら、それを開いた問いで詳しく聞いてみましょう。「なぜ賛成、もしくは反対なの?」
・この年齢の子どもたちは、自然にまかせたままだと、反対したり、違う考えを持ったりしない傾向があります。そのため、代替案(それは反対案になることが多いです)を提示する必要があるかもしれません。たとえば、メインとなる問いが「それは公平といえる?」というものであれば、「公平ではないと考える人はどんな人かな?」とあえて聞く必要があるかもしれません。もしくは、問いが「それは鶏?」であれば、「鶏でないと思う人はどんな人かな?」とあえて聞く必要があります。スティーブは、これによって子どもたちが日常ではあまり慣れていない否定的な立場をとってもいいんだと示すことになると言います。
・また、子どもたちに問いを忘れないようにしてもらうために、そして話が脇にそれてしまわないように、「つなぎとめ」(p.68)を十分に行う必要があるでしょう。

探究のプロセスの確認

　グループまたはグループのメンバーの探究のプロセスを記録するために、メモをとっておくとよいでしょう(少人数のグループであれば、よ

り簡単に行うことができます)。

・子どもたちは問いに対して答えることができた？　誰ができた？　誰
　ができなかった？
・子どもたちは自ら進んで取り組んでいた？　それとも促されなければ
　ならなかった？
・理由を説明できた人はいた？（たとえば「それは牛だ!　なんでかって
　いうと…毛があるから」というように）
・どの程度、明確に自分の言いたいことを伝えることができた？　あな
　たや他の人たちは言いたいことが理解できた？
・その理由は適切だった？　もしくは筋が通っていた？（たとえば「それ
　は牛だよ。なんでかというとモーって言うからね」というように）
・考えを変えた人はいた？　なぜ子どもたちは考えを変えた？　それは
　正当な理由があったから？　それとも、たとえば仲のいい友だちの真
　似をしたかったから？

そして最後に、もし子どもたちが全然できていなかったとしても、それ
はまったく問題ないことを忘れないでください。できていなかったとして
も、物語やアクティビティを通して十分に楽しめるはずです。その場
合には、子どもたちをただ注意深く見守って、いつ「哲学」ができるよ
うになるかを楽しみに待っていましょう。

　この本は、キーステージ2と3［訳注：日本で小学校低学年、中学年、
高学年……と区分するように、イギリスではKey Stage（キーステージ）
ということばを使って年齢別の段階を設けている。キーステージ1：5歳
から7歳までの児童、キーステージ2：7歳から11歳までの児童］を対象
としています。とはいえ、「なくしものをしてみよう!」、「公平の井戸」、
「黄金の指」など、小さい子どもたちにも使えるセッションもいくつか

含まれています（必要に応じてアレンジしてください）。この年齢層の
セッションについてもっと知りたい皆さんは、ベリス・ガウ、モラグ・
ガウ著『Philosophy for Young Children』（こちらも閉じた問いのアプロー
チに基づいた内容です）とサラ・スタンリー著『Why Think?』をご覧
ください。最後に、この本で説明されているアプローチに合うセッショ
ンのために、ザ・フィロソフィー・ファウンデーションのウェブサイト
では、スティーブ・ホギンズによって書かれた幼い子どもたちのための
39のレッスンプランが掲載されています。

先生のワザ

「先生のワザ」は、みなさんが、**クリティカルシンキングのスキル**のような哲学に関わる思考法を理解する助けとなってくれます。ここからのパートでは、子どもたちにクリティカルシンキングを明示して教えなくとも、よりきっちり順序立てて考えられるようになるためのワザをたくさん紹介していきます。スキルを明示しないこのアプローチにより身につく考え方は、子どもたちの人生に長く残っていくものになりえます。だから私はこれを思考スキルとは呼ばず、「考える習慣」と呼びたいのです。

これから紹介するさまざまなワザは、哲学のセッションに限らず、ふだんの授業でも活用できます。以下の各項目の説明では、どこでも通用するような表現を心がけましたが、セッション内では一つひとつのワザは具体例とともに文脈の中で登場します。また、本書全体を通してすべてのワザが見つかるようにしたうえで、セッションごとに別々のワザを取り上げています。そのため、このパートは、セッションに入る前に読むことをお勧めします。セッションの中で関連するワザを見つけたときには該当箇所を個別に再読してみてください。

本書で私はギリシア神話の「テセウスのミノタウロス退治」に登場する「テセウスと迷宮」という比喩を使いました（p.275「先生のワザ：思考の迷宮——つなぎなおしと繰り返し」を参照）。この比喩で描かれる、テセウスが迷宮から抜け出せるよう糸を与えた王女アリアドネの役割は、子どもたちが複雑なアイデアの中をうまく進んでいけるよう助けるファシリテーターの役割とよく似ています。最初に紹介する2つのワ

ザ「つなぎなおし」と「コンセプトマップ」
はさまざまな議論の中を進んでいくときの
手助けとなるものです。

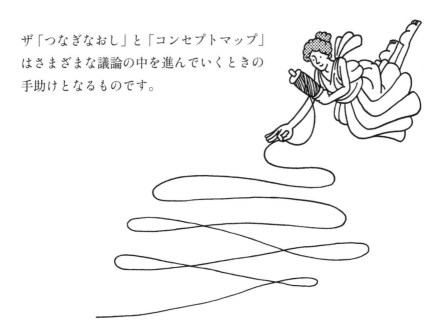

ファシリテーターはアリアドネのように、子どもたちが自分たちの考えという迷宮
の中をうまく進んでいくための手助けをします。

子どもたちをアイデアや問いへと
つなぎなおす

　大学生レベルになると「自分は問いに答えられているのだろうか?」
と自らに問い続けるように言われています。ですが、的を射た返答の仕
方というのは、教育の最初期の段階から学ぶことができます。「つなぎ
なおし」とは、子どもたちによる返答をお題の問いへと引き戻すことを
指します。つまり、もうすでに話されたことを否定してしまわないよ
うに注意しつつ、お題の問いをシンプルに尋ねなおすのです。だから、
「つなぎなおし」では、「うん、でもね……」ではなく、「うん、つまり
……」と言いましょう。発言がズレたものになっていると伝える必要は
ありません。単に子どもたちの発言をお題の問いへと「つなぎなおし」

さえすればよいのです。そうすることで、その発言とお題の問いとのつながりがはっきりしてくることがあるかもしれません。それ以前は、つながりが明確ではなく、問いとの関連性もあまりに微妙だったために誰からも気づかれていなかったのです。つまり、「つなぎなおし」によって、一見ズレたように見える発言にもうまく対処できるだけでなく、問いと意見のあいだの隠れていた関連性をあらわにすることもできるのです。

　考える、というのはつながりをつくることにほかなりません。だから、子どもたちをメインの問いへと「つなぎなおす」ことで、自分が話していることとメインの問いを結び付けるように促しましょう。すでに説明したように、これにより隠れていた関連性があらわになることがあります。ですが、つなぎなおしの良さは次に紹介するようなもっと別の深い理由からも説明できます。子どもたちがお題の問いについて考えていることが子どもたちにとっての「結論」で、子どもたちが話していることが結論を支える根拠すなわち「前提」になっている、ということがよくあります。そんなときは子どもたちをお題の問いへと「つなぎなおす」ことで、自分のアイデアと結論をつなぐよう求めましょう。これにより、子どもたちが「論証」をつくりあげることもあります（p.219「ピラミッドの影」参照）。

　10歳の子どもたちとのディスカッションを例にあげてみましょう。話し合いの問いは「二酸化炭素と空気は同じもの?」でした。子どもたちからは「材料はケーキのなかに入っているけどケーキと材料は同じじゃないよ」とか、「もし二酸化炭素だけを吸ったら死んじゃうんだよ」などのたくさんの意見がでました。この際に、子どもたちを「二酸化炭素と空気は同じもの?」という問いに「つなぎなおす」ことで、自分が話したことはお題の問いをどんな意味で肯定（または否定）しているのかを示すように背中を押してやるわけです。ある男の子は最後に次のように話しました。

もし二酸化炭素が空気と同じなら、二酸化炭素も吸うことができるはずだ。だって、ふだんぼくたちは空気を吸っているんだから。でも、二酸化炭素だけを吸ったとしたら死んでしまう。だから、二酸化炭素と空気は同じじゃない。

　この子は前提と結論からなる論証の形式によって自分の考えを表現したのです。

「つなぎなおし」は、子どもたちが話すきっかけをつくるのにも有効です。たとえば、もしある子がランダムに当てられたのだけれど（p.52「話し手への接し方」の「ランダム選択」を参照）、なにも話すことがないというふうに肩をすくめたとき。そこであきらめる前に、お題の問いへと「つなぎなおし」てみましょう。こうすることで、それまでに他の子たちがした発言による複雑な状況は一切忘れて、もっとなにか話してみたくなるような基本の問いへとまっすぐ連れ戻すことができます。それでもその子がまだ肩をすくめているなら、そのときには次の人に発言の機会を移しましょう。

「つなぎなおし」だけでなく、「二重のつなぎなおし」という方法もあります。このワザが役に立つのは、2つ目の問いに話題が移っていて、そこでの意見が1つ目の問いで考えたこととどう関係しているのかが知りたいときです。たとえば「心と脳は同じもの？」という問いから始めて、あとで「心はどこにある？」という問いに至った場合、必要に応じて、まず子どもたちを「心はどこにある？」という問いへと「つなぎ」ます。そのうえで、最初の問いである「心と脳は同じもの？」へと「つないで」いくというわけです。結局のところ、心はどこにあるのかという問いは、私たちが心と脳は同じと考えるかどうかとも、きっと重要な関係にあるのです。

つなぎなおしを何度も続けよう：
考えることは思い出すことじゃない！

　問いに対する子どもたちの返答でとてもよくあるのが「忘れちゃった」という言葉です。これにはいろいろな含意があります。話す順番がくるまで長い時間待っていたから、話そうとしていたことを本当に忘れてしまったということもあります。ですが、特に小さい子どもたちの場合は、「話すことがなにも思いつかない」という意味で使われていることもあります。つまり、自分には導き出せなかった正しい答えがあるんだ、だから答えを思いつかない自分に話せることはないんだ、と子どもたちがときに考えてしまうことと結びついているのです。だから、「忘れちゃった」という表現には、何らかの対策をとる必要があります。「つなぎなおし」はこの「忘れちゃった問題」を回避するための良い手法です。単純にお題の問いを再び問いかけて「この問いについてあなたはどう思う?」と加えるだけです。探究において大切なのは、「正しい答え」を手に入れることでも、「答えを思い出すこと」でもありません。大事なのは「そのとき、その場所で、なんでもよいのでとにかく「考える」」ことで、これは話し合いのどの地点でもできるのです。子どもたちはこのことを理解する必要があるのです。

コンセプトマップ

「アイデアマップ」とも呼ばれる手法で、子どもたちとディスカッションの展開を追う際に特に役立ちます。ですが、活用には注意も必要です。マップは探究の中心要素ではなく、あくまで補助ツールにすぎません。ファシリテーターが関心を払うべきは子どもたちのアイデアです。だからこそディスカッションと子どもたちのアイデアの間に現れうる障壁は最小限にしたいと思うはずです。ですが、「コンセプトマップ」のようなツールは、上手に使わないと簡単に障壁にもなります。私はマップを

使う際、文法や句読点がきちんとしているかどうかはあまり気にしていません。それが重要なのは、あくまで分かりやすさにつながる範囲内です。そこで、簡潔さを重視し、文章すべては書かずに、それぞれのアイデアにつき1つか2つのキーワードを書くに留めるようにしています。「コンセプトマップ」を、セッションの最中、ディスカッション中に出た話題をマッピングするために使ってみてください。一目で自分たちが何を話してきたのかが見てとれるようになります。さらに、それぞれの意見が大まかにどのように関連しているのかもわかります。「コンセプトマップ」のもう1つの機能としては、探究の間に出てきた問いを書き留めるというものです。これには2つの意味があり、1つは次の探究に使えるアイデアを記録しておくこと、そしてもう1つが、子どもたちが飽きてしまわないように、マップを通して自分たちの考えは前進しているんだということがわかるようにしておくことです。

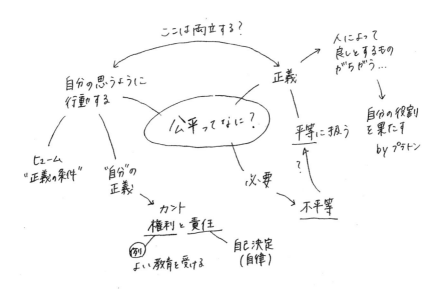

「公平ってなに?」という問いについてのコンセプトマップの例

「頭の中の反対論者」

　トークタイムの際、ペアになった子ども同士が黙りこくっている場面に気づくことがよくあるでしょう。そこでなぜ話さないのかを尋ねてみると、お互いの意見に賛成しているんだと答えるのです。賛成によって、考えが止まってしまう、というわけです。そこで、子どもたちを再び議論へと引き戻していけるように、「もし誰か自分に反対する人がいたら、その人は何と言うと思う?」と問いかけてみるのがよいでしょう。これが、「頭の中の反対論者」です。もちろん、教室内で誰か他の子が反対意見を出してくれるのを待つこともできます。ですが哲学の重要な特徴の1つは、**サイレントダイアログメソッド**(自分自身と対話しながら考えること)です。「頭の中の反対論者」によって子どもたちは自分でこのメソッドをとり入れるようになるので、結果的に、誰か他の子がその考えに反対意見を述べる役を担う必要がなくなるのです。時には自分の「頭の中の反対論者」に賛成したことで、自分の考えを変える子もいるほどです。このテクニックは少人数で行うトークタイム中には頻繁に使ってみるとよいでしょう。また、全体での探究中であっても、たとえば、クラス内で全員の意見が一致して、ディスカッションが停滞してしまうようなときにも使えます。

何が必要で何があれば十分?

　哲学を学びはじめる際に押さえておくべき概念の1つに「必要十分条件」があります。何かが本当であるとか存在していると言えるための条件と言ってもよいでしょう。この説明ですとおじけづかせてしまうかもしれませんが、実際は、この概念に立ち向かうためには「何が必要か」(必要条件)と「何があれば十分か」(十分条件)について考えるだけでよいのです。たとえば、正方形には4つの辺が必要ですが、これだけで

は正方形であることを保証するのに十分とは言えません。というのも単純に考えて、4つの辺はひし形や長方形をつくることもあるからです。正方形であるための必要十分条件はこうです。平面で閉じた二次元の図形で、直角で結ばれた同じ長さの4辺をもっていること。必要十分条件の教え方としては、「正方形」のような概念や単語を取り上げて、正方形と言えるためには何が必要かを問うのがよいでしょう。答えは板書によって概念ごとにリスト化することができます。それから子どもたちにどうなればリストにもう何も付け加える必要がないくらい十分と言えるかを尋ねましょう。必要十分条件の完璧なリストに達しないかもしれませんが、問題ありません。必要かつ十分な理由という観点で考えることこそが、このワザを採用する十分な理由なのです（p.123「同じ川に2度入ることはできる?」にある「先生のワザ」も参照）。

反証と反例

子どもたちに「全てのものは変化すると思う?　その理由は?」といった問いを投げかけたらどうなるでしょう。子どもたちは自分の見解を裏付ける例を挙げながら答えるのではないでしょうか。たとえば「うん。だって私は成長することで変わるからだよ。背が高くなったり、体が大きくなったりするよ」というようにです。ですが、この発言が示しているのは「物には変化するものもある」ことであって、「全てのものが変化する」ことではありません。これは、子どもはもちろん大人にもよくある推論上の誤りです。私たちは自分が本当だと思うことを根拠づけようとしがちですが、根拠のための例よりも反論のための例を探すほうがより有意義なことがよくあります。このような考え方は「反証」と呼ばれ、小さいころから磨いておけばとても役に立つ習慣になります。つまり、「全てのものは変化する」といった主張を検討する際に、変化しないものをただ一例でも思いつけば、もとの主張は崩れるわけです。この

ケースでは、子どもたちに反証を促そうとして私が問いかけたお題の問いはこうです。「みんなは、変わらないものを何か思いつく?」他にも例を挙げて考えてみましょう。「すべての鳥は飛ぶ」という主張を吟味する際には、飛べる鳥の全リストをつくるのではなく「飛ばない鳥を何か思いつく?」と問いかけてみればよいのです。もし飛べる鳥をリストアップしようとするのなら、かなり長い時間それにかかりきりになってしまうし、それでももとの主張が本当であることを証明するのには失敗するのです。このワザは一般的な主張の正しさや間違いを明らかにしようとするときにはいつも心に留めておくべきものです。反論のための例は、反例とも呼ばれます。しばしば子どもたちは自然に、とても上手に反例を挙げてくれるでしょう。一度反例が出てきたなら、次に問うべきは、「それは良い反例になっている?」ということです。

抽象的な発言と具体的な発言を使って反例を挙げる

　具体(現実の世界に言及しているもの)と抽象(現実の世界への言及がなく、たいてい定義や一般原則に関するもの)は子どもたちが両者の間を行ったり来たりできるように手助けするために理解しておくべき重要な概念です。ときに子どもたちは抽象的な言葉で考えを表現します(1年生の例[訳注:日本での5〜6歳]:「公平ってどういうこと?」「何かを必要としているときに誰かがそれをくれることだよ。」)。また、ときに具体的な言葉で表現することもあります(1年生の例:「公平ってどういうこと?」「お菓子があったらみんなが同じ数だけもらえることだよ。」)。例と反例とを求めるのは、抽象的な発言と具体的な発言に対し応答するためのとてもよい手法です。

　誰かが抽象的に自分の考えを表現している場合、他の子たちは理解が追いつかず少し困惑してしまうかもしれません。そこで、「なにか具体例を思いつくかな?」と(話してくれた子に対してでも、あるいはその子が抽象的に語ったことを具体的にするようにクラス全体に対して

でも）、続けてみるのがよいでしょう。逆に、自分の考えを具体的に表現する子がいた場合には、次のいずれかの手法を使ってみるのがよいでしょう。

A **もし〜で考える**：じゃあ、もしお菓子をみんなが同じ数だけもらえることが公平なんだとしたら、つまり公平ってどういうことになる？（文頭を「公平とは…」に指定することで、定義的な答え方へ向かうように促すこともできます。）

B **反例を挙げる**：同じだけもらえるけど公平じゃない例を思いつく人はいる？

　上記のように問うことで、Aのケースでは親切心のようなものを問題視したり、Bのケースでは差別のようなものを問題視しないことに不安を感じるかもしれません。ですが、上手に批判的に考えられる人というのは、早まって何かに偏見を持つことのないよう努めている、ということを覚えておいてください。だから、よくわからない段階で何かを常に良いとか常に悪いとか決めつけないようにします。たとえば、親切心から誰かを傷つけることもありえます。嘘をつくことが良いこともあるかもしれません。「アファーマティブアクション」（特定の民族やジェンダーに対して利益になるような扱いのこと）はある種の状況では適切な対応かもしれません。

　このツールはたくさんの授業のさまざまな文脈で何度でも使うことができます。以下に実践の中でどのように使われるのかの事例を挙げます。

　探究の中心になりうる概念的な単語やフレーズ（通常は抽象名詞）——たとえば、愛、憎しみ、偏見、差別、判断、親切、民族差別——を取り上げてみましょう。

しばしば、単語にはその背後に多くの含みがあることがあります（たとえば、憎しみという単語）。ですが、説明的な記述の場合はそれほどではありません（たとえば、「本当の本当にある物や人が好きじゃないということ」）。そのため、探究の役に立つなら、概念的な単語を説明的な記述に置き換えるのもよいでしょう。そして、あとで好きなときに単語を再度取り上げて、たとえば「本当に同じ意味?」と、単語と記述とを比較することもできます。

まず初めに、取り上げた単語について「これはどういう意味だと思う?」と問うてみましょう。それからお題の問いに移ります。

> Q1：この言葉は良い意味かな？　悪い意味かな？
> 　　　どうしてそう思う?

話し合いをファシリテーションしていくなかで、もし子どもたちから反例が出ないようなら、適当なところで、教師のほうから反例について尋ねてみてください。

> Q2：〇〇が良い／悪いときの例や状況を思いつく?(たとえば「偏見が良いものになるかもしれない状況を思いつく?」「憎しみが適切かもしれないときを思いつく?」「親切が良くないときを思いつく?」など)

循環を断ち切る

　ある子に「成長」の意味を尋ねてみたとして、よくあるのが「何かが成長したとき」という答え方です。このように子どもたちは自然と循環的な定義（同一律的ともいいます）を与えてしまうものです。そこで、子どもたちがより多くの情報を含んだ答え方ができるようにこの活動をデザインしました。何かの定義や意味について考えてみるよう指示するときに、答えの中に定義しようとしている言葉を使ってはいけないという決まりを単純に足してみましょう。たとえば、「「考える」ってどういうことかを教えてほしいんだ。でも、答えの中に「考える」や「考え」という言葉は使わないように気をつけてね。」そして、「考える」と板書をし、「それは……」というフレーズを左上に書きましょう。子どもたちから出た意見は「考える」という単語の周りにコンセプトマップ（p.71）を使って書いていきます。この一連の進め方は一度か二度やってしまえば、簡単に教室の習慣になるでしょう。つまり、子どもたちはすぐに、今定義しようとしている言葉を使うのはダメなんだよと伝え合えるようになります。もっと幼い子どもたちには、概念を指す言葉よりも物を指す言葉でやってみることもできます。どんな言葉でもやってみることはできますが、「循環を断ち切る」に向いている言葉のおすすめは以下の通りです。

・考える
・つくる
・する
・心
・愛
・神

「循環を断ち切る」はふだんの授業のなかに探究をとり入れる際にも非常に優れた手法だといえます。たとえば、マーティン・ルーサー・キングの話題をとりあげて、自由について探究したいなら、「自由」について「循環を断ち切る」ことを授業の計画の前置きにすることもできるでしょう。「循環を断ち切る」は、哲学では概念分析と言われるものを子どもたちがやってみるためにデザインされた活動です（p.274「概念分析」についてのテツガクも参照）。

「事実のもし」と「意見のもし」

　ディスカッションの際によくあるのが、子どもたちが事実についての論争にはまりこんでしまって抜け出せなくなるという場面です。この種の議論を解消するために、事実を知ったり、調べる必要があると感じがちですが、実は別のやり方があります。「事実のもし」を試してみましょう。たとえば、「もし自分の脳を他の人と入れ替えたとしたら、そのとき自分はどこにいる?」という問いについて話し合っているところを思い浮かべてみてください。対話は最初はうまく進んでいたのですが、ふいに1人が「脳を入れ替えることなんてできないんだ」と話し始めると、この事実について「そのとおりだ」「いや違うよ」といったパターンの単純な議論になってしまいました。脳の移植について十分な科学的知識をもたないので、教師としてあなたはパニックに陥ってしまいます。あなたが関心をもっていたディスカッションが乗っ取られてしまったようなものです。そんなとき、こう言ってみましょう。「私たちにはそれが本当かどうかはわからないよね。けどそういうことが起こるのだと今は想像してみよう。「もし」脳を交換できる「としたら」どうだろう。自分の脳を他の人と入れ替えたら、自分はどこにいる?」と。この種の問いかけによって、議論を事実についての袋小路から救出することができますし、概念的に多くの情報を示しながら議論が続けられるようになり

ます。こうして、このワザによって、子どもたちは仮説的に、つまり、「もし〜だったら?」と考えられるようになります。これは哲学的に考えるためには非常に重要なことなのです(「事実のもし」の例として、p.149「ギュゲスの指輪」参照)。

　ちょっとしたバリエーションとして「意見のもし」という関連のワザもあります。これは子どもたちが意見を考えるための文脈を与えてやることで、自分の考えを検証できるようにするものです。「事実のもし」との違いは、事実ではなく意見に関わるという点のみで、それ以外はまったく同じです(「意見のもし」についてはp.182「幸福な囚人」を参照)。

「たぶんね」問題:もしそうなったら、つなぎなおし、そしてきっかけをつくる

　より小さい子たちにシナリオや思考実験についての考えを聞いたとき、よくあるのが、「たぶんね……」と言い始めることです。このとき、子どもたちはそのシナリオについてどんな前提もおかずにシチュエーション全体を思い描いています。つまり、子どもたちはお話を書き続けているつもりなのです。たとえば、Aという子がおもちゃを失くしてしまって、Bという子が同じおもちゃを持っているのを見つけた、こういう状況を思い浮かべてみましょう。AはBが自分のおもちゃを盗んだと訴えました。ここでポイントとなるお題の問いはこうです。「Bさんがそのおもちゃを盗んだってことをAさんは「知ってる」?」1人の子が手をあげて、こう言います。「たぶんね、2人はお互いのことを好きじゃなかったのかも、だから、困らせようとしているのかも」。「たぶんね」と言うことで、この子はお話にはない要素を導入しています。これにより、話し合いが脱線してしまい、重要な概念にかかわる内容——ここではAのその状況についての理解——を考えられなくしてしまう恐れがあります。そこで、同じように「意見のもし」(「たぶんね……」は仮説的思考の1つなので、これを継続するためにも「もし」を使いましょう)で返

答してお題の問いへと「つなぎなおし」ましょう。「「もし」そうだったとして、AさんはBさんがおもちゃを盗んだと「知っていた」と思う?」と。このワザによって、子どもたちにポイントがずれていると伝える必要も、あなたが問うていることを理解してもらうための苦労をする必要もなくなります。単純に問いかけることで子どもたちを議論のポイントへと再び向けてやればよいのです。

前提を明らかにし、前提を疑う

　ほとんどの文章にはなにかしらの前提があります。ですが、むろん、あらゆる前提にわざわざ疑うほどの意義があるわけではありません。たとえば、この「前提を明らかにし、前提を疑う」というワザは、前提を明らかにし、前提を疑うことが「できる」ということを前提していますし、なおかつこれが本当だと考える十分な理由もあります。だからこういった前提をわざわざ疑問視する必要はありません。しかし、前提というのはしばしば非常に重要な意味をもちます。つまり、問いの中にある前提が正当化できないものだったり、ましてや間違っているとわかったりした場合には、その前提に基づく事例の全体が崩壊してしまうのです。前提が最初から明示されることはめったにありません。だから、前提を疑うことはおろか、まず前提を見つけるためにすら、ある程度のスキルと練習が必要です。子どもたちはよく、前提がまだ明らかになっていないときに、前提にぶつかり、つまずいているのですが、たいていはそのことに気づかないままです。ですので、ファシリテーターこそが、前提へのつまずきが起きたとき、そのことを取り上げるべきなのです。そのためのうまいやり方の1つに、「コンセプトマップ」で説明したように子どもたちが前提を明らかにすることができるよう、問いを記録していくというものがあります（p.156「王子さまとブタ」参照）。

「つなぎなおし」再考：
再登場した概念を取り除くこと

　思考実験によって目指されるのは、テーマと無関係な概念を取り除いて、私たちの直観を考えが試される状況へと追い込むことです。ですが、私たちの本能はこのねらいから逸れようとしていくものです。つまり、思考実験は「もし〜だったら」と考えさせようとしますが、私たちの本能は、特にシナリオが受け入れづらいものだった場合には、「でもそんなこと起こりっこないよ」と考えてしまうのです。このとき、哲学者ならこう言うはずです。「だけど、もしそうだったとしたら?」と。「無人島ゲーム」（p.130）におけるお題の問いは、「意見の不一致をどう扱うか」です。ですが「一致するまで続ければいいでしょう」という答え方では、お題の問いの時点で取り除いたはずの「一致する」という考えを再び使ってしまっています。これでは、問いが考えさせようとしていることから逸れてしまいます。しかし、意見の不一致は十二分に想像可能ですし、人間に関する事実でもあるので、「意見の不一致をどう扱うか」はやはり非常によい問いです。この種のことは子どもたちとのあいだではよく起きます。なので、とるべき戦略はシンプルで、問いや思考実験のテーマを考えるよう直接要求することで子どもたちのもつ前提を取り除いてやることなのです。これをあなたから積極的にする必要はありません。以下では、お題の問いが除外しようとしたものを、子どもたちが再び持ちこんでしまっている例をいくつか紹介します。

> **オリジナルのお題の問いA**：「もし宇宙の端っこに行ったらそこで何を見つけるかな?」
> **よくある返答**：「そんなとこにたどり着けないよ、だって食料が尽きてしまうもの」

> **オリジナルのお題の問いB：**「もし犯罪をしてもつかまらない
> のだったら、何がしたい?」
> **よくある返答：**「そんなことしちゃだめだよ、だって通報され
> てつかまっちゃうんだから」

　子どもたちを有意義な概念や不確定要素についての議論に連れ戻すた
めには、「意見のもし」と「つなぎなおし」のテクニックを組み合わせ
ることも必要になります。教師は先のお題の問いAに対してなら、こう
答えられるでしょう。「宇宙の端っこにたどりつくことが「できた」と
したら、何を見つけると君は思う?　そこに端っこはあるかな、ないか
な?」と。また、Bの問いに対してはこう言えるでしょう。「じゃあ、「決
して捕まらないだろう」と想像してみよう。それなら犯罪をするのはい
いこと?」これらの問いは構造上2つに分けられます。前半（仮説要素）
は条件となる状況を強調していて、後半（特殊要素）は問いをピンポイ
ントに示しているのです。

コンセプト・プレイ

　この進め方は、「事実のもし」とあわせて、子どもたち、特に「事実」
というものをほとんど知らない幼い子どもたちとの、事実をめぐるディ
スカッションに使うことができます。子どもたちを事実に関するディス
カッションに概念的な視点から参加させる、つまり「何から何の概念が
続くのか」を考えさせるのがこの方法です。たとえば子どもたちは、心
と脳について詳しく事実や知識を知らなくても「心と脳は同じものなの
か、それとも違うものなのか」といったディスカッションを実りあるも
のにすることができます。私は5〜6歳の子どもたちに、まさにこの質

問をしたことがあります。ある子どもたちは、心は脳の中にあると言いました。これに対する「概念的な問い」というのは、「もし心が脳の中にあるのなら、その2つは同じ? それとも違う?」となるでしょう。また別の子は、「心は頭の前のほうに、脳は後ろのほうにあって、その場所が違うのだから、その2つは違うものだよ」と言いました。ある女の子は「心は脳の中にあるのではなく、脳の一部。脳にはいろいろな働きをする部分がたくさんあって、その中に心の部分がある」と言いました。これらの例からいえることは、ここで事実の正確さはそれほど重要ではないということです。ここでの関心は、子どもたちが考えている「心」が「脳」の概念とどのように関連しているのかを探るその方法です。そして、いちど概念的な方法でディスカッションを進める方法を知れば、どんなことでも、そのように話し合うことができるようになります（この方法については、p.88「含意を検証する」を参照）。

複数の選択肢

行われているディスカッションに焦点をあてたり、私が「思考の方向性」と呼ぶものを提供する方法の1つは、問題を複数の選択肢として提示することです。この方法は、もしやりすぎてしまうと、子どもたちの自律性を失わせることになるため、気をつける必要もあるでしょう。しかしこの方法は、子どもたちの自主的な選択を維持しながらも、ディスカッションを特定の哲学的な領域にとどめることができます。これは、ファシリテーターが子どもたちの自律性とディスカッションを哲学的に保つバランスを維持するためにできる方法の1つだといえるでしょう（p.212「人生の本」参照）。

二項対立を解消する

　ディスカッションが二項対立的に始まることはよくあることです。つまり、子どもたちは、クラスやグループの中で、その問いを肯定する立場と否定する立場の2つに分かれることがよくあるのです。そこで、じっくりとその問題を考える時間をあげると、子どもたちは自然と別の立場を探しはじめます。その結果、はじめは明らかに二項対立だと思われたものを解消していくことに気づくでしょう。「私はそれが正しいところもあるし、間違っているところもあると思う。肯定するこういう理由もあるけど、否定するこんな理由もある」といった表現がでてくることがあります。これは、この問いには単に「AかBか」以上のものがあるのだと彼・彼女らが認識しはじめたことを示しています。このことを示す表現として、次のようなものもあるでしょう。「半々だと思う」とか、「Aのときもあれば、Bのときもある」、「賛成と反対の両方」、「ある意味ではAだけれど、ある意味ではBである」といった表現です。二項対立をこえて考えるように促すためには、「Aだと思う？　Bだと思う？　それとも、違うことを考えてる？」と言ってみるのもいいでしょう。

下地になるディスカッション

　これは、哲学的な（あるいは他の難しい）アイデアを導入する前に行うことができる、単純だけれども、概念的に意味のあるディスカッションです。「下地になるディスカッション」は、難しい考えや抽象的な考えを特定の文脈におとしこみ、より多くの子どもたちがその考えを理解できるようにします。この方法は通常の授業で使えば、新しい哲学の素材を導入するための学習者中心のアプローチになり、授業における探究の良い例になるでしょう。たとえば、「ひもの長さはどのくらい？（英語では「見当もつかない」の意で使われる慣用句）」という問いをめぐる

探究は、測定や量、数といったトピックの導入への良い下地になるディスカッションとなります（p.118「アリの生きる意味」、p.219「ピラミッドの影」を参照）。

哲学の素材の第2ステージ：
争点を明らかにする

　従来、子どもと哲学的なディスカッションを行う方法は、2つの要素から構成されると理解されてきました。つまり、（1）哲学の素材、（2）それに対する反応です。私は、この「哲学の素材」についての理解を、もう少し複雑な仕方で提案したいと考えています。すなわち、（1）哲学の素材、（2）それに対する反応、（3）2での反応を、争点を明らかにすることで生じる探究に向けた、さらなる哲学の素材として使うことです。この方法を使うことによって（シナリオや思考実験といった）哲学の素材を普段と同じような仕方でとり入れたのちに、お題となる問いを提示してトークタイムに入ることができます。次に、ファシリテーターは、お題となる問いに対してさまざまに異なる立場を探します（これは、トークタイム中に各グループと話し、ペアに彼・彼女らの考えを共有してもらうことによって（p.51「小グループでの対話の導火線」）共有してもらったり、あるいは「フリープレイ」をする中で見つかるでしょう）。次に、さまざまな立場の子どもたちに対して、グループで自分たちの考えを共有するように言います。たとえば以下のような言い方Aがあるでしょう。「私はpだとは思わない。なぜなら……」「私はpだと思う。なぜなら……」、あるいは「私はその両方だと思う。なぜなら……」（この"p"とは、単に「何らかの意見」を指す記号です）。この発言の仕方は、与えられた哲学の素材とお題となる問いの中に、どのような争点があるのかを明らかにするのに役立ちます。もう1つ、争点を明らかにするための言い方Bも、よくみられます。これは、2人の話し手が同じ理由（x、y、

z）を持ちながら、反対の結論を出している場合にみられます（“p”かつ“p
でない”）。すなわち、「私は、x、y、zという理由で、pと考える」とい
う場合と、「私は、x、y、zという理由で、pとは考えない」という場合
です。

　Aにおいては、子どもたちにどちらかの一方の立場をとるように言い、
選んだ理由を述べさせることで、その選択自体がまた哲学の素材になって
いきます。そのためAはグループに対して、さらに他の立場がないか
どうかも考えさせることになります（p.85「二項対立を解消する」を参
照）。Bは、同じ理由によって逆の結論が導かれるという論理的な問題
が明確に存在するため、どちらの立場が、x、y、zの理由からもっとも
らしいか尋ねることで子どもたちを揺さぶります。Bによって生じる課
題は、一見同じように見える理由が実は違っていたのだということを、
そのグループが見つけられるようにすることです。たとえば「言葉の多
義性による誤解」が起きているときのことを考えてみましょう。言葉の
多義性による誤解とは、ある2人の子どもが同じ言葉を使いながらも、
それぞれ違う対象を指していることをいいます。たとえば同じディス
カッションの中で、ある人が“heart”という言葉を「体中に血液を送り出
す臓器」の意味で使う一方で、別の人が「思考や感情」という意味で使っ
ている際に、それぞれがまったく違う意味で言葉を使っていることが明
確になっていない、というような場合です。

　この意味で、「小グループでの対話の導火線」と「ミニ対話」（p.50「話
し手への接し方」を参照）は、哲学の素材の中で「争点になる部分を明
らかにする」ためにデザインされたテクニックです。

緊張関係の演出

　この進め方は、「争点を明らかにすること」とも密接に関係しています。
しかし、これはディスカッションにおける哲学の素材の一部なのではな

く、子どもたちが互いの考えを批判的に理解するための方法として、ディスカッション中にいつでも使えるテクニックであるという点で異なっています。「緊張関係を演出する」というのは、出されている意見の中で対立的な関係にある考えを明らかにすることで、その対立的な関係を明確にすることです。たとえば、「ジョージ、先ほどのアリスの考え、つまり誰も本当に自由ではないという意見についてどう思う?」といった質問がそれにあたります。これは、子どもたちをいきいきとした仕方でディスカッションに参加させ、ヘーゲル的な弁証法（「用語集」の「弁証法」を参照）によって哲学を展開する方法です。

含意を検証する

　子どもからより多くのことを引き出すには、子どもの意見の意味をさらに深掘りしてみるために、あえて言い返してみるといいでしょう。たとえば、ある子どもが次のように言ったとします。「シービー（コンピューター・ロボット）には脳がないから、人間じゃない」。この考えの中に暗に含まれている意味は「人間には脳があるはずだ」ということです。この含意を問いとして定式化すると「つまり、人間には脳がなければならないということ?」という問いになります。こうした問いかけは論証へのきっかけになるでしょう。ここに示唆されている論証は、次のようなものです。

　　人間には脳がなければならない。
　　シービーには脳がない。
　　したがって、シービーは人間ではない。

　以下では、「お題の問い（Q）」が子どもたちのさまざまな考えを結びつけ、その含意を前面に出すことで、子どもがよく考えられるようにし

た例を挙げています。この例は、5〜6歳の子どもたちとの実際のセッションから引用したものです。

Q：心は脳と同じものかな？
A（子ども）：心は脳の中にあるよ。
B（ファシリテーター）：つまり、心は脳と同じもの？　それとも違うもの？（つなぎなおし）
A：違うと思う。
B：なぜ？
A：なぜなら…

　子どもたちの考えの中にある含意を利用することによって、ファシリテーターは形式的な論証方法を教えなくとも、非常に早い段階で子どもたちに論証のプロセスを経験させることができます。これには、オープン・クエスチョンとクローズド・クエスチョンを組み合わせたテクニックを巧みに利用することも関係しています（含意を検証する例として、次の「クローズド・クエスチョンを開く」および、p.299「シービーのお話：アンドロイド」を参照）。この方法を使うとき、あるいはたんに質問をするときでも、（「こんなことを考えるなんて変かもしれないのだけど」とほのめかしながら普通の質問をするときのように）誇張することなく、中立的なトーンで話すことが非常に重要です。このことを理解するために、次のような質問をさまざまな口調で話す練習をしてみて、話し方のトーンによって質問のもつ効果がどのように変わるかを確かめてみましょう。たとえば、「つまりそれは、人間には脳がなければならないということ？」のような質問です。

クローズド・クエスチョンを開く

　教師は、あらゆる種類の質問の中で、クローズド・クエスチョンを
もっとも多く発していると言われています。そして、それは一般に良く
ないことであると考えられています。したがって教師は、生徒からより
多くのことを引き出すために、もっとオープン・クエスチョンをする必
要があるとも言われます。このことは、ある程度は事実だといえるので
すが、私は少し単純化しすぎなのではないかと思っています。なぜなら
クローズド・クエスチョンが必要なのは、それがある事柄に対する反応
や答えに焦点をしぼれる唯一の質問だからであって、そもそも教師とい
う職業は、そうする必要のある場合が多いからです。オープン・クエス
チョンは、特定の事実や知識の体系を教える場合に教師がしなければい
けないことにとって、あまりにもオープン・エンド的になってしまうこ
とが往々にしてあります。私は、クローズド・クエスチョンを投げかけ
ても構わないと思います。ただし、その場合には、質問がクローズド・
クエスチョンであることを常に意識しておき、ディスカッションのオー
プンさが保たれるように、再び開いていく必要があるのです。こうする
ことで、問いかけ、応えるというやりとり全体の雰囲気をオープンに保
ちながらも、クローズド・クエスチョンが持つ具体性を得ることができ
るでしょう。私はこれを「オープン・クエスチョン」と区別して、「オー
プン・トリートメント」と呼んでいます。ここで、すでに紹介した進め
方の説明の中で紹介したものと同じディスカッションを使った例をみて
みましょう。

Q：心は脳と同じものかな？
A（子ども）：心は脳の中にあるよ。
B（ファシリテーター）：つまり、心は脳と同じもの？　それとも違うも
　の？（クローズド・クエスチョン）

A：違うと思う。

B：それがなぜなのか、教えてもらえる？（オープン・クエスチョン）

A：なぜなら……（子どもが自ら説明する）

両方の「もし」で考える

　この方法は、「事実のもしと意見のもし」とも関連しますが、「条件（「もし〜なら…である」）」と同様に、「選言（disjunctive）」文を使います。これは、次のような形式をとります。すなわち「AかBのどちらか」という形です。ここでは、この方法を9歳の子どもたちに対して使い、より深い仮説的思考を可能にした例を紹介します。またこの方法が、教師、グループ、特定の生徒の間で起こりうる気まずい状況をやわらげるために、どのように使われるのかにも注目してみてください。

　お題となる問いは、「ユニコーンの角は1本か、それとも2本か？」でした。クラスの多くは「ユニコーンは存在しない」と答えました。そこで、このディスカッションを妨げている前提を乗り越えるため、「もし仮にユニコーンが存在するとしたら、角は何本だろうか」という「事実のもし」の方法を使いました。この問いは、ある子が「ユニコーンは存在するけれど、運が良くないと見られない」と発言するまで続けられました。何人かの子どもたちは、すぐにその子の意見に反対しはじめ「存在しない」と繰り返しました。そこで、私はファシリテーターとして、その子にどう対応するかが問われました。もし私が「ユニコーンは存在しない」と言えば、その子を馬鹿にすることになってしまいます。かといって何も言わなければ、他の子がしつこく反対して、やはりその子が馬鹿にされてしまうかもしれません。そこで、「両方のもしで考える」方法と「つなぎなおし」の技術を組み合わせて使ってみました。まず、「両方の立場で考えてみよう。もし仮にユニコーンが存在したなら、角は何本かな？そして、どうすればそれがわかる？」と始めました。そのあとに、「もし

ユニコーンが存在しなかったとして、角は何本あるだろう」と聞いてみたのです（p.314「シービーのお話：再生」も参照）。

理解の網の目を広げる

　クラスで何かを説明しようとするとき、最も大きな問題は全員に理解してもらおうとすることです。何度も何度も繰り返しているのに理解されないときは、特にイライラすることでしょう。このような場合には、違う方法を試してみるようにしましょう。クラス全員に説明するのではなく、メンバーに対して、お互いに説明してみるように言うのです。理解している人を探し、自分の言葉で説明してもらうということです。必要に応じて、別の言葉を使って、もう一度説明してもらうのもいいでしょう。理解できた人がいたら、その人にも自分の言葉で説明してもらうわけです。この、クラス全体による自己ファシリテーションを通して、理解が広がっていくのがすぐにわかるはずです。子どもたちは自然と互いに同じ域の言葉を使うので、この方法は、教師が自分自身で説明するよりも成功率が高いといえます。子どもたちが使う言葉や概念をメモしておくと、次からどのように哲学の素材を提示するか、あるいは同じ素材であったとしても、どのようにその次の段階にもっていくかを再考できるという点でもおすすめです。

「声」を取り入れる

　本書の哲学探究においては、先生は基本的に自分の意見を言ったり、子どもに対して個人的に難問をぶつけたりしないことが推奨されます。しかし適切な仕方であれば、こうしたことを行う方法もあるのです。たとえば「声をとり入れること」は、子どもたちを考えさせること、そこに巻き込むこと、そして新しい考えをとり入れるのに非常に有効な方法

です。

　ここで、「哲学者や特定のキャラクターの声」を使ってみてはどうでしょうか。つまり、特定の哲学者や人物になりきるロール・プレイングをしてみるということです。そうすることで、特定の哲学者や人物の考えを子どもたちに納得させ、子どもたちをより深くディスカッションに参加させることができます。もちろん、そのためには教師自身がその哲学思想を理解しているという自信がなければ、哲学者に代わってその思想を正確に話すことはできません。そのため、もし自分がどこまでできるか不安な場合、この方法は避けたほうがいいでしょう。この方法は、教師自身の考えを述べる機会ではなく、哲学者やキャラクターの考えを述べる場です。したがって、自分が誰の「声」を使っているのか、繰り返し明確にするようにしましょう。たとえば「ソクラテスなら、善いことをしてこそ幸せになれると言うでしょう」（p.149「ギュゲスの指輪」参照）といったかたちです。

「仲間の声」を利用してみるのもいいでしょう。複数のクラスでセッションを行っている場合、特にその記録をきちんととっている場合には、他のクラスで得られた意見を考えさせると有効だと思います。この方法は、あるクラスで子どもたちが興味深い意見や哲学的な見解に到達しそうでいて、同じような年齢の他のクラスがすでに到達していることがわかっている場合、特に有効だといえます。

思考の道筋と応答の探知

「全員に話す機会を与える」「手を挙げてもらう」といった、従来の授業方法を用いることで、優れた弁証法的ディスカッションが失われてしまうことがあります。というのも、発言の機会をなかなか得られなかったために、話そうとしたことが「古く」なり、もはやディスカッションの中で脈絡をもたなくなってしまう、話そうとしたことを忘れてしまう

といったことがあるからです。ディスカッションが行われているとき、「思考の道筋」とでもいうようなものを、見つけたいと思うことがあります。思考の道筋とは、複数の参加者の思考や推論がつながったもののことです。教師は当然、それをたどって発展させたいと考えるでしょう。これは、その「思考の道筋」ができるのに直接関係した参加者だけでなく、他の参加者にとってもメリットがあります。なぜなら、そのディスカッションは容易に新たなレベルに深まったり、洗練されたりするでしょうし、それによって他の参加者も新たなレベルに到達できるからです。

　思考の道筋を見つけるためには、「応答の探知」を行うといいでしょう。たとえば、「いまちょうど問題になっていることについて言いたいことがある人だけ、挙手してください」と言ってみましょう。また、もう少し高度な方法として、手の合図を変えることでどのような発言をしようとしているのかを示してもらうという方法もあります。たとえば、新しい考えなら手をいっぱいに広げる、先ほど出た意見に対する応答なら指1本で示す、といった具合です。この方法は、子どもたちが発言内容を自分で分類できることを必要としますが、こうした仕方で子どもたちが応答できるようにすることは、そのスキルを身につける上でとても良い方法になります。「応答の探知」は、あくまで選択的であるべきだとおもいますので、他の多くの人がまた参加できるように「誰でも手を挙げていい」という元々の方式に戻すようにしましょう。この方法は、探究の中で哲学的に重要な発言があったときや、グループ全体がある発言に強く触発されたと感じたときに行うと有効です（たとえば、多くの手が勢いよく挙がるといったボディ・ランゲージは、それが起こったことを示す指標になります）。「応答の探知」は、思考の道筋に連なっていくさまざまな考えに対する応答を見つけるのに役立つため、グループ全体の対話へと戻る前に、何段階かに分けて使用してもいいでしょう。

<ruby>Sine qua non<rt>それなしにはありえない</rt></ruby>

"Sine qua non"とは、ラテン語で「それなしにはありえない」という意味です。それがなければある概念が成立しないような本質的な特徴を意味します。たとえば、「赤い四角形」があるとしましょう。それを取り除いたら四角形ではなくなるような、四角形であるために不可欠な特徴とは何でしょうか。「赤くない四角形」も「四角形」ですから、「赤いこと」は必須ではないことがわかります。しかし、「直角をもつ」という特徴は、直角のない四角形はもはや四角形ではないわけですから、必須であることがわかります。つまり、「それなしにはありえない」の進め方は、ある物事の本質的な特徴を見出すことを促してくれるのです。たとえば、自分のアイデンティティにとって非常に重要で、それがなければもう自分ではなくなってしまうような、自分の特徴や性質を思い浮かべることができるでしょうか（p.327「どこにいるの?」を参照）。

共感する／批判する

ある意見が出されたとき、その哲学者や子どもがなぜそのように考えたのかを考えることが有効な場合があります。そうするためには、その考え方にまずは共感してみるということが必要です。これができたら、次は、その考えのどこが悪いのかを考えてみましょう。このことは、子どもたちが何らかの意見を考えるときに、バランスのとれた見方をする習慣を身につけることにつながります。これは、子どもたちがある理論やアイデアについて、次の2つの方向から考えるため「両方のもしで考える」の進め方と関連しています。

A：「もし仮にそれが正しいとして、なぜ正しいといえるのだろう」
B：「もしそれが間違っているとして、なぜ間違っているといえるのだ

ろう」

具体と抽象を導く：いったりきたり

　ソクラテス的な方法にヒントを得た以下の手順は、哲学的探究をする
さいに重要な、抽象と具体の間を子どもたちが行き来するのを教師が
ファシリテートするのに役立つはずです。p.75にすでに書いたように、
ここで「具体的」とは「実際の世界でのことに言及している」あるいは「お
話の中の世界を参照している」という意味です。また、ここで「抽象的」
とは「実際の世界やお話の世界でのことに直接は言及しない、一般的な
考え」という意味です。要するに、「具体的」とは「お話や世界の中で
起きること」、「抽象的」とは「お話や世界で起きること以外のもの」と
いうことです。

　たとえば、「カエルとサソリが死んでしまったのは、サソリのせいか」
（p.204を参照）は、お話の登場人物に言及しているので具体的な問いだ
と言えます。それに対して、抽象的な問いというのは「いつ、どんな条
件で、誰／何が責められるのか」、「責めるとはどういうことか」だとい
えるでしょう。

　ディスカッションが具体的な話ばかりになると、哲学的には深まらな
いでしょう。また、抽象的な話ばかりになっても、子どもたちの興味を
引くことはできないでしょう。たしかに、それでも子どもたちはディス
カッションになんとかついていこうとするかもしれません。ただ、おそ
らくそれは、実際の子どもたちの世界の見方や行動には何の関係もない
ものになってしまいます。したがって哲学的なディスカッションでは、
具体的な側面と抽象的な側面の両方に目を配り、子どもたちがその両方
をなんとか保てるようにすることが重要です。私は、こうしたファシリ
テートをしやすくするために、「いったりきたり」という方法を考案し
ました。

（1）**いったり**：具体的な質問をする。例：「シービーがウソをついて
いたのかな?」（p.305参照）

（2）**きたり**：抽象的で「ソクラテス的な」問い（〇〇とは何か?といっ
た形の問い）を続ける。例：「ウソとは何だろう?」

（3）**いったりきたり**：次に、「もし〜なら」を使って、ここに具体的
な問いをつなげる。
　　方法：もし〇〇が〜（ここに2での答えを入れる）であるとすれば、
　　（ここに具体的な質問を挿入）…だろうか?
　　例：「もしウソとは本当でないことを言うことだとすると、シー
　　ビーはウソをついたといえるだろうか?」

（4）**ごちゃ混ぜ（Shake it all about）**：1〜3で続いているやりとり
や意味合いを考慮して、生徒は最初に言ったことを修正するか、
あるいは否定することができる。
　　先生：もし答えが「いいえ」だとすると、ウソって何だろう?
　　子ども：偶然ではなく、意図的に本当でないことを言うことだと
　　思う。
　　先生：なるほど、それをあなたの定義にあてはめてみよう。

　　もしくは、定義の方は維持したまま、「例」の方を、〇〇（この
場合でいえば「ウソ」）の例ではないという理由で否定すること
もできます。

　この方法の他のバリエーションを、私の同僚であるスティーブン・
キャンベル・ハリスが提案しました。この方法の例については、「なく
しものをしてみよう!」（p.143）を見てください。今回は、抽象的なとこ
ろから始めてみます。

（1）**いったり**：抽象的で「ソクラテス的な」問い（「○○とは何か」という形の問い）をする。例：「自由とは何だろう?」。

（2）**きたり**：続いて、具体的な質問をする。たとえば「幸せな囚人は自由だろうか?」（p.182参照）。

（3）**いったりきたり**：次に「もし〜なら」を使って、具体的な質問につなげる。

　　方法：もし○○が……（1の答えを入れる）なのだとすると、（具体的な質問をする）……?

　　例：もし自由が自分のしたいことをすることだとすると、幸せな囚人は自由だろうか?

（4）**ごちゃ混ぜ（Shake it all about）**：1〜3から続いているやりとりや意味合いを考えさせて、生徒は最初に言ったことを修正するか、あるいは否定することができる。

　　先生：もし答えが「いいえ」だとすると、自由とは何だろう?（「もし〜なら」と「○○とは何か」の問いにつなぎなおす）。

　　子ども：それは、ただ自分のしたいことを「したいと思う」ことではなく、自分の「したいことができる」ことだ（修正）。

　　先生：その場合、幸せな囚人は自由だといえるかな?（つなぎなおし）

　　子ども：いいえ。なぜなら彼が刑務所を出ようと思っても、出られないから（再評価）。

　子どもたちやあなたにとって、あるいは指導方針やカリキュラムの必要性に応じて、どの方法が一番適しているか、実際にクラスで試してみてください。たとえば低学年の子どもたちは、抽象的なことから始めると苦労するかもしれません。しかし、定期的に「いったりきたり」に戻ってみて、子どもたちの抽象化の能力が上がっているかどうかを確認して

みてもよいと思います。なお、この方法についてさらに知りたい方は、ザ・フィロソフィー・ファウンデーションのブログ（www.philosophy-foundation.org/blog/tag:hokey-kokey-method）をご覧ください。

〜がもし世界になかったら?

　思考実験をするときには、鍵になる部分（概念）を変えて調整できるようにしておくことがよくあります。その部分を変えることで、子どもの考え方や価値観にどのような影響を与えるかを確認するためです。次に挙げる、「仮説的に考えるためのツール」は、概念について考える最も簡単な方法だといえるでしょう。これは、次のような問いを考えさせるものになっています。「もし仮に○○が存在したとすると、世界はどうなるだろうか?」「もし仮に○○が存在しなかったとすると、世界はどうなるだろうか?」。こうした問いは、さまざまに異なる文脈で何度も使うことができます。是非いつでも使えるように、練習してみてください。以下は、このツールの使用例になっています。

ここに、「魔法のゴミ箱」があると想像してみてください。あなたがある概念（たとえば「憎しみ」）をそこに入れて「消去」ボタンを押すと、その単語は世界に存在しなくなります（つまり、世界から「憎しみ」が消えてなくなるというわけです）。

「魔法のゴミ箱」に入れる概念（とその反対語）の提案をしてみましょう。

・憎しみや愛
・違いと同質性（もっと具体的には、人種的な違い／同質性、

文化的な違い／同質性、ジェンダー的な違い／同質性……)

・悪と善
・死と生

他にも、概念を自由に入れてみてください。哲学的なディスカッションをする際には、抽象的な名詞を使うのが原則ではありますが、(マッシュルームやテレビといった) 具体的な名詞を使うのも有効です。

> Q1：○○が箱の中にある状態で「消去ボタン」を押すかな？
> Q2：○○が存在しない世界とは、何を意味する？
> (あるいは逆に、世界に○○が存在するということとは、何を意味するのだろう?)

この活動のバリエーションとして、魔法のゴミ箱についている「消去」ボタンを「追加」ボタンに変更してみてもいいと思います。そして、「もし仮に○○がある世界だったら、どうなるだろう?」という、逆の問いをしてみるのもいいかもしれませんね。

ヒントとコツ

ヒントとコツは、本書の実践編にある探究のメソッド（PhiE）のセッションを実施する際のサポートとなるように設計されています。私が実際に子どもたちとセッションを行った経験に基づいているので、セッションを成功させるための現実的で実用的なガイダンスになることを願っています。「先生のワザ」と同様に、ヒントとコツは以下で説明されていますが、セッションの中でとくに役立つと思われる箇所では、それぞれのヒントに戻って説明します。

具体的で個人のためのディスカッション

哲学の議論が抽象的すぎたり、自分の経験とは無関係に思えたりすると、子どもたちは興味を失い始めることがあります。そこで、たとえば「テセウスの船」（p.165）では、修理された船のシナリオのように、哲学的な問題が常に具体的に参照できるような具体例から始めると、子どもたちはそれを試してみることができます。また、何らかの形で子どもたちについての議論をすることで、問いに引きつけることができます。たとえば船に関する洞察やアイデアを、自分たちの生活や経験の文脈に当てはめることで、子どもたちは生き生きと実感することができます。子どもたちの多くは、すでにこのような考えを持っているはずで、何百年、場合によっては何千年も前に、このような考え方の伝統があることを知れば、子どもたちは安心することでしょう。しかし、議論を私物化しないようにすることが重要です。もし子どもが他の子の例を出したときに

は、「架空の人の例にして」とやんわりとお願いしたほうがいい場合があります。

即興のシナリオ

　時には、冒頭のシナリオで設定した条件を拡張したり変更したりして、子どもたちの直感を試すことも必要です。そのためには、よく話を聞くことと、即興のスキルが必要です。たとえば、「椅子」のほとんどはそんな風にして生まれました。子どもたちの話に耳を傾け、子どもたちが設定した概念の限界を超えるような新しい状況を投げかけるのです。多くのひとは「座ることができるから椅子なのだ」と考え始めるかもしれません。そうしたらあなたは「椅子」はあっても、座ることができないというシナリオを即興で考えてみるのです。たとえば、椅子と同じ物体をつくっている宇宙人がいるが、その物体は「帽子」として用いられている、というような。

　哲学のファシリテーションの初心者にとって、即興で拡張シナリオをつくることは簡単ではありませんが、哲学的な探究の基本を理解し、それを何度も繰り返していけば、十分リラックスして試すことができるようになります。その際、自分のマインドセット（p.34参照）にも気を配る必要があります。このようなシナリオは、私自身がセッションを運営した経験に基づいて、レッスンプランにいくつか盛り込むようにしていますが、時には子どもたちが予想もしないことを言うこともあるので、新しい考えが出たときに対処するためのツールが必要です（この点については、p.174「コッチとアッチ」参照）。

区別をつける

　子どもたちはよくこんなこと（あるいはそのような趣旨の言葉）を言

います。「ある意味そうで、ある意味違う」。これは最初、矛盾している
ように見えるかもしれません。しかし、これは議論の中で二項対立を
解消しはじめた良い兆候であり（p.85「二項対立の解消」参照）、通常、
区別しているか、少なくとも区別する必要があるという事実に注意を向
けていることを示すものなのです。区別がなされはじめていると思われ
る場合は、常に明確な質問（例：「〜の意味を説明してくれる?」）をする、
あるいは「○○には複数の種類がある?」「○○と△△は同じ?　それと
も違う?」など区別をつけるように求めましょう。

受容された信念と操作可能な信念

　受容された信念とは、子どもたちが先生や親から聞いた一連の信念
のことです。子どもたちが「怒っているときに、人を殴るのは正しい?」
というような誘導的な質問をされたとき、あるいはそれについて自分の
信念を報告しなければならないと考えたときに、子どもたちが言う信念
のことです。

　操作可能な信念とは、子どもたちが暗黙のうちにもっていて、それに
基づいて行動する信念のことです。たとえば「怒って相手を叩いたとし
ても、先に相手が自分を怒らせたのならば、問題はない」など。道徳的
な議論では、受容された信念しか引き出せないことが多いのですが、子
どもたちが自分の信念を振り返るので、探求のセッションで2つの信念
の間の格差が小さくなります。もちろん時間はかかりますが、分析とふ
りかえりのプロセスは、このように行動を改善することができます。

教訓づけない

　哲学のセッション、特に道徳の概念を使ったセッションを行う場合、
道徳的な誘惑に負けないようにすることが非常に重要です。これは、教

育において道徳的なことを言うべきでないということではなく、探究の
メソッド（PhiE）のセッションにおいては避けるべきということです。
道徳的な行動に関する自分の見解の理由を説明するよう求め、子どもた
ちが互いに挑戦し合うことは、子どもたちの行動や動機に対してより大
きな、より効果的な挑戦となるのです。しかし、子どもたちが自分の考
えが「ボロを出す」とか、非難されると思わないようにすることが重要
です。もし子どもたちが、先生が期待する特定の答えがあるかもしれな
いと感じたら、その答えにセッションが過度に影響されてしまうかもし
れません。

よりよく考えるための物語への
アプローチ方法──読解タイム

　理解することがたくさんある物語では、お題の問いや探究に取りかか
る前に、すべてを理解するために時間をかけるのがよいでしょう。物語
を読み終えたら、必ず読解タイムを設けてください。時には2回読みた
くなることもありますが、通常はその必要はありません。まず、子ども
たちにお願いしたいのは、グループで物語を語り直すことです。最初の
子に、覚えているところまで、あるいはあなたが止めるまで話してもら
い、その後に他の子にまだ言っていないことを追加できるかどうか尋ね
ます（これが重要で、そうしないと時間がかかりすぎて、子どもたちの
興味を失ってしまいます）。何人かのおかげで、物語の出来事について
かなり包括的な概要がわかるようになります。読解タイムから探究に自
然につながることもありますが、そうでない場合は、そのセッションで
用意されたお題の問いに進みます。

おみやげの問い　哲学は終わらない!

　哲学は継続的な活動です。これは、さまざまな意味で本当なのです。他の教科のように明確な答えがあるわけではない（p.31「なぜ哲学を教えるのか」参照）し、哲学の大きな問いが世代から世代へ、長い年月をかけて受け継がれていくという点でも、哲学は継続的です。哲学的なプロジェクトが生徒に一度理解されると、それは生徒の人生のあらゆる側面に入り込み、それ以降、内省のプロセスが常に活発になります。哲学者は、自分の考察の範囲にあるもののほとんどに哲学的なまなざしを向けます。このことは、哲学の発達の初期段階から奨励されるべきです。その方法の1つは、子どもたちが哲学的な考察を続けるために、おみやげの問いを与えて帰らせることです。私はよく子どもたちにこう言います。「その問いを家に持ち帰って、両親や友人、家族と話し合ってね」。おみやげの問いは、言うのも覚えるのも簡単でありながら、哲学的な実りをもたらすのに十分な複雑さと自由度を備えていなければなりません。おみやげの問いは、あなたが今行ったセッションのさらなる問いと、探究の問いの中に見つけることができます。

現象学──どう感じる?

　時に、ある概念や考察物の現象学的側面を持ち込むことが、哲学的な議論に有益な場合もあります。つまり「○○の感覚や体験の質はどのようなものなのか?」というものです。現象学は、20世紀初頭にエトムント・フッサールによって創設された哲学の一分野ですが、そのルーツはデカルトとカントにあります。現象学の重点と出発点は、経験と知覚なのです。

「である」と「べき」

　世界と倫理の関係についてどう考えるかは別として、である／べきの区別（p.197参照）は、道徳や倫理の議論において、私たちの問いに有用なツールを与えてくれます。子どもたちが道徳や倫理的な質問に対して**記述的**（「である」）な答えをした場合、その質問の後に**道徳的**な定式化を行います（「べき」を引き出す）。ただし、クローズド・クエスチョン・マインドセットに陥らないように、また「しかし」という言葉を使わないよう注意し、代わりに「そして」「だから」を使用します。たとえば、「あなたのことを悪く言う人を殴ってもいい？」という問いに対して、誰かが「みんなやっている」と答えた場合、次のような質問をすることができます。「じゃあ、みんながやっているなら、私たちも**やったほうがいい**ということ？」もしその子が、事実が道徳的要請をもたらすと結論づけたなら、その子は「自然主義者」なのかもしれません（p.197参照）。

自分にアドバイスしよう！

　このアクティビティは、楽しいだけでなく、子どもたちが道徳的な意思決定に対するメタ認知的な態度を身につけるのに役立ちます。たとえば、子ども自身の行動について話し合う場合「○○という状況で、どうするべきか自分にアドバイスしてみる？　先週の哲学のセッションで、アリにアドバイスしたようにね」と言うのです（p.197「アリとキリギリス」参照）。

実 践 編

じっさいに
やってみよう

椎子

テーマ

- 物体とそれが私たちにとって
  何なのか
- 知覚
- 観点
- 名前と指示語

哲学的背景

「哲学は驚きにはじまる」——プラトン

「哲学とは目に見えるものの先を見ること」——9年生の生徒　[訳注：

13 〜 14歳]

　このセッションは、哲学について学ぶのとは対照的に、哲学をすることで、子どもたちを哲学的なプロセスに引き込むように設計されています。つまり、子どもたちは、哲学をするということを学ぶのです。「椅子」はセクションごとに書かれており、それぞれのセクションには、哲学の素材、トークタイム、探究の時間があります。

　はじめて哲学を学ぶ子どもたちにとって素晴らしい入門編となるうえに、私が7歳以上の子どもたちに実施して、成功したセッションでもあります。私はよく、哲学では「これは椅子だ!」というような当たり前のことを、もっと深く考えて、「これは無だ!」「望むのならば何でもあり」「これはすべてだ」など、隠れている可能性を発見することなのだと説明します。ある9年生の生徒は、哲学を「目に見えるものの先を見ること」だと言いました。ここには2つの重要なことがあります。それは、哲学の探究的な性質と、変容的な性質を示しているのです。つまり何かについて考えることで、それを物理的に変化させることなく、そのものの見方を変えることができる、ということなのです。椅子は平凡で面白みのないものから、わくわくする新しい可能性を秘めたものへと変化し、少なくとも1時間かけて考え、語るに値するものになるのです。昔の錬金術師が、鉄を金に変えることができると信じていたように、哲学者は平凡なものをきらめくものに変える力があり、先生にとっても失われてしまったかもしれない物事に対する驚きを再び呼び起こすことができるのです。

　子どもたちが哲学をし終えたところで、哲学的背景の紹介をしましょう。その際には、こうしなさい、というのではなく、子どもたちが今行ったことについて説明するようにしてください。

哲学の素材

　部屋の中央に椅子を置き、全員が見えるようにします。子どもたちに「これは何だろう?」と尋ねます。予想される答えは「椅子」です。そうしたら「今からセッションを通して考えてみよう」と言って、以下のお話をします。

パート1

　窓がたくさんあり、太陽の光で明るく照らされている部屋に、こんな感じ(椅子を指差す)で物体があるのを想像してください。日中、男が入ってきて物体を見つけました。彼は「ああ、どこかに座りたい」と思って、そこに座り、しばらく休んでいます。彼は一日のほとんど、立ちっぱなしだったからです。しばらくすると、彼は時計を見て、急いで部屋から出ていきました。その日のあとになって、1匹の犬が部屋に入ってきました。犬は物体を見て、日差しを避けるためにその下に座りました。とても暑い日だったからです。犬はしばらくいたあと、息切れをさせて、走って出ていきました。

　男は物体を座るものだと考え、犬は日除けだと考えたのです。

> Q1:この物体は何だろう?
> (必要な場合のみ、こんな風に指針を示してもよいでしょう。座るもの? 下に避難するもの? それとも他の何かだろうか?)

　ここでディスカッションを止めてみましょう。「コンセプトマップ」を使って、子どもたちの考えを残しておきます。10分ほど話し合いが続いたところで、次のストーリーにうつります。

先生のワザ　コンセプトマップ (p.71)

コンセプトマップは、先生と子どもたちの両方が、ディスカッション中に何が語られたかを把握するのに役立ちます。ボードに書かれた内容ではなく、話し合いに焦点が当たるように、キーワードを使って可能なかぎり文章を避けましょう。「コンセプトマップ」を使用して、考えのつながりを示し、緊張関係を可視化します。これは、アリアドネのような重要なツールの1つで、子どもたちが、すでに言われたことを把握しながら議論を進めるのを助けるものです。このツールは、すでに言われたこと、今言われていること、そしてその2つを踏まえて何が言えるかを意識することで、探求を全体的に見ることができるようになるのです（コンセプトマップのサンプルはp72に掲載しています）。

パート2

　その日の夜、誰もいないときに、宇宙船が着陸し、宇宙人が出てきました。銀河系を飛び回りながら、さまざまな惑星から物体を集めていて、宇宙人たちはこの物体（椅子を指差す）を回収しました。船に戻ると、瞬く間に光速で宇宙空間へと消えていきます。船で宇宙人たちは、物体が何であるかを調べます。しかし、何もわかりません。

> Q2: 宇宙人がこの物体を知らないのであれば、これは何だろう？

　これはおまけのディスカッションなので、時間がないときは飛ばして

ください。しかし「知っている」ということは、何かを「それ」たらしめているものが何であるかを語ろうとするときに重要であるという考え方にふれるために、後になってこの話に戻るのもよいでしょう。

パート3

宇宙人たちは、人間とは違いますが似ているところもあります。頭と腕と脚があり、腕は左右に2本ずつ、脚は3本ずつです。頭は1つしかありませんが、人間の頭より大きくて四角いです。宇宙人たちは、物体が自分たちの頭にぴったりなことに気づき、これは帽子に違いないと思いました。帽子をかぶった自分たちは、とても立派に見えるのです。自分たちの惑星であるザルゴン星に戻ると、宇宙人たちは皆、新しい帽子にとても感心しました。もともと物体を持ち去った宇宙人、ザルボーグはあるアイデアを思いつきます。この「帽子」を何千個も作らせ、他の宇宙人たちに売りつけるのです。

> Q3：今、この物体は何だろう？　椅子、避難所、帽子、それとも他の何か？

この後、さらにトークタイムと探究が続きます。セッションの流れを良くするために、問いの後にトークタイムを設けず、探究を続けさせてもよいでしょう。

パート4

数百年の歳月が流れました。人間は今や、惑星間の宇宙飛行ができるようになっています。この頃には、椅子には足がなく、人が降りる必要がないように浮いています。ある日、人間はザルゴン星に到着しました。人間たちは宇宙人と出会い、友人となり、その言語を学びます。お別れの時、宇宙人たちからプレゼントが贈られました。それは、宇宙人たち

が今も愛用しているおしゃれな帽子（椅子を指さす）です。人間たちは大喜びで、宇宙人からの贈り物を持って地球へ戻ります。地球に戻ると、宇宙人たちと交流があったことを発表し、贈り物を宇宙博物館に渡しました。物体は、特別な展示ケースに入れられ「ザルゴン星の帽子」と書かれています。

> **Q4：この物体はザルゴン星の帽子だろうか？**

トークタイムや探究の時間をもう少しとってもいいでしょう。

パート5

ザルゴン星に戻りましょう。ザルボーグが持ち帰ったオリジナルの物体は、ザルボーグの子孫に受け継がれ、現在はザルボーグの曾孫であるザルボーグ3世の家に飾られています。とても貴重なものなので、警報機付きで厳重に保護されています。ある夜、泥棒が入り、物体が盗まれました。泥棒は物体をもって宇宙へ飛び立ちますが、すぐ後ろにはザルゴン星の警察がいます。宇宙戦が起こり、泥棒の宇宙船は破壊されました。物体は宇宙を飛び、逆さまになって、小惑星に落ちます。そのまま深宇宙に運ばれ、行方不明になりました。

小惑星は10年、数百年、数千年、数百万年、そして数十億年、宇宙空間を漂います。ザルゴン星も人間も、もうとっくに滅亡しています。

> **Q5：人間やザルゴン星人（やその他）が見てもいないし、使ってもいない今、この物体は何だろう？**

トークタイムや探究をここで増やしてもいいでしょう。「つなぎなおし」をして、子どもたちに、本当にもう見ることも使うこともできないのだと思い出させる必要があるかもしれませんね。

パート6

　小惑星に落下したとき、物体は逆さまに落ちました。底には、地球で製造された時のことである「椅子」と、はっきり書かれています。

> **Q6：これはこの物体が最初から、ただの椅子だったということだろうか？**

　セッションのペースを維持するため、時間を管理することは大事です。おそらく、各パートに10分ずつ時間を与えることになるでしょう。よく耳をすませ、時間を守るため活発な議論を不自然に終わらせることはしないでください。覚えておいてほしいのは、このセッションを2回、または3回の授業に延長することができることです。もしこのセッションを1回しか行わないのであれば、何を省いても最後の小惑星の部分は含めるようにしてください。セッションの最後には、探究できるように「チャレンジ！」も載せていますが、これは機会があるときだけで構いません。あなたは、このセッションのどの時点でも椅子を「椅子」と呼んではいけません。「その物体」あるいは「この物体」とだけ呼んでください。最初は少し難しいかもしれませんが、「これは何だろう？」という質問をするとき「椅子」と呼んではいけないということが重要です。「この物体」という表現も、問いに答えているようなところもありますが、まったく言及しないというのは、このセッションをとても難しくしてしまうので、いちばんニュートラルな表現と言えるでしょう。

先生のワザ　つなぎなおし (p68)

このセッションの焦点を維持するためには、「つなぎなおし」のテクニックを終始用いて、子どもたちに「では、それは何だろう?」と尋ねることが重要です。「つなぎなおし」は、以下のことに役立ちます。

・関連性があり焦点を絞ったものにする
・隠れたつながりをあぶり出す
・クエスチョンに考えをつなぐ
・議論を生み出す
・思考を明確にし、促す

　パート5を扱うことが重要なのは、子どもたちの多くは椅子とは何かを、知覚している人(ふつうは自分自身)との関係で定義し、理解しようとするからです。このエクササイズの最初の目的は、子どもたちが自分を超えて、他の視点(たとえば犬や宇宙人)から物体を考えるようになることです。次の段階として、子どもたちに、物体が知覚する人から完全に取り除かれたときにどうなるかを考えてもらいます。これはよく知られた哲学的な問い「森で木が倒れ、それを聞く人がまわりにいない場合、木は音を立てるか」と同じパターンです。しかしこの問いにいきなり飛び込むと、子どもたちが問いの意味を理解するのは難しくなってしまいます。物語の前文で、この問いの準備をし、物語のクライマックスに到達するまでに、子どもたちはこの奇妙な問いに取り組むための準備をすることで、よりよく理解することができます。これは「下地にな

るディスカッション」の使用例でもあります（p.85と「アリの生きる意味」p.118を参照）。

チャレンジ!

さらに、話し合いの中で出てきた考えで、子どもたちが出した考えに応じて適切なタイミングで挿入できるものは、以下の通りです。

コピー

もし、私たちがこの椅子をデザインしたのではなく、他の宇宙人が残したものをコピーした、あるいは地球に残されたものをそのまま使ったとしたら、どうなるでしょう？　それは、椅子ではなかったということになるのでしょうか？

パラドックス

あるセッションで出てきた、より複雑なバージョンは、その宇宙人はタイムトラベルをする宇宙人で、地球で見つけたオリジナルの「椅子」をタイムトラベルして人間に紹介したというもの。その結果、宇宙人は人間から見つけたが、人間も宇宙人から見つけたというパラドックス的な状況が生まれます！　さあ、どうなるでしょう？

2脚の椅子

たまに私は、部屋の真ん中に2つの「椅子」を置いて、片方は人間が地球でつくった椅子で、もう片方は宇宙人がつくった帽

子なんだけれども、どっちがどっちかわからないと言うことがあります。そうすると、問いはこうなるかもしれません。「どうやったら見分けがつくの?」あるいは「これらは異なるものなのかな?」

部屋にはいくつのものがある?

また、犬、人間、宇宙人の3人が一緒に部屋に立って「椅子」を見ているところを想像してもらうのもよいでしょう。犬には日除け、人間には椅子、宇宙人には帽子というように、それぞれ違うものだと思うでしょう。では、犬、人間、宇宙人を除いたとして、この部屋には3つのものがあるのか、それとも1つしかないと言えるでしょうか? これに続く問いとして「もし、みんなが部屋を出て行ったら、いくつのものがあることになる?」がありそうです。

哲学のキーワード

中心となる哲学 ▶ バークリーと観念論
　　　　　　　　　カントと「物自体」
関連する哲学 ▶ アリストテレスと目的論
　　　　　　　　　ホッブズと唯物論
　　　　　　　　　形而上学——「ある」とはどういうことか

アリの生きる意味

テーマ

・目的と運命　　　　　・神と宗教
・実存主義　　　　　　・価値

哲学的背景

　このセッションでは、「いったいどういうこと?」という大きな問いを扱います。あなたがなにかしらの目的や運命について考える場合、哲学では「目的論」として知られています（古代ギリシア語で目的や運命を意味するテロス（telos）に由来します）。「目的論」の意味を理解するために、次のことを考えてみましょう。

> Q1：以下のものは、なんのためにあるのかな?
> 　　椅子　木　人間

　ものによって、答えはそれぞれまったく違うものになるでしょう。生きることの意味を問うことは、「私たちはなんのためにここにいるのか」について考えることにつながります。ですが、たとえば人間のような生命体に目的を与えることは、視野の狭いことのようにも思えます。そこで「アリの生きる意味」では、「私たちはなんのためにここにいるのか」という問いに対する視野の狭い答え方の問題点を示します。またこの

セッションは、「椅子」（p.108）のフォローアップとして、とても効果的です。なぜなら「椅子」で話し合われたことは、このセッションと関わりのある論点に自然とつながっているからです。さらにお話を読む前にQ1を扱うことで、子どもたちは、椅子から始まるこのセッションへとスムーズに入っていくことができるでしょう（このセッションの先生のワザ「下地になるディスカッション」p.121参照）。

哲学の素材

　あるところに、アリの群れがありました。ある日のこと、アリたちは、「いったいどういうこと?」について話し合っていました。
　「なぜ、私たちはここにいるの?」「なんのためにここにいるの?」アリたちは話しています。
　あるアリは「ここにいるのは、一生懸命働いて、この群れを養うためだよ」と言いました。また、あるアリは「ここにいるのは、仲間をたくさん増やして、種を存続させるためだよ」と言いました。さらに、あるアリは「たぶん、自分たちが楽しく暮らすためにここにいるんじゃないかな」と提案しましたが、「アリは楽しく暮らすことが特にうまいわけじゃないよ」と指摘されました。そして、あるアリは「自分の利益のためじゃなくて、この群れ全体の利益のためにここにいるんだよ」と言いました。アリたちの話し合いは、夜まで延々と続きました。アリたちは、なぜ自分たちがこの地球上にいるのかについての理由を1つに決めることがどうしてもできないのです。

　まさにその次の日、1匹の探検家のアリが大冒険から帰ってきました。彼女は大きくて広い世界を探検してきたのです。アリたちはみんなで、彼女の帰りをお祝いしました。多くのアリたちは、長い間姿を見せなかった彼女は旅の途中で死んだに違いないと思っていたからです。アリたち

はみんな、彼女が冒険の中でなにを見てきたのか知りたくてたまりません。

　彼女は、アリたちが一晩中話し合っていたことについて聞くと、アリたちを自分の周りに集め、次のように告げました。

「みなさんご存じのように、私は世界中を回って、あなたたちが見たことのない、そしてたぶんこれからも見ることがないであろうものを見てきました。太陽の光を浴びて虹色にきらきらと輝く滝を見たこともあるし、天までとどくような巨大な建物の周りを、巨大な2本足のアリがシロアリのようにちょこちょこと動き回っているのを見たことだってあるのです」

　他のアリたちは、巨大なシロアリを想像して恐ろしくなり、ハッと息をのみました。そして、探検家のアリは話を続けました。

「私は、あなたたちのうち誰も知らないことを学んできました。惑星と世界の歴史について学びました。今この世界に生きている、他のたくさんの動物について、そしてこの世界に生きていたけれど、もういなくなってしまったたくさんの動物たちについても学びました。だから私は、あなたたちの「なぜ私たちはここにいるのか」という問いに答えることができると思います」

　アリたちはみんな、彼女の答えを期待して、身を乗り出しました。

「私たちはここに……」彼女は間をおいてから、ささやくよりももっと小さな声でこう言いました。「アリクイのエサになるためにいるのです。ただそれだけ!」と。彼女はもっと大きな声で叫びます。「私たちはアリクイのエサです」群れのみんなはショックを受けたように驚いて彼女を見ました。

「考えてみてください」と彼女は続けました。「アリクイは私たちを食べるために、そして私たちはアリクイに食べられるために、完璧に設計

されています。たとえばアリクイたちは、私たちの巣にとどくほど長くて、ねばねばとした舌を持っていますよね。私たちアリは、ねばねばとしたものに簡単にくっついてしまいます。さらにアリクイには、私たちが噛みつけないような、ふさふさとした毛だってあります。つまり、私たちアリは、アリクイのエサになるためにここにいるに違いないのです」

　驚くべき新事実により、アリたちは長い間このことについて話し合い、そして今日もまだ話し合いを続けています。

> Q2：探検家のアリがもたらした驚くべき新事実をあなたはどう考える？　彼女の意見は正しい？　アリはアリクイのエサにすぎないのかな？

さらなる問い

・私たちがここにいることには明確な理由があるのかな？　それとも理由はないのかな？　それともなにか別の理由があるのかな？

・私たちは、自分の人生に自ら意味を与えることができるのかな？　それともなにか外部からの意味づけが必要なのかな？

・意味ってなに？

先生のワザ　下地になるディスカッション
(p.85)

　「椅子（p.108）」や「テセウスの船（p.165）」のように「哲学の素材」から始め、議論を展開させた方がよい場合もありますが、「ピラミッドの影（p.219）」や今回のセッション「アリの生きる意味」のように、「哲学の素材」を紹介する前に、概念に関する話し合いをした方がよい場合もあります。そのほう

が、「哲学の素材」の中にある哲学的な題材に焦点を当てやすくなるだけでなく、お話に関連する概念を考える前に、子どもたちのもっている、いわば概念を取り扱うための筋肉をストレッチすることにもなるからです。もし正しい方法で準備ができれば、子どもたちが複雑なアイデアや題材を扱えることに驚かされることでしょう。反対に、何の脈絡もなく、子どもたちの前に複雑な哲学的アイデアをポンっと唐突に提示したならば、子どもたちは完全に混乱することになります。だからこそ、「ピラミッドの影」の前に「大きいってどのくらいのこと?」と問いかけるだけでも、大きな違いがあるのです。この準備運動となる質問は、概念的な妥当性と豊かささえあれば、複雑でなくてかまいません（むしろ複雑でない方が効果的です）。このセッションにおける準備運動となる質問は、椅子、木、人間というまったく違う種類のものを検討する中で「これはなんのためにあるの?」という問いかけでした。

哲学のキーワード

中心となる哲学 ▶ アリストテレスと目的論
関連する哲学 ▶ ミルと功利主義
　　　　　　　　ソクラテス、アリストテレスと魂
　　　　　　　　サルトル、ボーヴォワールと人間の本性

同じ川に2回入る ことってできる?

テーマ

・変化

・議論

・同一性

・必要条件と十分条件

・川と水の循環

時間が流れても同じ川?

哲学的背景

　これは最も有名な哲学的問いの1つで、エフェソスのヘラクレイトス（紀元前500年頃）が最初に問いかけたと考えられています。「テセウスの船」（p.165）と同じように、このセッションでは変化と同一性をテーマに取り上げます。この2つは、子どもにとってとても親しみやすい哲学的テーマです。子どもたちは世界を変わらないもの（「善と悪」、「正義と悪」、「私とあなた」）として見る一方で、実体験として、世界は変化し続けているということも感じています。そこでここでは、子どもたちがすでに親しんでいると思われる哲学的な問題について取り上げてみます。

哲学の素材

　ティミーとティナは両親と一緒に川へピクニックに出かけました。川岸の近くを泳ぎながら網を振りまわして、オタマジャクシを捕まえようとしています。「くまのプーさん」で有名な、「プー棒投げ」でも遊びます（ティミーとティナは、橋の川上から川に棒を落とし、どちらが先に川下に出てくるか競争します）。しばらくすると、お母さんがサンドウィッチを食べにおいで、と2人を呼びました。2人はピクニック用のシートに駆け寄り、座ってお弁当を食べました。食べ終わるとティミーは、「また川に戻ってオタマジャクシを捕まえようよ」と言いました。

　ティナはティミーの顔を見て言いました。「どの川のこと?」

　ティミーはその質問に戸惑いながらも、「さっきと同じやつだよ。何言っているの?　このあたりに川は1つしかないよ」といじわるっぽく言いました。

　ティナはしばらく考えてから、ほおづえをついて言いました。「でも、同じ川じゃないよ。同じ川には2回入れないよ」

　まず子どもたちにペアで話し合ってもらいます。そして子どもたちが
何を考えているのか確認しましょう。もしも子どもたちが、「水はずっ
と流れているから、同じ川ではない」というヘラクレイトス的な考えを
もっていなければ、それを引き出すために、以下のティミーとティナの
議論を行ってもよいでしょう。しかし、どうしても必要でない限りはオ
ススメしません。子どもたちに、誰の意見に賛成か、なぜ賛成なのかを
聞くだけで、主張のメリットとデメリットを考えさせることができます。

「どういうこと?」と戸惑うティミー。
「前に行ったときにあった水はもう流れちゃったから、それは「同じ川」
にはならないじゃない。川は変わってしまったから、同じ川じゃなくて
違う川だよ」ティナは腕を組んでティミーが答えるのを待ちます。
「ああ！　やっと言いたいことがわかったよ。でも水が違うだけで、同
じ川には変わりないよ」とティミーは言いました。
「川には水しかないよ。だから、水が動いたんだったらそれは違う川な
んじゃない?」ティナはティミーをじろりと見て言いました。

　このお話の後に行うことの1つとして、子どもたちを2人組にして、ティ
ミーとティナのどちらかの立場をとり、それぞれの立場から話し合い、
相手の立場を説得します。そしてその後に、探究をしてみましょう。

先生のワザ　何が必要で何があれば十分?

(p.73)

先ほどの2人組での話し合いに続けて、「川ってなにからできているの?」ということを子どもたちと一緒に考えてみるのも1つの方法です。「川とは何か?」について、何が必要条件で何が十分条件なのか、ということについて子どもたちと一緒に考えます。板書に「川」という単語を書き、川であるために必要な特徴をすべて挙げる、という課題を設定します。こんな感じです。

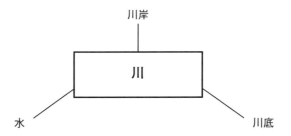

それぞれ挙げられたものについて、子どもたちにその特徴がない川の例を思い浮かべることができるかどうか、聞いて見ましょう。たとえば、もしも溶岩やチョコレート、水銀の川があったとしたら、川に「水」は必要ないかもしれません。では何が必要なのでしょうか?「水」は「液体」に置き換えることができます。では次の質問はどうでしょうか。「乾いた川というのは考えられる?」

もしも川に、水などの流れる物がなければ、それでもそれは川なのでしょうか? このような話し合いが結論をもたらさなく

ても別にいいのです。子どもたちがこのような考え方に取り組んでいること自体、十分に価値があるのです。

すべては変化する

このセッションの次の段階として、子どもたちにヘラクレイトスを紹介します。そして、この「同じ川に2回入ることってできる?」という問いは、2500年前にヘラクレイトスが問いかけたことに由来することを話します。さらにヘラクレイトスの名前も板書し、彼もまた「すべては変化する」と考えていたことも説明します。この言葉も黒板に書き、子どもたちに尋ねましょう。「もしもヘラクレイトスが、「すべては変化する」と考えていたら、「同じ川に2回入れるか」という質問に対する彼の答えは、どうなると思う?」この問いかけは議論形式で考えることを促します。以下は、いくつかの回答から見出される議論の例です。

もしもヘラクレイトスが、すべてのものは変化する、と考えるなら、川も変化すると考えるに違いないよ。
川がいつも変わってしまうものなら、同じ川に2回入ることはできないよ。
だからヘラクレイトスの答えは、「いや、同じ川に2回入ることはできない」でなきゃいけないよ。

ヘラクレイトスもおそらくそう考えるでしょう。でも、子どもたちの中には、「川は常に変化しているけれど、同じものであることに変わりはない」と感じている子どももいるかもしれません。なので、そう感じ

ている子どもにとっては、川が変われば同じ川に入れない、ということにはなりません。

たとえここに答えがあったとしても、歴史的に見ればその本当の答えは何であるかということは、まだ議論の余地があります。ですから答えを提示したり、どう答えを言ってほしいと思っているのかを話したりすることは避けましょう。結論がどうであれ、子どもたちと一緒にじっくり考えるだけでよいのです。お互いに応答し合うことで、お互いの理解を促進することもできますが、ここでは「何を考えているのか当ててみよう」とするような教え方は避けるようにしましょう。あまり長い時間をかけてはいけません。

次に、ヘラクレイトスの「すべては変化する」に同意するかどうか、子どもたちに尋ねてみましょう。その後、対話と探究を行い、さらに仮説の検証を促すような課題を設定します。

Q2：「変わらないもの」って思いつく？

さらに話す時間を与えて、もう一度探究を行います。過去にはこんな提案がありました。「過去」「数字」「月にある箱の中の本」「自分の名前」「神」「出来事」。こうすることで、子どもたちは反例、つまりその主張に反する例を思いつくことになります（p.74「反証と反例」参照）。

哲学のキーワード

中心となる哲学 ▶ ヘラクレイトスと変化

関連する哲学 ▶ アリストテレスと三段論法

バークリーと観念論

ホッブズと唯物論

ライプニッツと同一性

アウグスティヌスと時間

ソクラテス以前の哲学者たちと自然哲学、形而

上学：「ある」とはどういうことか?

無人島ゲーム

テーマ

- グループでの意思決定
- 政治
- 公正さ
- ルール
- 社会
- シティズンシップ
- 島

哲学的背景

　本セッションは、プラトンの著作の1つ『国家』で書かれた対話に基づいてつくられました。この本の中でプラトンは、正義とは何かという問いを考え抜き、議論の末に行き着いた結論をもとに、理想の国家をつくり上げようと試みています。政治哲学の中でこの本は幾度となく議論されたものであり、もしかするとこれまでの哲学書の中で最も知られたものの1つと言えるかもしれません。

　本セッションの目的は、集団や社会の中での「正しさ」の本質について、大人の助けなしに考え、意思決定をさせることにあります。プラトンが述べたように、こうしたことに関わる原理を私たちは「正義」と呼ぶかもしれませんが、子どもたちとこのセッションをやるならば、そこでは「公正さ」という言葉を使った方が良いかもしれません。他にも子どもたちは、意見の対立に対処する方法など、重要な社会的能力を学んだり、そのための方法をきちんと理由をつけて説明する力を育むことも

できます。正義（あるいは公正さ）という概念は、実にたくさんの意味をもちます。「自分がしたいと思ったことをする」という正義、「平等に共有する」という正義、「平等に取り扱う」という正義、「人々のニーズに応えること」としての正義、「何を優先するかを決めること」としての正義、「強さ」としての正義、そして場合によっては「変わりゆく状況に対してアンテナを張り巡らせること」という正義も含まれるかもしれません。他にもいろいろあるでしょうが、一応これらが「正義・公正さ」を考える際に議論されることが多いです。ここで、これらの概念について考える際に頭に入れておかなければならない問いは次のとおりです。「これらのいくつもの正義の概念は、両立可能だろうか?」たとえば、「自分がしたいと思ったことをする」という正義は、「平等に共有する」こときちんと両立するでしょうか?　もしみんながやりたいことだけを好き勝手にしていたら、この人たちは他人に何かを平等に共有したいと思うでしょうか?　同じように、「人々のニーズに応えること」は、「平等に取り扱うこと」と必ずしも一致しないのではないでしょうか。

　他のセッションとは異なり、この無人島ゲームはいくつものパートから成り立っています。一番簡単なやり方は、一つひとつのセッションを順番にこなしていくことです。普段私は、最初の2つのパート（サバイバル、意思決定）を1つのセッションで行い、次の2つのパート（ルール、公正さとは何か）を次のセッションで行っています。

哲学の素材

パート1：漂流者としてサバイバルする

　さぁ、想像してみてください。古代ギリシア時代、あなたは太平洋を旅しています。古代ギリシアということは、電気も機械もないということです。あなたは大きな帆がついた木製の大きな船に乗り、同じような

海の風景を見ながら数週間ほど旅をしています。ある日、暗く強い嵐が吹き荒れ、何日も猛威を振るいました。船はこの大嵐でひっくり返り、あなたは荒れ狂う海の中に投げ捨てられました。あなたはバラバラになった木や帆や椅子の一部をなんとかしてつかみ、生き残るために必死にしがみついていました。

　大嵐が去った翌日の朝、あなたは熱帯地方のとある島の浜に流されていることに気づきました。その島では日はさんさんと差しこみ、気候もとても穏やかです。あなたは立ち上がって、とりあえずこの島を散策してみることに決めました。しばらくの間この島に住んでみようと思ったからです。

　この島には誰も住んでいる形跡がなく、また今まで誰かが住んでいた様子もありませんでした。人間がいた形跡はこれっぽっちもなさそうです。この島は輝くような砂浜でぐるっと囲まれています。この島の真ん中は密林となっており、たくさんの動物と、いろいろなフルーツがありました。その中心には山があり、山頂からふもとの湖まで、きれいな水が流れる川がいくつか伸びていました。もちろん、その湖にはたくさんの魚もいます。この島にいれば、とりあえずなんだってできそうです。

　散策が終わって元にいた場所に戻ってくると、大破したほかの船から命からがらこの島にやってきた4人の生存者がいました。あなたはその4人を集め、今後どうするべきかを話し合いました。あなたが最初にやらなければならないことは、この新しい家とでも言える場所で、なんとか生き延びていくことです。

> ## Q1：どうやって生き残ろう?

　この問いについてグループで考えてみてください。ちょうど良いと思うくらいまで、グループで議論をさせてください。以下の応用編でいくつか提案をしていますが、このパートを拡張するためアクティビティは

いくつもあります。哲学的な探究を行うという観点からいえば、このパートのこの問いに対してはそれほど多くの時間をかけなくても良いです。だいたい10分くらいあれば十分です。

 チャレンジ!

・このストーリーに描かれたものを反映させた島の地図を作ってみましょう
・ダニエル・デフォーの『ロビンソン・クルーソー』の話をしてみてください。このシナリオと似ていますが、彼の場合は1人っきりです。子どもたちにその状況を想像させてみてください。また、次のようなことを聞いてみても良いでしょう。「1人でも幸せになれるかな?」「1人で住む場合、言葉とか文字は必要かな?」「完全に1人っきりだったら、良い人であろうとしたり、ルールを守ることについてあれこれ悩んだりすることは必要かな?」「島にたったひとりぼっちで住んでいたとしても、生きるために必要なルールなどはあるかな?」
・(子どもたちの年齢にもよりますが)トム・ハンクス主演の『キャスト・アウェイ』という映画(一部でもいいです)を見てみましょう。トム・ハンクスが演じた人が映画の中で下した結論と、子どもたちが下した結論ではどこが似ているかを考えさせてみましょう。ただし、映画を見せる前に上記のアクティビティをやらないと、子どもたちが映画の考えに流されてしまうこともあるので、要注意です。

パート2：意思決定をする

このパートでは、子どもたちは5人1組の生存者グループに分かれます。それぞれのグループは別々の無人島にいるという設定のため、連絡を取り合ったり相談することはできないことを伝えてください。ランダムに子どもたちをグループ分けするには、次のような方法が便利です。それぞれの子どもを列に並ばせ、1から5まで順番に番号をつけます。それぞれの子どもは、自分がつけられた番号を指で示します。指1本を示した人はグループ1に、2本を示した人はグループ2といった感じで割り振っていきます。こうすればあなたも子どもも、誰がどの島に行くべきかを覚えておくことができます。同じ番号があてがわれた子どもたちはグループになり、座ります。ここでグループ分けができました。それぞれのグループは適切な距離を保って座らせてください。その上で「もしあなたが本当に海で遭難したら、誰が生き残るかは選ぶことができないよね（だからこうやってランダムでグループを組むんだ）」と説明してください（もちろん、特定の子ども同士が一緒のグループになることで何か問題が起きるようであれば、教師としてグループのメンバーを多少いじったって構いません）。

パート1で話し合った、家や住むための場所、生活に必要な道具などについて話し合ってみましょう。そしてこの5人の島の新しい名前をつけてみましょう。ここで重要なことは、教師の方から、ああすると良いよ、こうすると良いよといったアドバイスをしないということです。もし子どもたちが助けを求めてきたら、次のように言ってみてください。「でもねぇ、先生はこの島にはいないんだよ。先生も大人もみーんな船と一緒に沈んじゃった。だから助けはないし、自分たちでなんとかしなくちゃいけないんだ」。もちろん、誰かが泣いてしまうなど、本当に必要なときはちゃんと介入してあげてください。そのためにあなたがいるのです。とはいえ、あなたはできるだけ自分の存在感を出さないようにしてくだ

さい。そうすれば、子どもたちはどうやって与えられたタスクをこなして
いくかを、自分たちだけで考えようとするはずです。このパートのた
めの時間を設定する必要はありますが、もう十分だと感じたら適当な時
間で切り上げてください。

　ここまできたら、最後に黒板やホワイトボードに以下の質問を書いて
ください。もちろん、直接聞いてみても良いです。

- 島の名前は何にした?
- どうやってそれを決めた?
- 決めるときに何か問題はあった?
- どうやってその問題を解決した?（この問いに応えるために、クラス
  の人たちが協力し合えるように促しましょう）

　それぞれのグループにこれらの質問を聞き、島の名前とそれを決める
際のやりかたを書いたリストをつくっておきましょう。やってみるとこ
んな感じの答えが返ってきます。

- みんなで話し合って決める
- 投票
- くじ引き
- リーダーが決める

　子どもたちには自分たちの意思決定の方法を批判的に評価するよう促
してみましょう。1つのやりかたは、意思決定のやり方に不満を持って
いるようなそぶりを見せた子どもを指名し、その理由を説明してもらう
ことです。他のやり方としては、次の問いに答えてもらうというもので
す。

　しばしば議論となる面白いやりとりがあります。子どもたちは（特に現在は、テレビで投票にかんする番組を見ることが多いので）投票が最も良い意思決定のシステムだと考えていることです。しかし、投票をしても島の名前が全員一致で決まらなかったとき、子どもたちは投票にかけた島の名前を断念し、別の名前を検討しはじめたのです。つまり、子どもたちは投票システムの中でも人々が発言する権利をもつことは大切だとわかってはいるのですが、反対意見に対して投票が何をもたらすかをちゃんと理解しているわけではないのです。ここで考えるべき問いは次のようなものです。「ということは、全員が賛成したときだけ、投票は公正に決めるための手段になるのかな？」

　ここで「公正」という言葉を早速使ってみることは大事です。このQ2では、「みんなが賛成したから」という単純な理由で島の名前を決めるようなやり方を、ひとまず脇に置かせます。でも、「全員が賛成した島の名前にするんだ」と、全員の賛成ということにこだわる人もいるでしょう。そうなったら、今度はもっと明示的に賛成という要素を取り除いて結構です。賛成という要素が残っていると、次の問いに答えにくくなるからです。「島の名前はみんなが賛成したら決まる。なるほど。でも、もしあなたがずっと不賛成だったら、どうすれば良いかな？」どうやって意見の不一致に対して取り組んでいくかを子どもたち自身が考えるようになるまで、この点にこだわり続けるようにしてください（先生のワザ「再登場した概念を取り除くこと」p.82）。あるいは、Q3をやってみても良いかもしれません。

パート3：ルール決め

　島での生き方や島の名前が決まったら、次の大事なステージは、どんなルールが必要かを考えることです。あるいは、ルールがそもそも必要かということを考えても良いです。先のグループの中で、十分な時間をとってこのテーマについて考えさせてください。このパートでは、出てきたルールのコンセプトマップをきちんと書いてもらう必要があります。議論がどのように進んだかを追うことができるためです。子どもたちは以下のような問いを出すかもしません。あるいは、子どもたちから出なくても、あなた自身がその問いを出しても良いかもしれません。

> Q4:「ルールなんていらない」というルールをもつべき?

　このパートでは、誰がルールをつくるべきで、その理由は何かを考えさせることもできます。最も強い人がそうするべきでしょうか?　それとも最も賢い人?　誰もそんなことはしない?　これらは次のQ5の形で提示しても良いです。

> Q5: 誰がルールをつくるべき?　そしてそれはなぜ?

パート4：公正さとは何か

　プラトンの『国家』では、明示的・暗示的に、一貫して考察されているカギとなる問いがあります。それは「正義とは何か」です。同じように、無人島ゲームでも、「公正さとは何か」ということが一貫して問われています。特に子どもと一緒にこのタスクをやり、「正義」の抽象的な意味を理解しづらいという問題を避けながら、このゲームでの議論をしてもらうためには「正義」を「公正さ」という言葉に置き換えると良

いでしょう。小学校高学年くらいになれば、子どもたちに「正義」という言葉を教えても良いかもしれません。あるいは、子どもたち自身が自分でその言葉を使うのであれば、正義という言葉を使うことには何の問題もありません。とはいえ、そうでなければ積極的にこの言葉を使わなくてももちろん結構です。この手の議論には「公正さ」という言葉の方が、よりしっくりくると思います。

　もしこの島に関するセッションで、「公正さ」という言葉が何度も使われたならば、そのことをきちんと子どもたちに話してください。そして、次のように言ってみましょう。「これは「公正だ」、これは「公正じゃない」という話し合いは一旦ここで終わりにしよう!」そして黒板やホワイトボードの真ん中に「公正さ」と書き、「で、そもそも公正さって何?」と聞いてみましょう。グループやペアで、この問いについて子どもたちが話し合う時間をつくってください。いくつかの対立するような意見なども探してみてください。たとえば、ある子どもが「公正さっていうのは望むものが手に入ることだよ」と言い、他の子が「公正さっていうのは平等に共有することだよ」「必要なものが手に入ることだよ」というときなどです。こうした意見の対立を取り上げ、次のように問いかけてみてください。「もしみんなが平等に共有することができたら、みんなは望むものを手に入れることはできるかな?」あるいは逆に「もし望むものが手に入るようなことがあれば、みんなはそれを平等に共有しようとするかな?」（先生のワザ「循環を断ち切る」（p.78）を参照してください）。

チャレンジ！

ロールズのルール

ジョン・ロールズの「無知のヴェール」*という思考実験を応用した、次のようなアクティビティをしてみるのはいかがでしょうか。子どもたちに、架空の学校の校則をつくってもらう、というものです。子どもたちは自分が校長先生なのか、先生なのか、児童なのか、成績優秀な子どもなのか、それほど優秀ではない子どもなのかがわからない状態です。また、子どもたちは自分たちのジェンダー、人種、宗教なども知りません。この活動は2つのパートに分けて行います。まず、特に上記のような制限なしに、自分たちの視点からルールを決めます。次に、「無知のヴェール」をつけた状態であると仮定して、ルールをつくらせます。

*ロールズが考案した無知のヴェールは、それをかぶると自分が何者であるか（たとえば男なのかとか、金持ちなのかなど）を一時的に忘れてしまうというものです。ロールズは、無知のヴェールをかぶった人々はより不偏不党の立場で物事を考え、それが結果的に公正な社会の構想へとつながると考えました。

侵略者

異年齢の子どもと一緒にこの島のセッションをやり、それをさらに発展させたい人は、「島への侵略者」についてやってみても良いでしょう。好戦的な侵略者でも、友好的な侵略者でも、どちらでも構いません。侵略者がやってきたという状況の中で、子どもたちはどのように応じようとするでしょうか。子どもたちは侵略者に対して何をすべきでしょうか？

侵略者の旗

侵略者のボートには、侵略者たちの旗が掲げられていました。侵略者たちは「この島は我らのものだ!」と言っています。しばらくすると、私たちは、島のとあるところで誰かがかつて住んでいた跡を見つけ、そこに古びた侵略者の旗を見つけました。つまり、侵略者たちが言うように、その島は侵略者たちが過去に見つけていたものだったのです。これは、この島が侵略者たちのものであるということを意味するのでしょうか? あなたたちは何をすべきでしょうか?

交易

島がいくつかあるという状況を利用して、子どもたちに交易やその仕組みについて考えさせても良いかもしれません。隣の島とどうやって交易をしますか? どうやったら公正な交易ができるでしょうか? 通貨は必要でしょうか?

財産の分配

子どもたちに、島に住んでいる人たちの能力について考えさせてみてください。たとえば、家を建てる能力、釣りをする能力、薬を作る能力、歌う能力などなど。「この島にはこんな能力を持った人がいる」と提案してもらい、みんなが見えるように黒板やホワイトボードにその能力を書いていきます。医者、料理人、漁師など、10の能力を持った人々が提案されるまでそれを続けてください。次に、カードかカウンターをつかって、これらの人がどれくらいの「生産力」があるかを決めます。たとえば漁師に10個のカードや数字がつけば、この人は1週間に10匹の魚を獲ることができます。能力を持った10人の生産力

が決まるまでこれを繰り返していきます。こうやって生産されたものを「財産」と呼ぶこととします。

Q6：どうやってこれらの財産を分配する？

この問いには以下の問いがくっついてきます。

- それぞれの人は、自分が生産したものを独り占めしてもよい？
- それぞれの人は、自分が生産したものを平等に分け与えるべき？　そうなら、誰がそれを共有することができるの？
- 生産したものは、それを必要としている人に分け与えるべき？
- それぞれの人が生産したものの、似ているところと違うところは何だろう？　たとえば歌うことは、魚を獲ることと同じような「生産」なのかな？
- それぞれの人は、自分が生産したものを売ったり交換したりするべき？
- 何も能力がなくて、何も生産できない人がいたら、その人は誰かから何かをもらうことができるのかな？
- 病気や怪我で働けなくなった場合はどうすればよいだろう？何かをもらうことができるのかな？

1人でやる？　みんなでやる？

島に1人でたどり着いたとき、自分はこの島で1人っきりだと思ったとしましょう。しばらくして、あなたは自分以外にも島に人がいることに気づきました。彼らは自分たちの力でバッチリこの島で生き抜いていました。

Q7:自給自足で1人で生活し続ける方がよい？　それと
　　もコミュニティをつくって誰かと一緒にいる方が
　　よい？

この問いには以下の問いがくっついてきます。

- それぞれの選択肢の良いところと悪いところは何だろう？
- もし自分が良質の土と魚がたくさんいる水がある豊かな土地に住んでいたらどうする？
- もし自分が島の中でもとびっきり質の悪い土地に住んでおり、自分以外の人がとても豊かな土地に住んでいたらどうする？
- アリストテレスはかつて「人間は、その本性からして、社会的動物である」と言いました。あなたはアリストテレスの言う通りだと思う？

哲学のキーワード

中心となる哲学 ▶ プラトンと正義
関連する哲学 ▶ アリストテレスと友愛
　　　　　　　　アリストテレスと目的論
　　　　　　　　ジョン・スチュアート・ミルと功利主義
　　　　　　　　道徳哲学

　私の仲間で相談相手でもある、ルース・オズワルドは応用編として「ロールズのルール」を教えてくれました。またロバート・トリントンは「侵略者」や「交易」といった応用アイデアを教えてくれました。感謝いたします。

なくしものを
してみよう！

テーマ

・失うこと

・見つけること

・認識

・死別

・悲しみ

哲学的背景

　幼い子どもたちには「なくす」という経験があまりないかもしれませんが、中には大切な人やペットを「なくす」ことや、お気に入りのおもちゃを「なくす」ことがある子もいるかもしれません。こうした経験は、子どもたちが「なくすこと」「なくなること」「見つけること」を考える上で、何かきっかけになるのではないかと思います。それぞれの異なる経験を共有することで、「なくすこと」への理解を深められるかもしれません。

　このセッションを行うにあたって、最近、何か大事なものをなくしたという経験をしたかもしれない人に対しては、特別な配慮をするようにしましょう。丁寧に取り組めば、この話し合いが自分たちにとって必要なものであることがわかるかもしれません。このセッションは、「黄金の指」（p.188）と併せて、小さな子どもたち（5〜7歳児）向けの哲学で何ができるかを示す良い例となっています。p.60の「幼い子どもたちとの哲学」をちょっと見てみてください。また、このセッションでは、抽象的な問いから始まって具体的な問いに移るという、「いったりきた

り」（p.96）を実践しています。

　まず、次のような問いかけを子どもたちと一緒に考えてみましょう。

> Q1：何かをなくすってどういうこと？

さらなる問い

・なくしたものを見つけられたら、なくしものはないと言える？

・二度と見つけることができないなら、それはなくなってしまったといえる？

・「なくす」って何？

・「なくす」って気持ちに関わること？

・自分自身を「なくす」ことはできる？

・自分自身を見つけることはできる？

・「なくす」ことはいいこと？　悪いこと？

・忘れることは「なくす」こと？

・もしも何かを持っていることを忘れてしまったら、それは「なくした」ことになる？

・「なくした」は、「失ってしまった」、「なくなった」と同じなのか違うのか？

　こうした問いに対する子どもたちの反応をいくつか集めたら、次の問いに行きましょう。この時、この段階で子どもたちが言ったことを「もし〜」の形で問いかけられることを覚えておきましょう。（例：「もし、何かをなくした」ことと「どこにあるか分からない」ということが同じだとすれば、○○さんが、鉛筆がどこにあるのか知っているけれど、それを取ることができないという場合は、○○さんは鉛筆をなくしたといえるのでしょうか？」対案として「2つの教室での展開」を参照）各問いかけの後、次の問いに移る前に、クラスで問いを検討する十分な時間を

取りましょう。

哲学の素材

　手伝ってくれる子を2人募ります。子どもたちには、それぞれなくしたくないものを持たせましょう。タイマーを用意し、次のように声をかけます。

持っているものをなくしてください。時間は1分間です。それではよーいどん！（タイマーをスタート）

> Q2：〇〇さんは、△△（ものの名前）をなくせたかな？

　次はもう2人手伝ってくれる子を募ります。今度は1人の子に、もう1人の子のためにものをなくしてもらうようにします。次のように言ってみましょう。

　〇〇さんは△△（ものの名前）をなくしたいと思っています。でも〇〇さんは、△△がどこにあるのか、いつも覚えています。そこで、〇〇さんは友達に頼んでものをなくしてもらうことにしました。××さん（〇〇の友だち）、1分以内に、〇〇さんのために△△をなくしてください。よーいどん！（タイマーをスタート）

> Q3：〇〇さんは、××さんのために△△をなくせたかな？

より深く考えるには、『40 Lessons to Get Children Thinking』（Worley, 2015b, page 68）の「Doing philosophy」も参照してください。

チャレンジ！　2つの教室での展開

ある人が自分のものをなくそうとして、間違ってそれを棚の後ろに落としてしまいました。その人は、それがどこにあるのか知っていますが、それを手にすることができません。

> Q4：この人はものをなくしてしまった？

この活動の後、子どもたちが、他の子どもたちのためにものをなくしたのかどうか話し合っている間に、こっそりとものを移動して別の場所に隠してみましょう（別のスタッフなど、他の人にやってもらうのもよいでしょう）。そして、話し合いの途中で、「なくした」子どものために、別の子どもにそのものをとってくるようにお願いします。もしも「見つからない」と言ったら、何をしたのか種明かしをする前に、何かをなくしたときの気持ちをグループで話して見ましょう。実際に起きたことを明かすとき、「では、ある人物はものをなくしてしまったのでしょうか？」ともう一度聞いてみましょう。

ヒントとコツ　どんな風に感じる？

先ほど紹介した活動のうちの2つ目の場面では、実際に何かをなくした経験を掘り下げることで、「何かをなくすってどうい

うこと?」について話し合う機会をつくります。もしも子ども
たちが良ければ、何かをなくすことについて、他の子どもの経
験をもとにした考えを話してもらうために、ときどき子どもた
ちのところにいきましょう（p.105「現象学——どう感じる?」
参照）。

迷子のテディベア（ほんとうにあったお話）

　ケイティはテディベアをとても大切にしていました。ある日、遠い国
を旅行していたとき、ケイティはテディベアをなくしてしまいました。
ケイティと両親は彼女がテディベアをなくした公園を何度も探しました
が、テディベアはどこにもありませんでした。ケイティはとても悲しみ
ました。ケイティが家に帰ると、お店のウィンドウになくしたテディベ
アとまったく同じテディベアが飾られていました。「テッドだ!」とケイ
ティは叫びました。

　ケイティの両親は新しいテディベアをケイティに買いました。ケイ
ティは言いました。「テッドが戻ってきてくれてとても嬉しい」

Q5：ケイティはテディベアを見つけられた?

なくすということについてさらに考える
（キーステージ2以上［訳注：7 〜 11歳以上］）

「悲しんではいけない」——失ったものは別の形でかえってくる
　ルーミー（13世紀　ペルシアの哲学者）

　ここで子どもたちに、今までなくしたものの中で、なくしたときに悲しかったものを3つあげてもらいましょう。そしてもう一度、上記のルーミーの言葉を読んでみてください。

Q7：ルーミーに賛成する？（また、これは良いアドバイス？）

　ルーミーは13世紀のペルシアの詩人であり哲学者です（その他にもいろいろありますが!）。ルーミーの詩や物語は、時に人々を困惑させ、時におかしな状況や考えをもたらして、私たちの探究心をくすぐります。

ギュゲスの指輪

テーマ

・権力　　　　　　　　・道徳的責任

・善い行い

哲学的背景

　このお話は、「無人島ゲーム」(p.130) の話と同じくプラトンの『国家』(第2巻) をもとに構成しており、道徳哲学において重要な「なぜ善い人でなければならないのか」という問いを考えるにあたって、とても効果的な教材です。プラトンはこの物語を用いることによって、より善い行いに伴う「罰」という側面を取り除くことで、この問いをさらに深めています。たとえば、「捕まる」とか「罰せられる」という点を取り除いたとき、「なぜ善い人でなければならないのか」という問題にどうやって応答すれば良いのでしょうか?　驚くべきことに、この問いに対する私たちのよくある応答の中には、こうした「罰」の要素が隠れていることがあります。もしも誰かが「たとえ逮捕されることがなかったとしても、神様は私たちを見ていて、何をしているのか知っているのだから、私たちは善い人であるべきだ」と言ったとしたら、それはその人が神様からの罰に対する恐怖を、動機付けにしていることになります。

　プラトンは、この罰に対する恐怖が完全に取り除かれた時、私たちはどうすべきなのか、ということを考えようとしました。これは、善い行

いはなんらかの形によって、罰を避けたい、あるいは報酬が得られる、といった刺激の影響を受けている、という道徳哲学者がよく懸念することをはっきり示しています。プラトンが興味をもったのは、「善い行いをすることは、それ自体のために追求されるべきものなのか？ あるいは、善い行いをすることそれ自体が善なのか？」ということでした。ソクラテスは「善い行いをすることはそれ自体が善である」と考えていました。17世紀のオランダの哲学者スピノザは「至福とは、徳の報酬ではなく、徳それ自身である」と表現しています。興味深いことに、正義のヒーローの多くは匿名です。つまり、正義のヒーローたちは評価や報酬よりも、善い行いをするという本質的な価値から大きな動機を得ているのです。このことをふまえて、スーパーマンとバットマン、バットマンとスパイダーマン、あるいはスパイダーマンとハルクを比べてみましょう。彼らの動機とは一体何なのでしょうか。また、彼らの動機はどのように異なるのでしょうか。

 ヒントとコツ　教訓づけない

このセッションの最初に、子どもたちに「姿が見えなくなる指輪があったらどうする？」と尋ねるとき、「いい子ちゃん」のように考えさせたり、一般的に信じられていることを聞き出したりすることは避けましょう。実際、この段階での子どもたちの回答が無茶苦茶であればあるほど、後で議論が盛り上がります。そして、こうした回答には、子どもたちの行動についての考え方がよく表れる可能性が高いのです（p.103を参照）。回答者の匿名化については、次のページを参照してください。

哲学の素材

　想像してみましょう。ある日、あなたは1つの指輪を見つけました。その指輪をはめてみると、あなたの姿が見えなくなっていることがわかりました。この指輪にはそういう力があったのです。

　この探究はいくつかの段階に分けることができ、それぞれ問題の哲学的本質に迫ります。最初の段階はちょっとした面白みがあり、とてもわかりやすいです。

> Q1：姿が見えなくなる指輪があったら、あなたは何をする？

　この問いを黒板の真ん中に書き、子どもたちの回答を、コンセプトマップを使って視覚的に整理しましょう。「盗みのために使う」から「自分のものではないから取らない」というものまで、クラスによってさまざまな回答が返ってくるでしょう。いたずらや個人的な利益というテーマにとどまる場合もあるかと思います。こうした回答から、子どもたちを判断する誘惑に負けないようにしましょう（1つ前の「ヒントとコツ」を参照）。あるいは、子どもたちにそれぞれ小さな紙を渡し、課題の問いに対する回答を書いてもらってもよいでしょう。ただし、名前を書かないようにして匿名性を保ちましょう。そうすることで、より正直な回答が得られるかと思います（p.103「受容された信念と操作可能な信念」参照）。子どもたちの回答を集め、書き出します。続けて、これとは対照的な2つ目の問いを出します。

> Q２：姿が見えなくなる指輪はどんな風に扱ったらよいかな？

さらなる問い

・正しいことをすべき?

・自分がしたいことだけをすべき?

・Q1とQ2との間に違いがあるのはなぜ?

・「するつもり」と「すべき」の違いは何?

（「してもよい」というのも入れたくなるかもしれないね!）

> Q3：（プラトンの問いです）もしも誰かに捕まらないとわかっ
> ているなら、ちょっとした悪いことをしてもよい?

 ### 先生のワザ　事実のもし (p.79)

この問いでは「つなぎなおし」のワザ（「つなぎなおし」p.68、「事実のもし」p.79、「「つなぎなおし」再考：再登場した概念を取り除くこと」p.82参照）を使って、子どもたちが授業の流れに乗ることができるようにすることが必要になります。なので、誰かがうっかり罰の要素をもち込んでそれが事実であれば（たとえば「いや、だめだよ、もしも君の指紋が見つかったら後からバレちゃうかもしれないから」と言った場合など）、「捕まらないことがわかっていたのであれば、好きなことをしてもよいのか?」と聞いてみましょう。

> Q4：ソクラテス（BC469-399）の紹介
> ソクラテスは、善いことをするのは善いことだから、そして善い行いをすることで、きっと幸せになれるから、常に善いことをすべきだ、と考えていたことを説

明します。子どもたちに、この考え方についてどう思うか、またこのことについてソクラテスに賛成か反対かを聞いてみましょう。一方、ソクラテスは、たとえ自分がそのことで苦しんだとしても、善いことをすべきだと考えていました。子どもたちはそれについてどう思うのでしょうか?

さらなる問い

・私たちは善い行いをすべき?　またそれはなぜ?

 ## チャレンジ!

正義のヒーロー

子どもたちに次のようなことを読み聞かせてみましょう。

自分が正義のヒーローだと想像してみてください。自分ならどんな正義のヒーローになりますか?　どんなパワーをもっていますか?　どんな変装をしますか?　どんな衣装を着ていますか?　正義のヒーローであるあなたは、多くの時間と自分の力を使って、困っている人を助けたり、警察を助けて命を守ったり、犯罪者を裁判所に突き出したりします。ある日、あなたのもとに、あなたとまったく同じ力をもつ人が訪ねてきます。このような力をもつのは世界で自分だけだと思っていたので、あなたはとても驚きました。2人はしばらく一緒に過ごし、お互いにどうやって力を得たのか説明し合いました。そして、他の人のために自分たちの力を使う必要はなくて、それよりも自分

の力を自分のために使ってもいいんだ、とその人は提案しました。その人は、「自分自身が一番大事なはずなのに、なぜ他の人を助けるために時間を使うのか」と問いかけてきます。そして最後に、その人はあなたに、お互いの利益のためだけに働き、誰にも邪魔されない犯罪集団を結成しないか?と提案されます。

> Q5：あなたは善いことを続けるべき?

スーパーヒーローを創る

子どもたちに自分たちのスーパーヒーローを創作させます（どんな力をもっているか、衣装など）。子どもたちに、自分には力があると思うかどうか聞いてみましょう。そしてそれをリストアップしてみましょう。

> Q6：その力はどのように使われるの?
> また、その力はどのように使われるべき?

> おまけのQ：スパイダーマンに登場するベンおじさんは、「大いなる力には、大いなる責任が伴う」と言いました。これはどういう意味だったのかな?

哲学のキーワード

中心となる哲学 ▶ 道徳哲学：カントと義務論
　　　　　　　　ベンサムと帰結主義
　　　　　　　　アリストテレスと徳倫理学
関連する哲学 ▶ カントと道徳的運
　　　　　　　　プラトンと正義
　　　　　　　　サルトル、ボーヴォワールと人間の本性
　　　　　　　　スピノザと決定論
　　　　　　　　ソクラテス、プラトンと意志の弱さ

王子さまとブタ

テーマ

・幸福　　　　　　・観点
・価値　　　　　　・動物

哲学的背景

　このお話は、「不満足な人間と満足したブタ、どちらがよい?」という問いを軸に書かれています。このテーマは、哲学者ジョン・スチュアート・ミル（1806〜1873）の著書『功利主義』の議論に由来します。このお話は、私たちの人生において幸せがいかに大切であるかについて考えるきっかけをくれます。もし、幸せだけが重要なのだとしたら、幸せなブタになることを選ぶべきかもしれません。しかし、私たちの尊厳や選択する能力など、もっと大切なものを失ってしまうかもしれないことに気づき、幸せなブタになることをためらうかもしれません。あるいは、ブタとしてどんなに幸せであったとしても、誰かのお皿の上のソーセージになる可能性があるのは、代償が大きすぎると考えるかもしれません。でも、もし自分が死んでしまったら、そんなことは問題ではないと考えるのかもしれません。ここでは、この話し合いが進むかもしれない（そして、私が行ったセッションでも実際に展開した）いくつかの方向性についてのアイデアを得ることができるでしょう。

　ミルの答えは、「不満足な人間である方が常によい」というものでした。

なぜなら、ミルにとっては、快楽の量よりも快楽の質の方が重要であり、人間には、ブタよりも質の高い快楽を経験することができるような能力が備わっていると考えたからです。たとえ、ブタがより多くの快楽をより長い時間得られたとしても、そして、たとえ人間が常に幸せなわけではないとしても、人間が得ることのできる快楽の質を補うことはできないのです。またミルは、この議論のどちらの立場も経験した人（つまり幸せなブタと不幸せな人間の両方を経験した人）は、ブタよりも人間であることを常に選ぶだろうと思っていました。さらにミルは、ブタや人間であるという経験がどのようなものであるかをただ単に検討することで、議論できると考えていました。つまり、答えを導くために、実際にブタになってみて、そのあとで人間になってみる必要はなく、考えてみるだけでよい、と考えていたのです。このことは、哲学の実践にとって重要な部分です。つまり、ただ考えることだけでなにができるのか、どんな答えを得ることができるのか挑戦してみる、ということです。もし、ミルの考え方とは違って、ブタであることを経験することでしかこの問いに答えを出すことはできないと結論づけるのであれば、この問題は哲学的な問題ではないと考えることになります。もし、ブタになるというイメージがあなたの教室の子どもたちにうまく伝わらないと思うのであれば、別の動物を選ぶといいかもしれません。私なら「かわいい」動物は避けるようにします。子どもたちは「かわいい」動物になりたがる可能性がとても高いからです。そのため、ブタの代役として、たとえばロバなどがよいかもしれません。

哲学の素材

　むかしむかしあるところに、ニコライという名前の王子さまがいました。彼は生まれてからずっと惨めで不幸な毎日を送っていました。ニコライはいつも機嫌が悪く、周囲に対しても無愛想でした。そして、いつ

も悲しい気持ちでいっぱいでした。ニコライは、美しいものをたくさん持っていましたが、自分よりも他のみんなの方が幸せになる理由があると感じていました。それは他のみんなが、どんなにお金をもっていたとしても、貧乏であったとしてもです。ニコライは毎晩泣きながら眠り、そして、寝顔がしかめ面になるような夢をみていました。

　ある日、ニコライの父である国王は、「王子であることにもっと真剣に向き合わなければならない」と夕食の席でニコライに言いました。そして、「いつかこの国を統治することになるのだから、王としての振る舞いを学ばなくてはならない」と厳しく告げました。さらに、「うじうじするな。さもなくば、代わりに妹を女王にする。いずれは、アルジア王国との同盟を確保するためにも、アルジアの王女と結婚するのだ。さらには、我が国の軍隊を率いて、異民族から我が国の国境を守らなければならない。お前はこんなことをやりたくはないかもしれないが、これは王としての義務なのだ」と言いました。

　イライラして落ち着きがなくなったニコライは、宮殿にある小屋の周りに広がる庭に逃げ込みました。彼は、そこに行けば1人になれることを知っていたのです。ニコライは、干し草の俵の上に座り、動物たちを観察しました。どの動物も、自分よりは幸せそうにみえたので、庭にいる動物たちの中でどの動物が一番幸せかを決めてみることにしました。めんどりたちは、自分が鳥社会のつつきの順位の上位になりたいがために、お互い、常につつき合っていました。犬たちは犬小屋につながれ、自分たちに近づきすぎる人間や動物たちに向かっていつも吠えていました。しかしながらブタは、泥にまみれてびちゃびちゃと音を立てながら、大きな鼻で幼虫や根っこ、トリュフを探していて、一番満足そうにみえました。ニコライは自分がとてもかわいそうに思えて、悪意をもって、「ぼくは、幸せなブタになりたいよ!」と言いました。

　まさにその瞬間、たまたまそこを通りかかった魔人がいました。魔人

は誰にも見えないように透明になって、空中をとっても楽しそうに移動中でした。魔人は、ニコライが発した願い事を耳にしました。魔人についてなにか知っている人なら、魔人は耳にしたどんな願い事も叶えなければならない、という古い掟に縛られていることを聞いたことがあるでしょう。

　突然、魔人がニコライの前に現れました。ニコライは、目の前に現れた魔人にびっくりして、その場に凍り付いてしまいました。「あなたは不幸な少年じゃなくて、幸せなブタになりたいのですね。いいでしょう。あなたの望みを叶えてあげましょう！」魔人は元気よくそう言うと、まるで呪文を唱えるかのように指を上げました。

「けど……、けど……、だめだ！　待って」ニコライは口ごもりながら、本当に願いが叶うことを望んでいたのかよくわからなくなりました。

　魔人は手を止め、「申し訳ないが、もう君が願い事をして、私がそれを聞いてしまった以上、私はそれを叶えなければならない。それがルールなんだ」と言いました。

「でも、幸せであろうとなかろうと、汚いブタにはなりたくない！」とニコライは抗議しました。

「私にできるのは…」と魔人はニコライの力になろうとして言いました。「あなたに条件を出しましょう。もし、私が明日戻ってくるまでに、幸せなブタよりも不幸な人間でいた方がいいというもっともな理由を1つでも考えることができたなら、私はあなたをブタにはしません。しかし、もっともな理由を考えることができなかったら、その時はブタになるのです。ただ、忘れないでください。あなたがブタになったら、あなたはとっても幸せになるだろうし、死ぬまでずっとあなたの望むものが手に入るでしょう。明日の日没までに考えておいてください」そう言うと魔人は、現れた時と同じように、魔法のように消えていきました。

　ニコライは魔人が言っていたことを考えました。さらにもっと、よくよく考えました。そして、次のような疑問が一晩中、次の日になっても

ずっと、彼の頭から離れないのでした。「不幸せな人間と幸せなブタ、どっちがいいんだろう?」最初は、簡単に答えられる単純な質問に思えました。けれど、考えれば考えるほど、答えを出すのが難しくなってきたのです。

ここでお話をいったん止めて、子どもたち一人ひとりが(ニコライの立場になったつもりで)問いを考える時間をつくりましょう。この時、できるだけ多くの「賛成」と「反対」の理由を考えてもらいましょう。

Q1:不幸な人間と幸せなブタ、どっちがいい?

このクエスチョンについての考察がセッションの大部分を占めることになりますが、最後に残りのお話をするために、5分程度の時間を残しておくようにしましょう。

 先生のワザ　頭の中の反対論者 (p.73)

このクエスチョンについて、クラスの意見がみんな一致した場合(たとえば、クラス全員が「人間である方がいい」と考えた場合)、クラス全員で「頭のなかの反対論者」に挑戦してみましょう。もし、幸せなブタになった方がいいと考える人がいるとしたら、どんな理由でそう考えるだろうか、と子どもたちにたずねてみましょう。こうすることにより、他の視点からも検討できるようになるだけでなく、話し合いも活発になり、さらに興味深いものになっていきます(全員が合意してしまった場合に役立つ方法として、「共感する / 批判する」(p.95)も参

照してください)。

次の日の夕方、約束通り、魔人は再び現れました。「幸せなブタよりも不幸な男の子の方がいいという、もっともな理由を1つ見つけることはできましたか?」と魔人はたずねました。ニコライは必死になって最後にもう一度もっともな理由を考えましたが、なにも思いつきませんでした。魔人は礼儀正しく「では、古くからある魔法の掟に従い、あなたの願い事を叶えなければなりません」と告げました。魔人は、昨日のように指を振り、こう続けました。「明日の朝、あなたが庭で目を覚ますと、いままで経験したことのないような幸せが待っていることでしょう」と。ニコライは、たとえ幸せになったとしても、蹄と鼻と巻き尾があり、一生、顔に泥をつけたまま生きることを余儀なくされるブタになることを想像し、まだおびえていました。
「アッラカズーーム!!」と言うと、魔人は姿を消しました。

ドキドキ感が増すようにゆっくりと文章を読み、子どもたちの不安を大きくしましょう。

朝が来て、ニコライが最初に聞いたのは、新しい一日の始まりを告げるおんどりの鳴き声でした。ニコライはゆっくりと目を開け、周りの動物たちを見ました。魔人が言っていた通り、ニコライはたしかに庭にいます。ニコライは、蹄と思うものを持ち上げました……しかし、見えたのは、少年の手だけでした。彼は井戸に走っていき、水の中をのぞき込み、新しい鼻先が映るのを見ようとしました……しかし、ニコライは驚きました。そこに見えたのはニコライの顔だけだったのです。どうやら魔人はニコライを騙したようです。ニコライはすぐさま跳び上がり、声高らかに楽しそうに歌いながら、農場を踊り回り、ほっとして、動物た

ちを抱きしめ、キスをしました。

　そして、これまでに感じたことのない、まったく新しい気分を経験していることに気づき始めました。ニコライは井戸を見下ろし、水に映った自分に向かって「これが幸せなの?」とたずねました。

> Q2（もしくはおみやげの問い）：ニコライは幸せを見つけたのかな?

さらなる問い

・幸せってなに?
・幸せは長続きするのかな?
・幸せを長続きさせるためにはどうしたらいい?

 先生のワザ　前提を明らかにし、前提を疑う
（p.81）

このクエスチョン、実はお話自体の中に組み込まれています。このお話は、子どもたちが自分たちの人生における幸せの価値、また、それとなく、人生をとりまくその他の価値についても考えられるように設計された思考実験です。この話し合いを通して明らかになることが予想されるある種の前提は「やりたいことをすることで幸せになれる」というものです。以下のような一連の推論を期待することができるでしょう。

A（子ども）：ニコライは、いつか国王になるのだから、王子さまのままでいるべきだよ。

B（ファシリテーター）：なぜ、国王になることが重要なの?

A：だって、ニコライが国王になったら、彼は自分のやりたいことをなんでもできて、幸せになれるからだよ。

B：やりたいことをすることで幸せになれるということ?

A：うん

B：どうして?

A：だって、彼は人々になにをすべきかを命令できるし、自分のためになにかをさせることができるからだよ。

この話し合いの中で、「自分のやりたいことをできたら幸せになれる」という前提が明らかになります。この前提自体が「自分のやりたいことを確実にすることができたら幸せ?」という優れたクエスチョンになるのです。しかし、ここにはさらなる暗黙の前提が残っています。それは、先ほどの話し手だった子にとっては、他者を自分の思い通りにするということが、幸せのために必要なことであるという前提です。

そのため、もし、この話し手だった子が後の段階になって、ブタのほしいものがどんなときでも確実に手に入るという条件のもと、幸せなブタである方がいいと説得されたとしても、結局はまだ、ブタにはなりたくないと考えるかもしれません。なぜならブタは、誰かになにかをするように命令することができないからです。一度、「やりたいことができたら幸せになれる」という前提が明らかになれば、それをクエスチョンにすることができ、「前提を疑う」という次のステージに話し合いを進めることができるのです。子どもたちに、前提となっていることを提示すると、子どもたちはすぐに代わりのアイデアを探し始めます。たとえば、「もし、私のやりたいことができても、他の人にとってそれはやりたいことじゃないかもしれない。逆

に、他のみんなのやりたいことがあって、それができたとして
も、私にとってはやりたいことじゃないかもしれない。だから、
「自分のやりたいことをやる」ことでいつでも幸せになれるわ
けじゃないよ」（10歳の女の子）というようにです。

哲学のキーワード

中心となる哲学 ▶ ミルと功利主義
関連する哲学 ▶ アリストテレスと目的論
アリストテレスと徳倫理学
ベンサムと帰結主義
サルトル、ボーヴォワールと人間の本性

テセウスの船

・同一性

・変化

・人格の同一性

哲学的背景

「テセウスの船」はイギリスの哲学者トマス・ホッブズによって考案された有名な思考実験です。ホッブズは、ローマの詩人プルタルコスからこの例を取り出してきました。テセウスとはギリシア神話に登場し、ア

リアドネの助けを借りてミノタウロスを倒したあのテセウスです。

　このセッションを哲学的に充実したものにするためには、思考実験についての探究がもつ哲学的な繊細さを理解するのが大切です。次に進む前に、「哲学の素材」を読んでみてください。この探究には、心に留めておきたい重要な、さらなる問いがあります。それは「もしすべての部品が入れ替わった船が新しい船なのなら、どの時点で新しい船になったの?」という問いです。

　この問いによって私たちは「あいまいさの問題」に直面し、たくさんの哲学にふれることができます。もし部品がぜんぶ入れ替わったそのときだけが新しい船だとしたら、部品が1つでも残っていたら、まだ古い船だというのでしょうか?　もしそうなら、ちょっとおかしい感じがしませんか?　でも、もしそうでないなら、いつ新しい船になるのでしょうか?　この問題は、「どれだけの砂粒があれば砂山と言えるのか?」という「(ギリシア語で砂山という意味の)ソリテスのパラドックス」として知られるものでもあります。

 先生のワザ　「意見のもし」を試してみよう

ディスカッションで話していることをわかりやすく伝えるために、例をもとに説明するのもよいでしょう。私の場合は(議論しやすくするために)、100個の部品からなる船を想像してもらっています。ディスカッションのポイントごとに例を使うことで、自分たちで探究して難問にまでたどり着けるのです。たとえば、ある子が、部品の半分以上が入れ替わったときに新しい船になる、と言うのなら、「意見のもし」でその考えを試し

てみましょう。つまり「試しに考えてみようよ。新しい部品が51個で古い部品が49個だった場合、新しい船かな?」と。この問いについてどう考えるのかを教室中に聞いてみましょう。

このセッションを進めるにあたって、船をつくるためのペンか鉛筆を12本ほど（1本1本見分けがつくのが理想です）、そして、帆をつくるための白紙のA4用紙を2枚、用意してください。

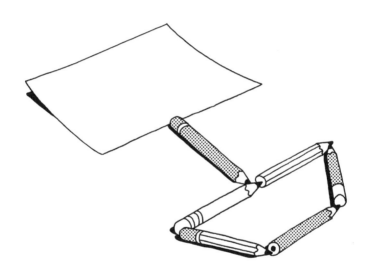

哲学の素材

以下の内容を読み上げましょう。（カッコのなかは先生にやってほしい手順なので、読み上げなくて大丈夫です。）

あなたは船に乗る探検家です。もう数か月も海にいます。これがあなたの船です（用意したペンの半分を使って船の形をつくりましょう）。探検をはじめてからしばらくたって、船の一部が壊れてしまいました（船からペンを1本取ります）。あなたは港（必要なら言葉の意味を説明しましょう）に船を止めて壊れた部品を取り替えました（残りのペンから1本取って、「壊れた部品」置き場に置きましょう）。また数カ月後、別の部品がだめになってしまい（別の部品＝ペンを取り除きます）、新しい部品と交換しました（さらに別の部品を取り替えます）。（この進め方で、帆を含むすべての部品が入れ替わるまで続けましょう。すべての部品を取り換えたら、廃棄された古い部品は船の隣に山にしておきます。そして以下のように言いましょう。）さて、ここからが今日の問いです。

Q1：すべての部品を取り換えてしまったら、その船は、最初に旅を始めたときと同じ船かな？
（この問いは「その船は同じ船かな？」と省略することもできます。ですが、「つなぎなおし」の際には、より完全な形で問いを示して、子どもたちに思い出させてやるのがよい場合もあります。）

取り換えに使った部品が元のものと同じ素材かどうかは、はっきりさせずにしておきましょう。というのも、それ自体がディスカッションの際、関心を集めるポイントになるからです。たとえば「部品は別の素材で取り換えられているのかも。最初はオークで、交換されるときはパイン、みたいに」と話すようなケースなど必要に応じて「両方の「もし」で考える」ワザ（p.91）を思い出してみてください。このワザを使えば、ファシリテーターはこう言うでしょう。「じゃあ、もし最初の部品がオークで、入れ替わったのがパインだとしたら、同じ船かな？」と。子どもからの応答を受けてさらにこう問いましょう。「じゃあ、最初の部品が

オークで、交換したのもオークだったら、同じ船かな?」こんな風にやりとりを続けていきましょう。「両方の「もし」で考える」ワザによって、たくさんの可能性を考えることで、子どもたちは「内側は入れ替わっていないかも」、「新しい船はもっと早く進むのかも」、「見た目は全然違っているよ」といった発言をするようになるのです。

　議論となるポイントとしては以下のようなものが考えられます。

・部品が変わったことで元の船が別の船になったのかどうか（同一性）
・正確にはいつ別の船になるのか：最初の交換のあと?　それとも2回目の交換のあと?　部品を半分（以上）交換したとき?　最後の部品を交換したとき?（あいまいさ）
・船の同一性［訳注：船が同じ船であり続けること］にとって重要なのは、素材の部品なのか、あるいは船がどう見えるかなのか、あるいはその機能やデザインにあるのか、など（唯物論と観念論）
・船の同一性にとって、あまり重要ではない部品と、船が船であるために本質的な部品があるのかどうか（本質主義）

　たとえば、「同じ」という言葉や「変化」という言葉が別の意味で使われることがあるように、どんな「区別」（p.102）にかかわる発言にも注意深く耳を傾けましょう。その際、「○○という言葉で何を意味しているかによるね」といった表現が有効です。こういった区別はディスカッションを進めるのに役立ちますし、さらに、「じゃあ、もし○○ということで……を意味しているんだとしたら、同じ船だね（ではないね）、なぜかというと〜」という仕方で、暫定的にですが、問いに答えることもできるのです。

チャレンジ!

ディスカッション中、この活動の内容を子どもたちからタイミングよく提案されることもあるかもしれません。ですが、もちろん教師が最初のシナリオの発展形として提案することもできます。その際は以下の文章を読み上げましょう。

船員の1人が自分の船がほしいと言い出しました。ですが、その人にはお金の余裕がありません。そこでその船員は廃棄した古い部品を集めて船をつくり直すことにしました。

廃棄していたペンと紙をとって、交換前と同じ形に船を再び組み上げましょう。そうすると、教室にはまったく同じ船が並ぶことになるはずです。どのようなクエスチョンを用いるかはその時点でのディスカッションの文脈によって変わりますが、私がこれまで使ってきたものをいくつか紹介しておきます。

> Q2a：どっちがオリジナルの船かな?
> Q2b：どっちが船員たちの船かな?
> Q2c：どちらも同じ船かな?

テセウスにおける「自己」

　ある時点で、船についてのディスカッションと、私たちが自分というものをどのように捉えているのか、という問いとがどう関係しているかを話題にしたくなることもあるでしょう。この話題は自然に子どもたちが始めることもあれば、先生自身がはっきりと接続してやる必要があることもあります。どうやって2つの議論を接続していくかについてのおすすめのやり方を紹介します。

・ある人の幼い子どもだったときの写真と年を取ったときの写真を並べて見せて、子どもたちに同じ人だと思うかどうかとその理由を聞いてみましょう。
・もし比較的年長の子どもたち（10歳以上）とこのセッションをやるのであれば、科学者の説明によれば、私たちの細胞（細胞とはなにかも説明しつつ）はだいたい7年ごとにまるっきり入れ替わってしまうと話してみるのもよいでしょう。そのうえで、子どもたちに、じゃあ自分たちは7年ごとに別の人に入れ替わっているのかなと問うてみましょう。

　ポイントとなるさらなる問いは次のようなものです。

・時間が経っても、私たちが同じ人であり続けるのは何のおかげかな？

　この問題に対して予想される返答や**返答に対する問い（RQ）**は次のようなものです。

・「人」と「物」は違うよ。

RQ：どういう風に違うの？

・人は考えや記憶をもっているけど、船はそうじゃないよ。
・私たちの外側は変わるかもしれないけれど、内面は同じままだよ。

RQ：それって内面は変わらないってこと？

探究を深めるためのおすすめのクエスチョンは次のようなものです。

Q3：私たちの中のどこに"私の核"［訳注：私が私であるために絶対欠かせないもの］があるかな？

　11歳の女の子はこのように答えました。「私の核は私の頭の中にある考えのことだよ」

　こういう洞察の一つひとつが関連するさらなるディスカッションにつながっていく可能性をもっています。哲学者のジョン・ロック（1632〜1704）が考えていたのは、私たちは記憶によって過去の自分とつながっている、記憶によって私たちは時を超えて同一人物であることができる、ということでした。つまり、ロックによれば、私たちが同一人物であり続けるのは身体によってではなく——身体は絶えず変化しています——、身体が変化しても変わることのない精神によるのです。

RQ：もし記憶がなくなってしまったら、別の人になっちゃうのかな？

ヒントとコツ
具体的で個人のためのディスカッション

子どもたちが自分自身の経験（たとえば自転車のことだったり、
自分自身のことだったり、自分の家のことだったり）に言及し
たり、比較対象にしたりするときは注意深く話を聞きましょう。
そして、その子がそれを取り上げた意味をはっきりさせるため
にもその例を使いながらディスカッションを続けましょう。で
すが、1人の子についてあまり細かく掘り下げないようにも気
をつけましょう。その際は、代わりに、同じ状況やシナリオを
取り上げつつ登場人物については架空の名前を用いるのがよい
でしょう。

哲学のキーワード

中心となる哲学 ▶ ホッブズと唯物論
関連する哲学 ▶ バークリーと観念論
　　　　　　　 デカルトと二元論
　　　　　　　 ヘラクレイトスと変化
　　　　　　　 ライプニッツと同一性
　　　　　　　 ソクラテス、アリストテレスと魂
　　　　　　　 ゼノンとパラドックス、無限

コッチとアッチ

テーマ

・移民

・文化の同一性

・人格の同一性

・文化相対主義

・道徳と礼儀のルール

哲学的背景

　このセッションは地理と出入国の学習だけでなく、**時事的**なトピックにもつながっています。ロンドン南西部でこのセッションを実施したとき、学校によっては子どもたちに特別な意味をもつことがわかりました。そこの生徒たち自身が移民もしくは移民の子どもだったので、先生や生徒にとても人気があったのです。

　念頭に置くべき議論は、「いつ、あなたがどの国の国民かという意識が変わるでしょうか？（もしもそれが起きるとして）」ということです。「そしてもしその変化が起こるなら、それは何によって起こるのでしょうか」。ここでは哲学の素材として「コッチ」と「アッチ」という2つの場所を挙げました。実際にはどこでもいいですし［訳注：とはいえ、クラスの状況を見て特定の生徒を「外国人」として指す状況は避ける必要があります］、名前も自由に変えてかまいません。ただし、「ではあなたはコッチ人？　それともアッチ人?」という問いにしっかり**結びつけて**、「それはどうして?」と**問いをひらく**のを忘れないでください。

哲学の素材

　ボードに絵を描くことから始めましょう。ざっくりと、お互い離れ離れの2つの国を描きます。一方を「コッチ」、他方を「アッチ」と名付けます。

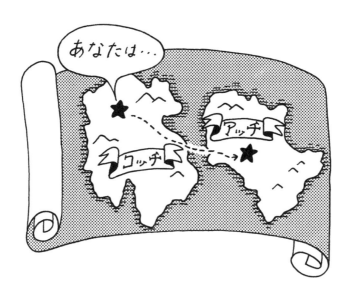

　次の内容をクラスに伝えます。
「2つの国がありました。1つは「コッチ」、もう1つは「アッチ」と呼ばれています。あなたは「コッチ」の出身です（ボードの「コッチ」のどこかに印をつけます）。あなたはそこで生まれ、ずっとそこで生活してきました。今年、あなたは休暇をとって初めて「アッチ」に行くつもりです（「コッチ」の印から「アッチ」の中へ矢印を書きます）。」

Q1：休暇で「アッチ」に行ったとき、あなたはまだ「コッチ人」？
それとも「アッチ人」になった？

Q2：もし休暇の長さが…
a） 6週間だったら？
b） 1年だったら？
c） 2年だったら？
d） 5年だったら？（以下同様に続く）

さらなる問い
・なれるなら「アッチ人」になりたい？
・もしそうなら、「アッチ人」になるまでにどれぐらいの期間が必要？
・何によってあなたは「○○人」になれる？（コッチ人、アッチ人など）
・「私は○○人です」という意識ってなんだろう？
・その意識は変わることがある？

　タイミングを見て発展的な内容を導入しましょう。
「あなたがアッチで休暇を楽しんでいるとき、故郷のコッチで何かひどいことが起きました。たとえばコッチの中で戦争が起き、別のところでは食料がなく、ウイルス感染が国中を襲い、おそろしい地震まで起きたのです。あなたとあなたの家族は、コッチには帰れなくなり、アッチに留まるしかなくなりました」

Q3：あなたはコッチ人？　アッチ人？

さらなる問い
・どの時点で、あなたはアッチ人になる？（もしなるとしたら）

・何によってあなたはアッチ人らしくなる?

 ヒントとコツ　即興のテストシナリオ

このセッションを行うと、「そこで生まれている」という条件がしょっちゅう出てきます。つまり、誰かをコッチ人やアッチ人として判定するとき、その人がどこで生まれたかが重要だと思われているのです。この思い込みがどれほど正しいかテストするために、同僚の先生が即興でつくったシナリオがあります。「あなたはコッチで生まれましたが、すぐにアッチにへ移されたのでアッチでの生活やアッチ語しか知らないとしましょう。あなたはコッチ人でしょうか、アッチ人でしょうか?」このシナリオは、生まれた場所という条件そのものについてグループの中で議論を生むでしょう。

他の先生が考えたテストシナリオも紹介しましょう。「あなたの両親はコッチの出身ですが、ある日アッチで休暇中にあなたが生まれ、一緒にコッチに戻ってきました」。ここで「つなぎなおし」をしましょう。「さて、あなたはコッチ人?　それともアッチ人?」、または「もし」と「つなぎなおし」の合わせ技です。「もし『どこで生まれたか』が大事なら、あなたはコッチ人?それともアッチ人?」

チャレンジ! 「そのころアッチでは…」

先生「アッチでは、コッチとはいろいろと違うやり方をします。たとえば……」

- コッチでは誕生日を祝いますが、アッチでは祝いません。
- コッチでは車は左側通行ですが、アッチでは右側通行です。
- アッチ人は異なる言語を話します。
- アッチ人はまるでスイーツのように昆虫を食べます。
- コッチでは誰もが教育を受けますが、アッチでは女子だけが大学まで行けて男子は労働のための訓練を受けます。

> Q4：あなたはこうした異なる習慣についてどう考える？　アッチのやり方でもいいと思う？

さらなる問い

- あなたがアッチにいる間、そこの習慣に従ったほうがいいと思う？
- あなたは「アッチ人は変だ」と感じています。これからアッチ人のことをふつうだと感じるようになるかな？

立場を変える

クラスの生徒に、自分たちがアッチ人だとしたら、と考えてもらうこともできます。生徒たちはアッチで生まれ育ったアッチ人です。生徒のものの見方にどんな影響があるかを見たり、移民について関連しつつもまた異なった議論を生み出したりするために、この「立場を変える」活動を用いてみましょう。

> Q5：あなたはコッチからの移民を受け入れるべき?

アトランティスの問題

古代ギリシアの哲学者プラトンは、アトランティスと呼ばれる島についての物語を書き残しています。アトランティスは、自然災害（たとえば噴火や津波や地震）によって悲劇的なことに海の中に消えてしまいました。コッチも同じように消えてしまったとしたらどうでしょう。

> Q6：コッチがもう存在していなくても、あなたはまだコッチ人?

金星と火星

　この活動は、ヴァイキングについて学習しているクラスで、「侵略」というテーマに関する対話が行えないか依頼してくれた先生のためにつくり上げたものです。侵略の是非についてさまざまな視点から考えるよう子どもたちを導きます。

　次の物語をクラスに読み聞かせて始めましょう。

　さて、2つの場所について考えましょう（国でも、島でも、星であっても構いません）。1つは「火星」と呼ばれ、もう1つは「金星」と呼ばれています（名前は自由に変更してください）。火星人は戦闘民族であり、新たな国に出向いて新たな町をつくることを好んでいます。すでにそこに住民がいた場合、侵略するのが火星人のやり方です。戦いの勝

者が戦利品を手にする権利があると考えています。火星人の合言葉は「勝ったもの勝ち」です。そして、相手が火星人でなければ侵略してやっつけても構わないという考えです。そう信じているのです。ところが金星人は平和を愛する民族で、寛容さ、対話、尊敬を大切にしています。金星人は平和主義者なので、戦争や暴力に頼りません。金星人の合言葉は「生きなさい、生きさせなさい」です。火星人は新しい町をつくるために金星の南部を侵略すると決めました。なぜならそこは豊かな土地であり、戦略上の重要地点でもあるからです。

「火星」と「金星」と書いた2つの国の略図を描きましょう。火星から金星に向けて、侵略を表す矢印を書き入れましょう。

　クラスに対してa) 火星人、b) 金星人だと考えさせるタイミングで、次の質問を使って2つの探究を行いましょう。

> Q1：火星人にとって、金星へ侵略することは問題ない？

さらなる問い
・侵略というものは許容できる？
・火星人たちが侵略を認める考え方だからといって、金星への侵略が問題ないといえる？
・金星人が抵抗しないということによって、何か大きな違いが生まれる？
・「生きなさい、生きさせなさい」という考えだと困ったことにならない？　攻撃しようとしている人たち（特にそれが文化なので当たり前な人たち）を正当化してしまう？
・視点が変わったら、考え方も変わっていい？
・植民地化することが問題ない場合はある？（必要であれば「植民地化」

を説明してください)

・金星人は自分たちを守るために戦うべき?(彼らが平和主義者であることを忘れずに!)

　議論の中に興味深い情報が出てきたら、「もし」(p.28) を使って問いかけてもいいでしょう。あるいは次の情報を追加して、子どもたちの考えにどんな影響があるかを見てみましょう。

・火星の土地はそれほど豊かではありません(作物はそれほどたくさん育ちません)。そして人口は増えています。金星の土地は非常に豊かです。
・金星の人口はa) 少ない、もしくはb) 多いです。
・金星人が抵抗することなく火星人を受け入れれば、火星人は他の侵略者から金星人を守ってくれます。

幸せな囚人

テーマ

・自由

・意志の自由

・道徳的責任

哲学的背景

　これは、「自発的囚人」として知られるジョン・ロックによる思考実験と似ています。この思考実験は、自発的な行動と自由意志の間に重要な区別をつけるように設計されています。自発的な行動は、私たちに自由意志があることを示すと思われがちですが、ロックの例はこの直観に疑問を投げかけます。囚人は、自発的に刑務所にいますが、自由ではありません。つまり、囚人はそこに留まることを選択していますが、そうすることを選択した場合、離れることはできないのです。これは、自由意志の哲学における重要な考え方、すなわち「そうでなければできたはず」という概念を特定するものです。多くの哲学者にとって、私たちが自由意志を持っていることを証明するために必要なのは、私たちが選択をするという事実ではなく、私たちが実際に行ったこと以外のことを行うことができたかどうかということなのです。これは複雑なことであり、私たちには自由意志がないとする哲学的見解は、「決定論」として知られています。

　このセッションの目的は、子どもたちに決定論という複雑で難解な問

題を理解させることではなく、子どもたち自身に自由という概念を探究してもらい、できれば子どもたちなりに、自由のさまざまな概念を区別してもらうことです。

　私の同僚であるスティーブ・ホギンズは、このセッションを始めるのに素晴らしい方法をとっています。彼は、誰かに「囚人」になることを志願してもらいます。そして、円陣の真ん中にある椅子に座ります。そして、他の参加者は、自分の刑務所にほしいものを提案します。ベッドやプールなど、どんなものでもよいのですが（「国全体が欲しい!」と言った人もいました）、囚人はそれぞれの提案に「はい」か「いいえ」で答えます。要は、囚人はそこにいることに満足しているはずで、出て行きたくはないのです。しかし、出たいと思ったとしても、出られないのです。

哲学の素材

　眠っている間に、ある刑務所に連れて行かれた人を想像してください。目を覚ますと、その刑務所には、本、テレビ、キッチン、快適なベッド、無限に流れるお気に入りの音楽（挙げればきりがないほど）など、自分がほしいものがすべて揃っていることに気づきます。さらに、同じ囚人の中に、自分が好きな人がいて、その人も自分を好きで、同じことを楽しんでいて、お互いに話すのがとても好きなのです。しかし、この人はこの刑務所からは出られません。ただ、この人は出ようとはしておらず、そこでとても幸せなのです。つまり、刑務所にいる人は、そこにいることがとても幸せで、出たいとは思っていませんが、出ようと思っても出ることはできません。

> Q1：この人は自由だろうか?

183

このセッションで、次のような反応を聞いたことがあります。

・その人は自由じゃない。自分の望むことができないから。

> Q：自分の好きなことができるようになったら、自由?

・その人は心の中では自由だけど、身体は自由じゃない。
・その人は自由じゃない。だって、刑務所での生活に飽きたら、他のことをしに行くことができないから。

> Q：もしその人が刑務所で持っているものに飽きることなく、生涯そこで幸せだったとしたら、それはその人が自由であったということになる?　そうではない?（このセッションの最後にある先生のワザ：「意見のもし」を参照）

・家族に会えないから、その人は自由じゃない。
・家族がその人に会えないから、その人は自由じゃない。（微妙な違いに注目。前者では、自分が何を望むかによって自由がないのですが、後者では、自分と関係のある他の人々が何を望むかによって自由がない）。

　ある意味では自由で、ある意味では自由じゃない。この見解の理由をいくつか挙げてみましょう。

・自由なのは幸せだからで、自由じゃないのは刑務所から出られないから。
・刑務所の中で好きなところに行けるから自由だけど、刑務所から出ることはできないから自由ではない。

- 権利があるから自由で、刑務所に閉じ込められているから自由ではない。
- 囚人だから自由じゃない。「囚人」は「自由ではない」という意味。

ヒントとコツ　区別をつける

手がかりとなる単語がないか、耳を傾けて区別をつけてみましょう。「ある意味でその人は自由であり、ある意味で自由ではない」もしくは「その人は自由であり、自由ではない」あるいは「その人は両方だ」など。タイミングが合えば、問いを促し、区別をつけるように促します。「概念を分ける」ワザとして「○○には複数の種類があると思う?」(この場合は「自由」)、「○○と□□は同じ?　それとも違う?」(この場合は「自由」と「選択」)などがあるでしょう。詳細はp.102「区別をつける」参照してください。

> Q2:「私たち」は自由だろうか?(この問いは、今回のセッション、または補足のセッションで使用することができます)

　子どもたちは、私たちが自由でない理由として、行動や行為に対する規則や制限を挙げるかもしれません。しかし、ある生徒がこう言いました。「ルールはあるけれど、それを破る人もいる。だから、私たちは自由」。この議論において注意すべき重要な点は、何かをする**能力**と**道徳的自由**との間の区別です。私たちは鳥のように飛ぶことはできませんが、法律

違反であっても店から盗むことはできます。盗むことは道徳的に間違っているかもしれませんし、盗むことに結果が伴うかもしれませんが、盗むことは私たちの能力を超えてはいません。

先生のワザ　意見のもし (p.79)

「先生のワザ」のセクションで説明された「事実のもし」は、議論における事実の問題を回避するための貴重なテクニックです。しかし、この教え方にはもう1つ精緻な使い方があります。事実ではなく、意見と関係させるのです。このセッションは、考えを深めるために「意見のもし」を使う例を示しています。ある子どもが「囚人は自由じゃない」と言いました。囚人は、たとえば刑務所の中にあるものに飽きてしまったとして外に出ようと思っても出られないからです。このことについてさらに考えさせるために「こう考えてみよう。**もし**その人が一生を終えて、刑務所の中で幸せで、一度も出たいと思わなかった**としたら**、その人は自由になれたのか、なれなかったのかな?」この例は、1人の子どもがさらに思考を巡らせ、次のような気づきを得ました。「自由じゃない。何かをするために、その人は機会や選択肢がなかったから。」その子は、自由には**選択肢や機会**が不可欠であるという決定的な特徴を認識していました。これはロック自身の立場と似ていることにお気づきでしょうか。自由意志とは、私たちが何を**選択**するかということではなく、何が**できるか**、どんな選択肢が実際に開かれているかということなのです。
また、シナリオについて子どもたちが質問する場合にも「もし

〜だったら」の進め方を使うことができます。ある子どもが「囚人は自分が刑務所にいることを知っているの?」と質問したとします。最初は答えなければと思うかもしれませんが、質問者の頭の体操になればいいのです。「もし囚人が自分が囚人であることを知らないのなら、その人は自由なのだろうか?」重要なのは、事実がどうであるかを気にするのではなく、想定される事実が検討中の問題に対してどのような意味を持つかを子どもたちに考えさせることです。「もし〜だったら」は、教室でこれを実現するための非常に有効な方法です。

哲学のキーワード

中心となる哲学 ▶ ロックと自由意志
関連する哲学 ▶ ホッブズと唯物論
　　　　　　　　サルトル、ボーヴォワールと人間の本性（選択）
　　　　　　　　ソクラテス、プラトンと意志の弱さ
　　　　　　　　スピノザと決定論

黄金の指

テーマ

・言語
・幸福
・意味
・願い事
・精度と正確さ

哲学的背景

　合理主義、経験主義から実存主義、ポストモダンに至るまで、哲学とその学派は多岐にわたります。20世紀に生まれた最も影響力のある潮流の1つが分析哲学です。分析哲学の関心は、文の構造と意味、さらに、それらを決定する概念についての論理的な分析にあります。多くの分析哲学者は、哲学的な問題とは結局のところ、文の意味、そして文と私たちとの関係についての問題なのだと思っています。このセッションは、言葉の正確さと精度をより高めるという哲学的な要求から着想を得ています。このセッションの隠れた目標は、幼い子どもたちがお互いに考えを練り合いながら、批判的な応答ができるようになることです。これにより子どもたちは、正確な言葉の重要性を理解し、自分たちの文章の構造と内容の精度を高めることができるでしょう。

哲学の素材

　はるか昔の古代ギリシアに、ミダスという名前の王様がいました。ミダスは、周囲何十キロにも広がる巨大な王国の支配者でした。ミダス王について知っておかなければならないことは、この世にあるどんなものよりも黄金を愛していたということです。ミダスは、宮殿の地下にある金庫室を埋め尽くすほど、たくさんの黄金を集めていました。金庫室にこもっては、何度も何度も黄金を数えていました。

　宮殿の周りには、きれいなお花や木々、彫像でいっぱいの大きくて美しいお庭がありました。ある日、ケンタウロス（上半身が人間で、下半身が馬の姿をした神話に出てくる生き物です）が、ミダスの庭の片隅に迷い込み、やわらかい草の上に横たわったまま、眠り込んでしまいました。庭師たちが、草の上で寝ている生き物に気づくと、彼らはその生き物をからかおうと、意地の悪い計画を思いつきました。庭師たちは、ケンタウロスにこっそりと近づき、足首と手首を縛り、そして、長い棒を持ってケンタウロスに激しく突きつけたのです。ケンタウロスが地面の上で体をくねらせ、のたうち回るのを庭師たちは指を差して笑いものにしました。

　ちょうどその時、ミダス王は庭の美しい花々にうっとりとみとれながら歩いていて、偶然にも、遠くの方でなにか騒ぎが起こっていることに気づきました。ミダスは、何が起こっているのかを確認するために、足早に向かいました。そこで庭師たちが見知らぬ訪問者に対して行っていることを目撃し、ミダスは激怒して「今すぐやめろ!」と怒鳴りました。「私の王国で、そのような行為は許さない!　すぐに解放しろ!」

　庭師たちは、ミダス王に罰せられるかもしれないと心配になり、ブーツの中で足をガタガタと震わせました。庭師たちは、すぐに王様の命令に従い、身動きがとれない見知らぬ訪問者への拘束を解きました。

　ケンタウロスは、ミダスの前にひざまずいて、「殿下、私をあのよう

な屈辱から助けてくださり、ありがとうございました。私はシレノスと申します。他の神々とともにオリンポス山に住んでいるディオニュソス神に仕える者です。あなたが私にしてくれたことを知ったら、ディオニュソス神も大変喜んでくれることでしょう」と言いました。

　シレノスが、主人であるディオニュソス神のもとに帰り、なにが起こったのかを説明すると、ディオニュソスは神々しいとどろきわたる声でこう言いました。「ミダスは誠に善良な男だ。私の召使いを救ってくれたお礼に、シレノス、彼のところに戻り、彼の願いを1つ叶えてあげるのだ。彼の心からの望みであればなんでもよいが、叶えるのはただ1つだけだ。さあ、今すぐ行くのだ!」シレノスは山を下り、ミダスの宮殿に戻ってきました。

「ミダス」シレノスは言いました。「私のご主人様は、あなたのことを気に入り、あなたの望みを1つ叶えてくださいます。ただし、願い事は1つだけです」

　ミダスが願い事を考えるのに、長い時間はかかりませんでした。彼は急いで、なにも考えずに「私の望みは、触れるものすべてが黄金に変わることだ」と言いました。

> ### Q1：これ、いい願い事だと思う？

「できましたよ」シレノスはそう言うと、彼はご主人様のところへ帰るため、ミダスのもとを去りました。もちろん、ミダスは自分の願い事が叶ったことを信じられなかったので、手を伸ばし、彼の一番近くにあった彫像に触れてみました。すると……シャラーン!　なんと、ミダスの目の前で、像がちゃんと黄金に変わったのです。ミダス王はびっくりして、「ギリシアで一番の大金持ちになれる」と大声で言いました。それから、彼は考えてこう言いました。「いや、私は世界で一番の大金持ちになれるんだ!」

ミダスは、庭に見えるすべてのものに触れていきました。テーブルに触れると「シャラーン!」、彫像に触れると「シャラーン!」、茂みに触れると「シャラーン!」、木に触れると「シャラーン!」。思いつくものすべてに「シャラーン!　シャラーン!　シャラーン!　シャラララーン!」おそらく2～3時間、いろいろな物をシャラーン!としていましたが、やがて手を止めました（庭はキラキラと金色に輝いています）。そして、お腹をさすりながら「黄金に変えるのは、お腹が空くし、喉が渇く作業だな。よし、休憩としよう」と言いました。ミダスは、召使いにパンや肉、ワイン、そしてフルーツなどのごちそうを持ってくるように命令し、新しい黄金のテーブルに並べさせました。彼は、新しい黄金のゴブレットにワインを注いでもらい、新しい黄金の椅子に腰かけ、ゴブレットを口元に持ち上げて、飲もうとしました。「シャラーン!」ワインが唇に触れた時、ワインは黄金に変わったのです。「これでは飲めやしない!」彼は大声で叫び、ぶどうに手を伸ばしました。しかし、ぶどうの房から一粒もぎとると「シャラーン!」また黄金に変わってしまったのです。「これでは食べることができない!」彼はそう言うと、黄金のぶどうを恐る恐るじっと見つめました。徐々に、ミダスは自分がしたことに気づきました。「なんてことだ」彼はうめき声をあげました。「私はもう食べることも飲むこともできない。私としたことが……私としたことが……」彼は両手で頭を抱え、テーブルの上に崩れ落ち、自分の身に起こったことを嘆きました。

　さて、この世で唯一、ミダスが黄金よりも愛したものがありました。それは、彼の美しい娘です。ミダスが自分の恐ろしい運命を嘆いていると、そこに娘がやってきて、ミダスがテーブルで落ち込んでいるのに気づきました。彼女は、自分のお父さんが落ち込んでいる姿を見るのは好きではなかったので、「そうだ、お父さんには、とびっきりのハグとキスが必要だわ。そうすれば、元気になるわ」と考えました。彼女は忍び

足でミダスに近づきましたが、その直前で小枝を踏んでしまいました。「カチッ」ミダスは顔をあげました。しかし、彼がなにか言う前に、娘はミダスを抱きしめたのです。「シャラーン!」彼の目の前に、美しい娘が凍りついたように立っていました。それはかたく、金色の、キスをしている像でした。ミダスは膝をついて泣き崩れました。「もはや、この世のすべての喜びがなくなってしまった」と言いました。「私としたことが……私としたことが……」

ここで、次のように声をかけます。「ここでいったんお話を止めましょう。だけど、ミダス王がこのあとどうなるかについては、あとでわかるから心配しないでね」そして、次の問いについてたずねてみましょう。

> Q2：こんなにひどいことにならずに済むために、ミダスは自分の願い事をどのように言えばよかったのかな?

問いに答えるためのひな形を子どもたちに提示します。「私の望みは……」子どもたちが「こんな風に願い事を言えばよかったのに」と提案したら、その子が言った表現をそのまま正確に小さなホワイトボードに書き、それを提案した子の前に置きましょう。そして、集中して、批判的にその表現と向き合えるよう、クラスを促します。「では、他の人はどう思う? ミダスは、このようにお願いすべきだったのかな? それとも、まだうまくいかないかな?」表現を提案した子がいろいろな反論を受け入れることができるように、願い事を変更する機会を設けてください。1つの提案について、いくらか話し合う時間をとってから別の提案に移り、上記のように続けていきましょう。

これは、5・6歳の子どもたちによって提案されるであろう願い事の一例です。

- 私の望みは、私の食べものと飲みものと娘以外の、私が触れるものすべてが黄金に変わること
- 私の望みは、私が必要とするもの以外の、私が触れるものすべてが黄金に変わること
- 私の望みは、私が触れるものがすべて黄金に変わること、ただし、もう一度触れたときにはもとの姿に戻ること
- 私の望みは、私が黄金にしたいものだけに私が触れると黄金になること

先生のワザ　コンセプト・プレイ (p.83)

5歳の子からの提案は、「ミダスは物だけが黄金に変わるように願うべきだった」というものでした。ここで、いくつかの概念的な分析に取り組むことができます。概念的な分析を行うために「物ってなに?」と問いかけます。また別の方法は、「物」という単語で「循環を断ち切る」(p.78) を実践することです。他にも、子どもたちが「コンセプト・プレイ」に取り組めるような問いをいくつか紹介します。

- もし、ミダスが物だけが黄金に変わるようにとお願いしていたら、どんな種類のものが黄金に変わり、どんな種類のものは黄金にならないのかな?
- あなた (子どもの名前) は、ミダスは物だけが黄金に変わるようにお願いするべきだったと言ってくれたよね。じゃあ、ミダスの娘はどうなるのかな?　彼女は物かな?

・ぶどうは物かな？　水はどうかな？

・私たちは物？

このような問いかけの後には、「なぜ？」「理由を説明することはできる？」「〜ってどんな意味？」などの意見を引き出すような問いかけを行うことを常に忘れないようにしましょう（「クローズド・クエスチョンを開く」（p.90）参照）。

Q2についての話し合いは、セッションを終える5分前ぐらいまでにして、残りのお話を読み終えましょう。

さて、ミダスは膝をついてめそめそ泣いていました。実際、まる3日の間ずっとそのような状態が続き、彼はとても落ち込んでいました。

その一方で、ディオニュソス神（覚えているでしょうか。最初にミダスの願いを叶えた神です）は、この悲惨なお話の行方をオリンポスの山頂からじっと見ていました。やがて、彼は召使いの方を向き、「シレノスよ、ミダスのところへ戻り、私がミダスのことを気の毒に思っていることを伝えてくれ。なにしろ願い事は、よい行いに対する報酬のはずだったのだから。願い事をなかったことにしてやると伝えるのだ」と言いました。

シレノスは山を下り、ミダスのところへ戻りました。そこにはまだ、膝をついてめそめそ泣いているミダスがいました。

「ミダス」シレノスは言いました。「私のご主人様は、あなたを気の毒に思い、願い事をなかったことにしてくださいます。ただ、すでに黄金に変わったすべてのもののところに行き、そのすべてにもう一度触れる必要があります」

「ご主人様に「ありがとうございます!」とお伝えください」そう言うとミダスはすぐに立ち上がりました。そして、彼は最初に自分の娘に触れました。ミダスは、庭と宮殿にある黄金に変わったすべてのものに触れる作業をする前に、娘に何度もキスをしました。そして、なにかに触れるたびに鳴っていた「シャラーン!」という音の代わりに、今度は「ぽわん」という音がしました。

　すべてを黄金に変えるよりも、すべてをもとに戻す方がずっと時間がかかりました。ただ、ついに終わったとき、彼が望むことはもう何もありませんでした。彼はすべてがもとに戻り、娘が自分のところに戻ってきたことにただただ感謝したのでした。そして、もう想像がつくかもしれませんが、ミダスはもうそれほど黄金を好きではなくなりました。そこで彼は、長年にわたって貯蔵してきたすべての黄金を取り出し、彼の王国の貧しいすべての人々に分け与えることに決めたのです。

> Q3：お話の中で、ミダスの望みは叶ったのかな?

さらなる問い

・あなたがほしいものを手に入れることができたら、あなたは幸せ?
・もし、願い事が叶うなら、思い切って願い事をする?　それとも、怖すぎてできない?
・もし誰かが、「私の望みは、私が触れるものすべてが黄金に変わり、もし、黄金にしたくなかったら、もとに戻すことができること」と言ったとして、これは1つの願い事といえる?　それとも2つの願い事かな?（ディオニュソスが「ただ1つの願い事」でなければならないと言っていたことを思い出しましょう!）
・願い事ってなに?
・私たちは望みを叶えることができるのかな?

チャレンジ!

願い事が誤った方向にいかないように、とても注意深く、自分の願い事を練り上げるような課題を設定しましょう。もととなる願い事について、他の子どもたち（クラス全体かペアか）に、誤った方向に進むかもしれないパターンを考えることができるか、確認します。あるいは、（自分との対話を促すために）子ども自身で、自分がつくった願い事が、誤った方向に進むかもしれないパターンを考えることができるか、確認します。このようにして、願い事の文面をよくしていきましょう。

哲学のキーワード

中心となる哲学 ▶ フレーゲ、ラッセルと論理学
関連する哲学 ▶ アリストテレスと三段論法
　　　　　　　　ミルと功利主義

アリと
キリギリス

テーマ

- はたらく
- 幸福
- ケア
- 正義
- 公平

哲学的背景

　哲学には、世界が**どのように存在するか**という主張と、世界がどのように**あるべきか**という主張の、よく知られた区別があります。これは、スコットランドの哲学者デイヴィッド・ヒューム（1711 〜 1776）に関連しており、「である／べきの区別」として知られています。ヒュームは、人間が**実際に何をするのか**についていくら描写をしても、人間が**何をすべきか**という道徳的な結論には至らないと考えました。「である／べきの誤謬」によれば「でも、みんなやってるじゃん！」は、言い訳にならないのです！　しかし、この考えには賛否両論があることを指摘しておかなければいけません。たとえば、道徳的自然主義者は、人は世界に関する事実から道徳的な結論を導き出すことができると考えています。

　このセッションは、明確な道徳的メッセージを持つ伝統的な物語を、クラスで批判的に使用する方法を示しています。キリギリスが話す前に物語を止め、登場人物が何を話すか予想しながら、2人の子どもにその場面を劇で表現させることもできます。また、キリギリスが何を話すか

197

を伝え、アリ役の俳優にアリを代弁してもらうこともできます。毎回、「アドバイス・サークル」（p.202の「チャレンジ!」を参照）を使って、登場人物に「アドバイス」する機会をクラス全員に与えるようにします。演じる子どもたちは**役者**であることを説明し「私はベサンに反対だよ、だって……」と言う人がいたら、「ベサンはアリを演じている役者だから、あなたは"アリ"に反対しているんだよね」と念を押してください。この違いを強調するために、ベサンにトークサークルの椅子に腰掛けてもらい、「アリ」に**彼女**が何を言うかを聞いてみるのもよいでしょう。このセッションの核となる論争は「助けるに値しない者を助けるべきか」という問いとして表現されるかもしれません。

「アドバイス・サークル」を使う場合、始める前に、トークサークルの真ん中に空の椅子を2脚用意し、登場人物の椅子に「アリ」と「キリギリス」のラベルを貼って、子どもたちが、誰が誰だかわかるようにするためのミニホワイトボードを数枚用意します。

 ヒントとコツ 「である」と「べき」

このセッションでは、子どもが「アリは彼を入れてくれないと思う」と言った場合、この「である」に続いて「すべき」を促してもよいでしょう。「アリは彼を入れるべきだと思う?」詳しくはp.106を参照してください。自分のマインドセットが正しいかどうか（p.34）を確認し、リードしようとしていないか確認をします。

哲学の素材

　次のような物語（イソップ童話からの引用）を話して（または読んで）ください。

　あるところに、のんびりしたことが好きなキリギリスがいました。夏の間、キリギリスが一番好きなことは、太陽の光を浴び、座って世の中の流れを眺めることでした。ある日、彼がのんびりしていると、何匹かのアリが通り過ぎました。彼は、アリが食べ物や物資を集めるためにあっちへ行ったりこっちへ行ったりするのをしばらく見ていました。彼らはとても熱心に働いています。そして、その様子を眺めている間、アリは一向に仕事をやめる気配がないのです！
「どうしてそんなに働くんだ?」とキリギリスは尋ねました。「休憩しないのかい?」

　アリの中の一匹が「休む暇がないんだよ！」と答えました。「冬が来る前にやることがたくさんあるんだ！　物資を集めないと。」
「でも、天気がとてもいいんだよ」とキリギリスは言いました。しかし、キリギリスが言い終わる頃には、アリは集めた葉を近くの自分の巣に持っていきました。

　冬が来ました。この冬は特に厳しく、寒くて不毛な冬でした。キリギリスは凍え、寒さと疲れと空腹で、冬の美しさに気づくことができません。彼は絶望していました。しかしアリのことを思い出しました！　わずかな力を振り絞ってアリの巣に向かい、アリが入っていくのを見た巣穴のドアをノックしました。ノックに応えたのは、夏に話しかけたアリでした。
「どうか、あなたの巣の暖かいところに入れてください。そして、少し

でいいから、食べ物を分けてもらえませんか?」とキリギリスは、悲し
そうにアリを見つめて言いました。

Q1：アリはキリギリスを助けるべき?

この時点で「アドバイス・サークル」の活動（p.202）にそのまま入
ることもできますし、Q1を中心とした通常の哲学探究を行うこともで
きます。

さらなる問い
・アリは助けるべき?　もしそうなら、なぜ?
・アリは助けを拒むべき?　もしそうなら、なぜ?
・アリはキリギリスに対して義務がある?
・それはアリが決めることなのだろうか?
・キリギリスは自分の置かれた状況に責任を負うべきだろうか?
・このような場合、どうするのが正しいのかな?
・「正しいこと」というのはあるのかな?
・もし、あなたがアリにアドバイスできるとしたら、アリに何を言った
　り、もしくはするようにとアドバイスする?
・何が正しい?
・何が公平?
・もしキリギリスが1年目で、冬がどんなものかを知らなかったとした
　ら、あなたの対応に違いはある?
・私たちはいつでも困っている人を助けるべき?

しばらくしたら、つづきの話を読んでください。

アリは「今回は入れてあげるけど、来年は計画的に行動することを約

束してね」と言いました。

「そうする！ そうするよ！ ありがとう、がっかりさせないよ」。そしてアリはキリギリスをアリの家に入れ、冬の間、暖かくして食事をさせました。

翌年の夏、キリギリスはアリとの約束を思い出し、今年こそは絶対に冬の食料を集めに行こうと決心しました。しかし、太陽がとても素敵だったので、「明日から採集を始めよう」と思ったのです。それで、彼はのんびりと日向ぼっこを楽しみました。しかし、翌日になると雨が降り出し、荒れ模様になったので、その日は木陰に避難しました。毎日、冬に必要な食料を集めるために外出できない理由を考え、また別の理由を考え、また別の理由を考え……。ある日、彼は寒くなっていることに気がつきました。冬はもうすぐそこまで来ていたのです！ 彼は急いで食料を集めようとしましたが、木苺や木の実、葉っぱはすべてなくなっていました。もう手遅れだったのです！ キリギリスは仕方なく、アリの家のドアをノックしました。コン!コン！ アリがドアを開けると、キリギリスが凍えるような寒さに震えているのが見えました。「お願いだから中に入れてください」とキリギリスは頼みました。

Q2：アリはキリギリスを助けるべきだろうか？

さらなる問い
・この状況で何をするのが正しい？
・正しいこととは何だろう？
・正しい行いとはどのように決めるべき？
・間違っていることはあるのだろうか？ あるとすれば、それは何だろう？
・エンディングは衝撃的だった？ もしそうなら、なぜ？

・もし、キリギリスが中に入れず、死んでしまったとしたら、誰が彼の死に責任があるのだろう?

チャレンジ! アドバイス・サークル

以下をクラスで読んでください。

「私たちは物語を聞いたとき、登場人物に同意するかどうかにかかわらず、その物語で起こったことを知ります。普段は、登場人物に自分の考えを伝えたり、自分が正しいと思うことをできるようにアドバイスしたりすることはありません。でも、今日やってみよう!」

対話の輪にキリギリスとアリの2つの椅子を用意します。2枚のミニホワイトボードを使い、「アリ」と「キリギリス」のラベルを貼ります。キリギリス役とアリ役の2人のボランティアを募集し、アリとキリギリスになった**つもり**で、お互いに話をするというロールプレイをすることを説明します。2人の間で短いやりとりができるようにします。話し合うべきことがあれば、止めます(たとえば、アリ「話を聞くべきだったね。何もあげないよ、これで懲りるかもね」)。次に、クラスの他の人に向かって、こう尋ねます。「アリとキリギリスに何かアドバイスがある人はいますか?」必要であれば、「彼らの言ったことに賛成ですか」と付け加えましょう。こうすることで、批判的に参加させることができるかもしれません。もし、子どもたちがキャラクターを演じている子どもたちのことを指して「トーマスは意地悪だ!」と言った場合は、俳優が個人的に受け取らな

いように、「あなたは、**アリ**が意地悪だと思うんだね!」と訂正
します。短いやりとりの後、別の子どもたちが登場人物に扮し
ます。すでに言われていることとは違うことを言うように促し
ましょう(たとえば、キリギリス「助けて!　もう二度としな
いよ。夏に働けばよかった!」)。

ヒントとコツ　自分にアドバイスする!

この活動は、楽しいだけでなく、子どもたちが道徳的な意思決
定に対するメタ認知的な態度を身につけるのに役立ちます。た
とえば、子ども自身の行動について話し合う場合です。「こん
なとき、自分ならどうする?　先週の哲学のセッションで、ア
リにアドバイスしたようにね」。

哲学のキーワード

関連する哲学 ▶ アリストテレスと徳倫理学
　　　　　　　ベンサムと帰結主義
　　　　　　　カントと義務
　　　　　　　ロックと自由意志
　　　　　　　ミルと功利主義
　　　　　　　道徳哲学
　　　　　　　プラトンと正義

実践編13

カエルと サソリ

対象年齢

すべての年齢層

難易度

★

テーマ

- ・遺伝／環境
- ・自由意志
- ・選択
- ・道徳的責任

- ・利己心
- ・自制心
- ・意志の弱さ

カエルは安全な距離を保っていました

哲学的背景

このお話は、豊かな思考の素材がたくさん盛り込まれた伝統的な物語です。お話の起源は明らかになっていませんが、イソップ物語の1つとする説があります。このお話の優れているところは、どちらの登場人物も嫌な結果を迎えますが、お話をどのように読むべきかについてはあいまいなままにすることで、感情に訴えかけてくるところにあります。それにもかかわらず、哲学的には非常に焦点が定まっているようにみえるのです。このお話から明らかになる中心的なアイデアは（もちろん、他にもいろいろなアイデアがありますが）、私たちがもっている道徳的責任という概念に対して、私たちの性分が与える影響に関するものです。もし、自分の奥底にあって自分を突き動かすものに由来する、生まれつきの変えられない性格をもつとしたら、私たちは自分の行動について道徳的責任を負わないほうがよいのかもしれません。一方で、私たちが何をするのかを、まさに自由に選択できるのであれば、自分がしたことについてのすべての責任を負うことになるのではないでしょうか？　あるいは、私たちの選択と責任について、何か別の考え方があるのでしょうか？　このことを子どもたちに理解させようとしないでかまいません。むしろ、子どもたちが自分なりの方法で問題を探究できるようにしましょう。

選択の自由と人間の本性について述べている3人の哲学者がいます。セッションのどこかのタイミングで、クラスの子どもたちに紹介するのもよいでしょう。

1. **ショーペンハウアー**：「変えられない性格」。私たちはただ、自分が何者で、どんなタイプの人間かということに基づいて行動しているだけなのだ。私たちは自分の性格を変えることはできない。

2. **サルトル**：「個人の選択」。なにをするか、そして、どんな人間になるかは、自分で自由に決めることができる。
3. **アリストテレス**：「学んだ習慣」。私たちは、親や友だちからなにかしらの習慣を学んだり、身に付けたりしている。だから、もし、習慣を変えたいのなら変えることもできるが、簡単なことではない。

以前ある子が、「変えられない性格って頭のどこかにあるんだよ」と言っていたように、ショーペンハウアーに賛成する子もいます。しかし、ほとんどの子どもたちは、この3つすべてではないにしても、2番と3番（「選択」と「習慣」）が組み合わさっていると考えているようです。子どもたちは、選択することは重要だけれども、自分のバックグラウンドのせいで、選択することが必ずしも簡単ではないことをよくわかっているのです。

哲学の素材

ある日サソリは、家族のところへ行くために、川を渡る必要がありました。だけど、サソリは泳ぐことができません。サソリは、川を泳いでいるカエルを見て、「川を渡るのを手伝ってくれない？」と頼みました。カエルは、「ゲコッ！あなた、サソリでしょ。サソリはカエルを刺すでしょ、ゲコッ！」と言いました。

これに対して、サソリはこう答えました。「でも、あなたの助けが必要なの。だから今日は刺さないよ」「でもさ、ゲコッ！あなたが私の背中に乗っているときに刺さないってどうしてわかるの？」とカエルが聞きました。

「そんなことしたら、あなたと一緒に背中に乗っている私も溺れちゃうでしょ」とサソリは理由を言いました。

「だけど、ゲコッ！向こう岸に着くのを待てずに、私を刺さないってど

うしてわかるの?」とカエルは聞きました。

「そのときには、「1つ借りができた」って、あなたに感謝しているはずだよ」とサソリは断言しました。

「ゲコ! 結局、あなたが私を刺さないって、私はどうしたらわかるの?」カエルは聞きました。

　サソリは最後にこう言いました。「約束するよ」

　カエルはしばらく考え、こう言いました。「それで十分、さあ、飛び乗って」

　カエルは泳いで岸辺にたどり着くと、くるっと回ってサソリに背中を向けました。サソリがカエルの背中の上に乗ると、カエルは泳いで川を渡り始めました。

　だいたい半分くらいまで来たところで、カエルは突然、脇腹に激しい痛みを感じました。カエルは、サソリに刺されていることに気づき、なんとか最後の力をふりしぼり、こう言いました。「なんのためにこんなことをするの?　2人とも溺れちゃうよ!」

「ごめんなさい!　どうしようもなかったの、これが私の性分なのよ」そして、サソリもカエルも水の中に沈んでしまいました。

Q1：カエルとサソリの死によって非難されるのは誰だと思う?

さらなる問い

・非難ってなに?

・誰かのせいになるのはどんなとき?

・「〜のせい」と「責任」って同じ意味?

・どうしても我慢できずになにかをやっちゃった場合、それはあなたのせいになる?

　ある子は、自分の背中にサソリを乗せるのを許したカエルを非難する

でしょう。カエルがうかつであったと考えるのです。また、ある子は、約束を破ったサソリを非難するでしょう。さらに、ある子は、カエルは説得されて背中にサソリを乗せたんだし、サソリは本能によって刺したのだから、誰も非難することはできないと考えるかもしれません。私が聞いたことのある洞察には、サソリは本心から刺さないという約束をし、本能に打ち勝つためにとても一生懸命にがんばったのだから、サソリは約束を破ったわけではないというものがありました。ここで大切なのは、サソリが刺さずにいられなかったことであって、約束を破ったことではないということです。

泥棒と船乗り　対象年齢 7歳以上

「カエルとサソリ」のお話の応用編では、子どもたちが道徳的な観点から動物と人間の違いについて考えられるようにつくられています。

　ある日泥棒は、強盗した農家の人の怒りから逃げるために、危険な川を渡る必要がありました。だけど、その泥棒は泳ぐことができません。泥棒は、川辺でお客さんを待っている渡し舟の船乗りを見て、「川を渡るのを手伝ってくれないか」と頼みました。船乗りは、その男が「指名手配」されている泥棒であることに気づきました。船乗りは、泥棒がナイフを持っているのを見て、「お前は泥棒だろ、泥棒は人を襲うんだ」と言いました。

　これに対して、泥棒はこう答えました。「でも、お前の助けが必要なんだ。だから今日は襲わないよ」

　船乗りは少し考えて、「この船に乗っている時に、俺を襲ったり、川に投げ捨てたりしないってどうしてわかるんだ?」と言いました。

　「だって、俺にはこの船を操縦することはできないし、川に流されてしまうだろ」と泥棒は言いました。

「だけど、俺たちが向こう岸に着くのを待たずに、俺を襲わないってどうしてわかるんだ?」と船乗りは聞きました。

「そのときには、「1つ借りができた」とお前に感謝しているはずだよ」と泥棒は断言しました。

「とにかく、俺を襲わないって、どうしたらわかるんだよ」と船乗りは疑いながら聞きました。

泥棒は最後にこう言いました。「約束する」

船乗りはしばらく考え、こう言いました。「それで十分だ、乗れ」

泥棒は船に乗り込み、船乗りは船を漕いで、川を渡り始めました。だいたい半分くらいまで来たところで、船乗りは突然、脇腹に激しい痛みを感じました。船乗りは、泥棒に刺されたことに気づいたのです。泥棒は今まさに船乗りの財布を盗んだところでした。船乗りは、なんとか最後の力をふりしぼり、こう言いました。「なんのためにこんなことをしたんだ? これで2人とも終わりだ! 川は俺たちを確実に飲み込んでいくぞ!」

「どうしようもなかったんだ、これが俺の性分なんだ」そして、泥棒も船乗りも川の激流に押し流されてしまい、二度と姿を見ることはありませんでした。

> **Q2:このお話の中の船乗りと泥棒の死によって非難されるのは誰?**

さらなる問い

・あなたの答えは、最初のお話(カエルとサソリ)で出した答えと違う? それはなぜ?

・登場人物が人間になったことで、非難の対象は変わる?

さらに深い探究に向けて

・もし、あなたの友だちがあなたを殴ったとして、あなたが怪我をしたのは、友だちのせい？

・もし、あなたの猫があなたをひっかいたとして、あなたがひっかかれたのは、猫のせい？

・もし、あなたが座ったときに椅子が壊れたとして、あなたが椅子から落ちたのは椅子のせい？

友だちと泥棒　対象年齢　9歳以上

　このお話は「カエルとサソリ」とはとても対照的な物語です。ここでは、先ほどのお話に加え、社会問題についても触れられています。

　あるところに幼馴染の2人がいました。成長するにつれ、2人の進む道は分かれていきました。ベンは学校に通い、大学に進学。一方のジェフは、犯罪に手を染めるようになりました。ジェフは、重大な強盗事件に関わったことで逮捕され、何年にもわたり刑務所に入りました。やがて刑務所を出たジェフは、唯一の友だちであるベンに電話をかけ、「人生をやり直したい」と言いました。ジェフは、犯罪と関わってきた人生に別れを告げることを誓ったのです。ベンは、「ジェフが本当に約束を守るのなら、君の力になる」と言いました。ベンは、ジェフが仕事を得て、自分で自分の面倒をみることができるようになるまで、ジェフに4か月間生活するのに十分なお金を渡し、ベンの家の一室を無料で提供しました。ベンの家には、貯金の隠し場所がありました。ある日、ベンが仕事から帰ると、ジェフがこのお金と一緒にいなくなっていることに気づきました。残されたのは、テーブルの上のメモだけでした。そこには、ジェフの名前とともにこう書かれていました。「期待を裏切ってしまい、申し訳ない。どうしようもなかったんだ、これが俺の性分なんだ。いつ

か返す」

Q3：ジェフは、ベンの貯金を盗まずにいられたのかな？

さらなる問い
・道徳的にみて、人間とサソリは違う？

哲 学 の キ ー ワ ー ド

中心となる哲学▶ロックと自由意志
関連する哲学▶アリストテレスと目的論
　　　　　　　　カントと道徳的運
　　　　　　　　道徳哲学
　　　　　　　　サルトル、ボーヴォワールと人間の本性
　　　　　　　　ソクラテス、プラトンと意志の弱さ
　　　　　　　　スピノザと決定論

人生の本

テーマ

・未来

・自己

・選択

・自由意志

哲学的背景

　この物語は、アルビン・ゴールドマンによる「人生の本」と呼ばれる思考実験から転用されています。彼はこの思考実験を通して「決定論」として知られる哲学の文脈から、人間の自由の本質を探っています。この考えは、自由な選択というものは存在しないというもので、発生するあらゆる事象（これには決定や選択も含まれる）は、それに先立つすべての因果的な事象によって決定されなければならないとするものです。決定論は、理解するのが難しいことで有名ですが、この思考実験では、このテーマを私たちの未来という文脈に置き換えて考えてみます。未来は決まっているのでしょうか？　自由な選択と自己決定という概念にはどのような意味があるのでしょうか？　このセッションは、子どもたちが自分自身の未来と、それをコントロールできる範囲について考えるのにも役立ちます。

哲学の素材

　あなたの家の近くに、何度も通ったことのある小さな商店が並んでいるとします。あなたはそこで牛乳やパンなどを買っています。ある日、あなたはその店の前を通りかかったとき、何か違うものに目を奪われました。見慣れたお店の間に、今まで気づかなかったような狭いお店が挟まっているのです。このお店は、今までありませんでした!　もっと調べてみようと思い、その店に向かって歩いてみます。その店は、外側に湾曲した古いスタイルの店構えで、小さな四角い窓枠がたくさんあり、窓の右側には低く狭い扉があります。ガラスの向こうにはアンティークの本が何冊も並んでいます。店は閉まっているように見えますが、中から薄暗い光が見えるので、入ってみることにしました。ドアのすぐ上にある鐘の音で入店が告げられます。店内は暗く、埃っぽいです。店の隅にランプが見えます。そのランプの横には、鼻の先に半分メガネをかけた老人がいました。彼は、あなたが入ってくると、読んでいた本から顔を上げ、薄い唇に微かな笑みを浮かべると、店内を見て回るようにとジェスチャーをしました。

　何百冊、何千冊もの本が、部屋ごとに棚を埋め尽くし、想像以上に奥まで部屋が続いています。あらゆる種類の、あらゆる言語の本があります。あなたが聞いたことのある本も、聞いたことのない本も、たくさんあります。やがてあなたは、伝記コーナーにたどり着きました。ここでも、本の背表紙には有名、無名を問わず、次から次へと人の名前が挙げられています。そして、学生時代の友人や先生など、自分の知っている人の名前が並んでいることに気がつきます。「おかしいな」と思いながら、ゆっくりとアルファベット順に自分の名前にたどり着きます。すると、何冊もの本に挟まれたその本が、あなたをじっと見ているではありませんか。好奇心を刺激されたあなたは、手を伸ばして本を引き寄せ、その本がかなり分厚いことに気づきます。埃を吹き飛ばし、1ページ目

を開いてみます。驚いたことに、その本は、あなたが生まれた日から、あなたの人生が語られていることに気づきました。最初の数章は、あなたが物心つく前のことなので、わからないことばかりです。しかし、両親から聞いた話の中で、あなたが知っているものもいくつかあります。この本には、誰も知り得ないような自分が感じたこと、考えたことを正確に表現されていて、不思議なくらいです。

　あなたはその場に立ち尽くし、ゆっくりと注意深くページをめくりながら、自分がそこにいた時間に気づかないまま、その本を読んでいます。あなたが読むものはすべて、驚くほど真実で正確です。やがてあなたは、まさに今日、この日の朝の始まりにたどり着きます。その章では、あなたが目を覚まし、朝食を食べ、その後、店にたどり着き、この古くて不思議な外観の場所に気づくまでのすべてが描かれています。そして、あなたがどのようにその店に行き、どのような思いで店に入ろうかと考えたのか、老人を見かけ、本の背に書かれたすべての名前に目を通したのか、あなたが自分の名前を探し、自分の人生の本を読んだのかが完璧に描写されています。それぞれの文章は、物語をあなたが今いる場所に近づけ、あなたが今この瞬間に到達したとき、右側のページの一番下に来ています。あなたはまだ本の4分の1も読んでいませんが、もっと読むにはページをめくらなければなりません……。

> Q1：さて、あなたはページをめくるかな？
> 　　めくるなら、どうして？　めくらないなら、なぜ？

　ディスカッションを自由に行い、次のパートを導入する機会を探します。もしかしたら形而上学的、倫理的な展開になるかもしれません。

テツガク　形而上学的、認識論的、もしくは倫理学的?

哲学は複雑で幅広く、定義が難しいことで有名ですが、非常に参考となる出発点がいくつかあります。短い定義が示すのは、哲学とは「思考について考えること」であることです。これは、哲学の論証的な側面を捉えています。「なぜ私たちは、考えることを考えるのだろう?」「私たちが考えることに正当な理由があるのか?」哲学は、考えること自体の観点から、私たちが考えることを論証することです。つまり、論証するために証拠を使うのではなく、哲学は思考そのものの論理を使うのです。つまり「自分の考えていることは理にかなっているか?　論理的に矛盾していないか?」ということです。

哲学は、**形而上学、認識論、倫理学**の3つの分野に大別されます。形而上学は「何があるか」（形而上学／実在）、認識論は「それが何かについて私たちが知っていることは何か」（認識論／知識）、倫理学は「何が重要か」（倫理／価値）として大きく説明することができます。ある議論が「何をすべきか、すべきでないか」に関わるものであれば、それは価値、つまり「何が重要か」に関わるものであるため、倫理の領域となります。しかし、価値観や知識を超えて「何があるのか」「それはどんなものなのか」を議論するのであれば、形而上学や実在そのものの領域となるのです。ここでは、このセッションをめぐる議論から、哲学的に言えば、議論がどこにあるのかを知る手がかりとなる3つの例を紹介します。

・「ページをめくるのは間違っている。なぜなら、私たちの未来を知ることができるのは神だけで、私たちは未来を知るべきでないから」（倫理的）

➡ 手がかりとなる言葉：「間違っている」「べきではない」

・「自分の未来を知ることは不可能。もし知ってしまったら、それで未来が変わってしまい、それ以上わからなくなってしまうから」（認識論的）

➡ 手がかりとなる言葉：「知る」

・「未来は確定していないので、ページは白紙になる。何をするかは私たち次第で、私たち自身が未来をつくる」（形而上学的）

➡ 手がかりとなる言葉：「未来は〜ではない」

セッションのだいたい半分、または適切なタイミングで、2つ目の問いにうつります。

Q2：もしあなたがページをめくるとしたら、次のページに何が書いてあると思う？
　a）その本はすでに最後まで書かれているのだろうか？
　b）あなたがいろいろなことをやっているうちに、勝手に書かれていくのだろうか？
　c）白紙だろうか？
　d）既に書かれているが、あなたが違うことをすると変わってしまう？
　e）何か他のものを見つけることができるか？

さらなる問い

・この本の作者はだれ？

 先生のワザ　複数の選択肢 (p.84)

セッションの方向性を維持するために、考えの提案として複数の選択肢を紹介することが有効な場合もあります。あまり積極的でないグループの場合は、これをきっかけに始めるとよいでしょう。しかし、ほとんどのグループでは、最初の問いで考えさせたり話したりすれば十分だと思います。しかし、グループ内で無関係な、あるいは少なくとも哲学的ではない領域に踏み込んでしまうことがあります。さまざまな理由から、これを許容する決断を下すこともあるでしょうが、議論を哲学に戻したい場合は、いくつかの方法があります。

1つは、子どもたちをお題となる問いに「つなぎなおす」ことですが、これでは不十分な場合もあります。問いから外れてしまったというよりも、問いを哲学的でない方法で解釈してしまったからです。そのような場合は、複数の選択肢を用意することで、グループの焦点を合わせ直すことができます（p.79「「事実のもし」と「意見のもし」」も参照）。複数の選択肢のリストは、セッション中の興味を維持するのにも役立ちます。たとえば、1時間のセッションの場合、問いを設定し、それについて1時間話すと、グループの興味が失われてしまうことがあります。特に、グループの人数が多く、メンバーが自分の発言の順番を長く待たなければならない場合です。選択肢のリストがあれば、グループにとって明確なタスクと焦点が与えられま

す。たとえば、この課題を小グループのディスカッション課題
として設定し、一定時間経過後にクラス全体の問いに戻すこと
ができます。

哲学のキーワード

中心となる哲学 ▶ アウグスティヌスと時間
関連する哲学 ▶ アリストテレスと目的論
　　　　　　　　ロックと自由意志
　　　　　　　　サルトル、ボーヴォワールと人間の本性
　　　　　　　　スピノザと決定論

ピラミッドの影

テーマ

- 論証
- 知恵
- 問題解決
- 詭弁

この物語は、歴史上の人物であるタレス（紀元前600年頃）をモデルにしています。彼は古代ギリシア最初の哲学者といわれることもあり、この物語に登場するいくつかの偉業は、タレスの功績として実際に紹介されているものです。月食の予知や、影を利用したピラミッドの高さの測定などがそれにあたりますが、これらの記述に関しては、歴史的に正確であるといえるかどうかには異論もあります。タレスはいわゆる「ソクラテス以前の哲学者たち」の1人ですが、この最初期の哲学者について私たちが知っていることのほとんどはディオゲネス・ラエルティオスの『ギリシア哲学者列伝』によるもので、この書籍自体が書かれたのは3世紀のある時期だといわれています。また、タレスは、万物を構成する基本的な物質は水であると考えていたといわれています。

哲学的背景

この物語は、哲学的手法の顕著な特徴を含むように丁寧に描かれています。第一に、3つの課題に対する答えとして哲学者が提示している形式的な論証があります。これらは、子どもたちが1人で考えてみること

219

ができるように、物語から抜き出してあります。第二に、賢者たちの集まりである評議会をとおして描かれる説得力のある推論の必要性です。評議会は、推論から導かれることには同意しなければならないと感じていることがわかります。言い換えれば、彼らの意見は（彼らが理解する）真理に従属していることがわかります。第三に、哲学者であるタレスが最後の課題に答えるために採用する問いのスタイルは、プラトンが描く『対話篇』（ソクラテスの哲学的手法に関する唯一の歴史的記録）からみえてくるソクラテスの問答法がモデルとなっています。ソクラテスは、それぞれの段階でファラオ[訳注：古代エジプトの王で、世俗的権力と宗教的権力の頂点。神の化身]に対して自分の推論に同意するようにうながし、その結果、ファラオが最終的な結論を受け入れざるをえなくなっていることに注目してください。これをピラミッドの測量の時の議論と比較してみてください。タレスはファラオを巻き込まずに自分の主張を述べるだけです。結果として、ファラオはその推論に従わず、賢者たちの評議会は大量のメモをとるだけでその推論に従ってしまいます。これは大学の講義のモデルであり、多くの学生は授業についていけておらず、たいていノートをとっている学生さえも教授の言ったことをあと一歩で理解できそうなところに留まっています。

　後ほど、ファラオはこのタレスの議論を「洗練されている」という言葉で表現しています。この言葉は、彼（タレス）の論理がソフィスト[訳注：ギリシアの弁論の教師たち]（ソフィストSophistは「sophisticated 洗練されている」の語源となっている単語です）の議論に似ていることから、意図的に選ばれたものです。プラトンはソフィストたちの議論に強く反対しました。彼らは哲学を使って真理を発見するのではなく、議論に勝つために巧みな言葉遊びを使っていると考えたからです。プラトンは特に、「大きい」「小さい」といった比較概念のつかみどころのない性質を例にあげ、ソフィストたちがどのような言葉遊びをしているかを説明しています。この哲学者の議論を批判的に分析したものをこれから紹

介します。

　この物語は、ディスカッションの素材として紹介するのではなく、「大きい」「小さい」のような比較概念の議論を深めるものとして用いるのが最適です。以下、その方法としておすすめのものを示します。
　まず、クラスで次のような質問をします（そしてホワイトボードにも書きます）。

Q1：大きいというのは、どのくらい大きいものってこと?

　この問いはもともと「20 の質問」というゲーム［訳注：質問者が20個まで質問をして、回答者の思い浮かべているものの名前を当てるゲーム。日本ではクイズ番組「二十の扉」で紹介されていた］で子どもたちと遊んでいるときに、子どもたちから「それは大きいですか?」と尋ねられ、私がその質問に答えられなかったことから生まれました（この有名なゲームのルールは、ロバート・フィッシャーの"Games for Thinking"という本を参照してください）。そして、子どもたちになぜ私が答えられないと思うのかを聞いてみました。その時の議論から生まれたのが「大きいというのは、どのくらい大きいものを指しますか?」という問いでした。つまり「それは私より大きいですか?」という質問には答えられても「それは大きいですか?」という質問は、表現としてはより単純で表面的には答えられるように見えても、なにと比較しているのかが示されないかぎりには（厳密にいうと）答えることができないということになります。（実際には、子どもたちにこのことをすべて話すのはやめておきましょう。）
　この哲学的な探究をこれまで示してきたような進め方で進めると、ファラオが出した課題に対して、進行役が哲学者の解決方法を示す前に、子どもたち自身が非常によく似た解答を導き出すことがしばしばありま

す。子どもたちはこの物語をとても楽しんでいます。というのは、乗り越えられないと思われる課題に対して、本質的な答えがあるように思えるからです。その次に、子どもたちに、一見本質的な解決策だと感じられたものが本当に本質的なものといえるのかどうかを考えてもらいます。この物語は他の物語よりも長いので、何回かに分けて授業を展開することをおすすめします（もしかしたらそれぞれの授業でファラオの課題を1つずつ取り上げるくらいでちょうどいいかもしれません）。この物語を用いるときには、それぞれのレッスンを次が気になってしかたないタイミングで切り上げるようにして、子どもたちをひきつけましょう。

哲学の素材

　その昔、ギリシアからエジプトに渡り、賢者として活躍した哲学者がいました。やがて彼の功績はエジプト中で語られるようになりました。彼は月食を正確に予言したとまで言われるようになります。それまで誰もそんなことをしたことがありませんでした。彼の名はタレスといいます。

　それまで、古代エジプトの王ファラオはエジプトで一番の賢者として知られていました。まあ、賢者ではないと言おうものなら処刑されることを人々は知っていたということもありますが。ファラオは、自分より賢いといわれるギリシア人についての噂を聞いたことでおもしろくない気分になり、その哲学者を宮廷に呼び出しました。

　タレスはファラオの宮殿に到着しました。ファラオの命令に逆らえる人なんて誰もいません。ファラオは言いました。「君はエジプト一の賢者と言われているね。そしてギリシアの哲学者でもあると。さて、そんな君に3つの課題を与えたいと思う。挑戦してみるかね?」

　タレスは嬉しそうにほほえみ、両手をこすり合わせて、答えました。「ぜひお願いします。私は面白い挑戦が大好きです。」

彼がこのように喜んで課題を引き受けたので、ファラオはひどく不機嫌になりました。そしてファラオはすぐに、長年頼んでいるのにまだ誰にもできていないことを思い出しました。

「あそこに大きなピラミッドがあるのが見えるね」。彼は、宮廷よりも上にそびえ立つ素晴らしい建造物を指差しました。「その高さを測ってもらいたいんだ。まだ誰もそれができたことがないからね。明日、その答えを持ってここに戻ってきなさい。ここにいる賢人たちが、君の任務が完了したかどうかを判断するよ。さあ、行きたまえ」。そして、まるでどうでもいい余談のように付け加えました。「ああ、そういえば、君がもしこの任務に失敗したら、頭を失うことになるからな」

> **Q2a：タレスはこの課題を解決することができるかな？　解けるとしたら、どうやって解く？**

　この課題に対する答えをいくつか挙げてからストーリーを進めることもできますし、次の問いを使って数学の課題解決の探究に発展させることもできます。

> **Q2b：ピラミッドの高さはどのようにして測ることができる？**

　突然ほほえむのを止めたタレスは、その場を離れ、一晩中一生懸命に考え、課題を解決する方法を考えようと何枚ものパピルスの紙に走り書きした。そしてちょうど夜明け前に彼は「エウレーカ！」と叫びました。ギリシア人は皆、問題に対する答えを見つけた時にそうするのです。

　その日の夕方、彼はファラオの宮廷に姿をあらわしました。ファラオは「さて、できたか？」としたり顔でたずねました。というのも、そんなに早くできるわけがないという確信があったからです。

「はい、できました。高さはちょうど400歩です」と哲学者は答え、ファ

ラオはとんでもなく驚きました。

　ファラオは「何だと!」と叫び、集まっていた評議会の賢人たちも飛び上がりました。そして静かに答えました。「どうやったか説明しなさい。ここにいる賢人たちが満足するような方法で正確に説明してもらわなければ、まったく答えになったとはいえないのだからね。」賢人たちは皆、身を乗り出して、メモをとりました。

　タレスは咳払いをして、ゆっくりとはっきりとこう言いました。「まず、私はピラミッドの近くで、自分の影がはっきり見えるように開けたところに立ちました。そして、太陽がいつも通りに空を移動して、自分の影が自分の背丈と同じ長さになるまで待ちました。そして、そのときに、ピラミッドの影を端から端まで、砂の上に印をつけました。さて、自分の影が自分の背の高さと同じ長さということは、ピラミッドの影もピラミッドの高さと同じ長さであるはずです。となると、あとは砂の跡からピラミッドの頂点から底辺まで何歩あるか数えるだけでした。しかし、ピラミッドの中心がわからないと正確な底辺が測れません。正確な高さを知るためには、片方の辺の長さの半分を数え、それを影の長さに足す必要がありました。さて、私の推論を注意深く聞いていれば、ピラミッドの外に出て確認するまでもなく、私が正しいことがわかるはずです」。

　評議会の賢人たちはメモの走り書きをして聞いていましたが、彼が説明を終えると、みんな円になって、ぶつぶつと考えを言い合いました。賛成、反対、そしてまた賛成という結論になりました。ついに、彼らはファラオに向かって「正しいです。この哲学者は本当に課題を解決したと言えます」と言いました。哲学者の議論のかなり早い段階でついていけなくなっていたファラオは、評議会の結論を受け入れなければならないことを悟り、怒りで顔を真っ赤にしました。彼はすぐに、そして分別もなくというべきかもしれませんが、哲学者に明らかに不可能な課題を考え出しました。そして、家来の耳にささやくと、その家来はしばらく

して、片手に象を連れ、もう片方の手にはネズミの入ったオリを持って部屋に戻ってきました。

「さあ、それでは2つ目の課題だ」とファラオは言いました。「この象をこのネズミと同じ大きさにしてもらいたい。ハッ！　さあ、もう行くがよい、そして明日の夕方には解決策を持って戻ってきなさい……さもなくば!」ファラオはゆっくりと指を喉元に持ってきて切るしぐさをしました。タレスは緊張して息を飲み込みました。「今度こそ」ファラオは思いました。「今度こそ彼は終わりだ！　象をネズミのように小さくすることはできない。絶対にな!」

Q3：タレスはこの問題を解決できると思う？　もしそうなら、
どのように？

　そこでタレスはもう一度自分の部屋に戻り、考えては走り書きをし、また考えては走り書きを繰り返しました。そして、太陽が昇ると同時にアイデアが思い浮かびました。「エウレーカ!」彼はもう一度叫びました。

　その夜、ファラオは再び哲学者の答えを待ち構えていました。哲学者はその期待を裏切ることなく宮廷にあらわれました。評議会は筆ペンを立てて、期待しながら胸を膨らませていた。

「さあ、象をネズミと同じ大きさにしてみなさい!」ファラオは腕を組んで命じました。

「はい、そうしましょう」タレスは穏やかにそう言うと、ネズミの入ったオリを手にとり、ファラオに一緒に来るように言いました。ファラオはタレスの後に続き、評議会もファラオの後ろについて行き、目を凝らし、耳を澄ませてその様子を観察していました。

　タレスは彼らをピラミッドの上に連れてきて、彼はネズミのオリを前に差し出して下を見ながら、距離を計算するかのように片目を細めまし

た。「まだだ」彼は息を切らしながらそう言うと、もう少しピラミッドの上のほうに彼らを連れて行きました。ファラオは哲学者の後ろでハァハァ息を切らせながら、一体何をするつもりなんだろうと不思議に思っていました。確かに、そもそもピラミッドをつくらせたときには、まさか自分がこんなところに登るつもりなどなかったに違いありません。やがて哲学者は立ち止まり、ネズミのオリを前に差し出し、片目を細めて言いました。「これで大丈夫。ここに来てご覧ください」と言いました。ファラオと評議会は哲学者の隣に立ち、哲学者が見ていたところからネズミと象に目をやりました。すると彼らの立っていたところからは、ピラミッドの一番下にいる象がオリの中のネズミとまったく同じ大きさに見えるではありませんか。

　評議会は話し合った後に、ファラオのほうに向かって言いました。「陛下、どうやら象をネズミと同じ大きさにすることができたと言えます。なぜなら、物体はそれを見る人との距離によって大きさが変わるからです。そして、私たちは今、象とネズミが同じ大きさになる距離にいます」。今度は少し緊張した声色で言いました。「私たちは賢人を名乗っておりますから、第一の主人である『真実』に忠実でなければなりません。ですから、私たちは見たことやその論理性が『真実』であるときには、嘘をつくことはできません」。ファラオが快く思っていないことは明らかなので、自分たちの判断を正当化するためにそう付け加えました。

　ファラオは、このとき、次の課題についてはよく考えなければならないと決意しました。そして、王宮に舞い戻り、王国にあるすべての哲学書——2冊すべて——を読み始めました。

　翌日、彼は哲学者のタレスを最後だということで宮廷に呼び出しました。「さてさて」と彼は怒りながら、強い決意をもって言いました。「私はギリシア哲学についてのすべてを読み進めているところです。あなたがたにとって最も偉大な哲学者の1人（アリストテレス）は、あること

が完全に不可能だと言っています。それは、私たちは真実であり、真実でないことを同時に存在させることはできないということです。もし、あなたがそんなに賢いということならば、真実でありながらも同時に嘘でもあるものを、私に見せてください」。

ファラオは満足げに微笑み、タレスは初めて心配そうな顔をしました。彼は自分の部屋に戻って、自分の命がかかっていることをよくわかっていたので、深く考え込んでしまいました。

哲学者の部屋の外からは、日が昇っても「エウレーカ!」の声は聞こえてきませんでした。彼はついに極悪非道な——そして不公平な!——ファラオに打ち負かされてしまったのでしょうか。その日、太陽が空を横切ったときにも「エウレーカ!」の声はまだ聞こえてきませんでした。さて、やがて太陽は沈み始めてしまいました。

> Q4：哲学者はこの課題を解決できる？　もしそうなら、どのように?

その夜、タレスは頭を低くして、すっかり元気をなくして、ファラオの宮廷にしずしずと入っていきました。ファラオは自分が満足できそうな予感がしていました。評議会は死刑執行部隊のような心持ちで、筆ペンを用意して立っていました。

「回答の準備はできているかな?」とファラオはタレスに答えを求めました。

タレスが頭を上げ、結論を伝えようとすると、オリの中のネズミと、木につながれた象が、両方ともピラミッドの影にいることに気づきました。ピラミッドの影は、以前の問題でもタレスを命拾いさせましたが、今また彼を救おうとしていたのです。この3つが揃ったとき、彼は突然あることを思いつき、口元が笑顔でゆるみました。「エウレーカ!」彼は叫びました。

ファラオはその言葉がとっても嫌いになっていました。というのは、毎朝、哲学者が課題を解決する前にその言葉を叫ぶのを聞いていたからです。賢人たちは身を乗り出し、耳を哲学者の方へ傾けました。

「説明させてください」タレスが話し始めました。「ファラオ、ネズミに比べれば、象は大きい。そうですよね？」

「まあ、そうだな、それはそうだろう」とファラオはすぐに同意しました。

「それにピラミッドに比べれば、象は大きくはない。それも真実ですね、ファラオ？」

「もちろんそうだ。当たり前のことを何度も聞くんじゃない。さっさと進めてくれ！」ファラオはだんだん不安になってきました。

「それなら、象は大きいと同時に大きくないということになると言えるのではないでしょうか？」

　哲学者の質問にうまく丸め込まれてしまったように感じたファラオは、評議会にこの質問に対するいい反論を求めましたが、彼らはただ頷いて言いました。「それは……確かにその通りだと言えます、ファラオ」。

「それでは」と哲学者は嬉しそうに言いました。「あなたに見せてさしあげましょう」。彼は身振りをつけて象を指さしました。「『真実と嘘が同時に存在するもの』はこちらです。ネズミの隣にいるときに『象が大きい』ことは真実です。一方で、ピラミッドの隣にいるときに『象が大きい』のは嘘ということになります。そして、今まさに両方の隣にいます。だから今この瞬間、『象が大きい』のは真実であり嘘でもあるはずです」。哲学者は言い終わると、ほっとしたように溜息を吐きました。

　評議会は集まって、彼の議論を検討しました。やがて彼らのつぶやきが止むと、彼らはファラオに向かって言いました。「陛下、彼の論証は非の打ち所がないので、我々は彼が確かに真実と嘘が同時に存在するものを示したと同意せざるをえません」。彼らが結論を伝えると、ファラ

オは怒りで立ち上がり、まるでピラミッドそのものよりも高く見えるほどの迫力だったので、評議会はおびえきってしまいました。

突然、ファラオは冷静になりました。「あなたは本当に頭がいい哲学者ですね」。彼は哲学者の方を向いて言いました。「そしてあなたの論証も非常に洗練されています。したがって、私はあなたの偉大な知性を受け入れ、それが私のものよりも優れていることを認めます。……しかし、お前は自分が思っているよりは賢明ではないのだ。よって……」

ファラオはしばらく考えてから言いました。「お前を処刑する。衛兵!彼を連れて行け!」

そして、1時間もしないうちに、哲学者の首は落とされました。このように、学問に優れ、頭の回転が速いというのは確かに素晴らしいことですが、この哲学者が評議会の賢人たちが認めたほど賢明かどうかは、実際には明らかではありません。

 テツガク　論証

論証（Argument）［名詞］
1）通常、異なるまたは反対の意見、及びその意見交換。
2）ある見解を支持するために提示された理由または一連の理由。

哲学において「論証」という言葉を使うとき、私たちはそれを上記の1のような意味で使ってはいません。2であげられているような、専門用語として用いています。この意味での論証は、哲学の基本的な道具です。論証とは、ある結論を支持するために述べられる理由、あるいはいくつかの理由のことです。哲学

の専門家は論証における優れた点や難点を吟味することにすべての時間を費やしています。とはいえ通常このセッションより複雑な内容です。

注意：このようなことは子どもたちに特に教えようとはせずに、子どもたちが論証の道筋を考えるときに、これらのことを心に留めておくようにしましょう。

この物語における論証

　ここからは、ファラオが出した3つの課題に対する答えとして、哲学者が提示した3つの論証について紹介します。まず、それぞれの解決策を1つずつ思い出せるかどうか、子どもたちに尋ねてみましょう。そして、それらが良い解答だと思うかどうかを、やはり1つずつ子どもたちに尋ねてみましょう。ここで、子どもたちは賢人たちの役になりきってもらうこともできます。ぜったい必要というわけではありませんが、ボードに書いたり、子どもたちがよく見えるようにプロジェクターで映し出したりしてもよいでしょう。

「さて、自分の影が自分の背の高さと同じ長さということは、ピラミッドの影もピラミッドの高さと同じ長さであるはずです。となると、あとは砂の跡からピラミッドの頂点から底辺まで何歩あるか数えるだけでした。しかし、ピラミッドの中心がわからないと正確な底辺が測れません。正確な高さを知るためには、片方の辺の長さの半分を数え、それを影の長さに足す必要がありました。さて、私の推論を注意深く聞いていれば、ピラミッドの外に出て確認するまでもなく、私が正しいことがわかるはずです」

以下の図のようなものがあれば、子どもたちはこの解答を理解することができます。その後、子どもたちに、この課題に対する別の解答を思いつくかどうか尋ねてください。

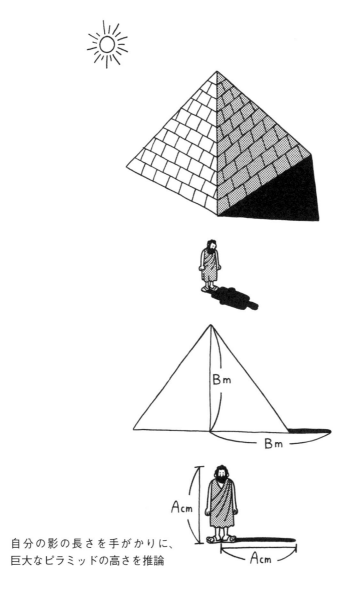

自分の影の長さを手がかりに、
巨大なピラミッドの高さを推論

次の論証は、哲学者ではなく、哲学者が解答を示すのを見た賢人たちが提示していました。結論は「なぜなら」という言葉の前に述べられ、その後に理由が述べられていました。

「陛下、どうやら象をネズミと同じ大きさにすることができたと言えます。なぜなら、物体はそれを見る人との距離によって大きさが変わるのです。そして私たちは今、象とネズミが同じ大きさになる距離にいます」

　この論証の問題点は、実際の大きさが変化しているように見えることと、実際の大きさが変化することを混同しがちなところです。この論証に気づく、興味深い問いには次のようなものがあります。

Q5：哲学者は実際に象をネズミと同じ大きさにすることができた？

　最後の論証では、結論は「だから」という言葉の後にあり、その前に理由が示されています。

「ネズミの隣にいるときに『象が大きい』ことは真実です。一方で、ピラミッドの隣にいるときに『象が大きい』のは嘘ということになります。そして、今まさに両方の隣にいます。だから今この瞬間、『象が大きい』のは真実であり嘘でもあるはずです。」

　この論証の問題点は、あまり簡単には見抜けないところです。つまり、「大きい」という概念が関係の中で成立する概念であるということです。象があるものに対して大きいというのは真であり、象が別のものに対して大きいというのは偽であることがありえます。したがって、この2つの記述は実際には2つの異なる状態、つまり象とそれぞれ異なるものと

の関係性を表しています。最高の哲学者の1人であるアリストテレスは本来、たとえばネズミのような1つのものに対して、象が大きくもあり小さくもあるということはありえないと言っていたのでしょう。この話の中で出てくる原理は、アリストテレスの「矛盾しない原理（無矛盾律）」に基づいています。それによると、どんな記述も同時に真にも偽にもなり得ないというものでした。厳密に言えば、アリストテレスはタレスの時代には存在しなかったはずなので、今回の物語の中で彼の名前は出していません。

さらなる議論に向けて

この物語には、（1）賢さまたは知性、そして（2）知恵というものの特徴が暗示されています。そこで、次のような問いを使って、その点を検討することができます。

Q6：哲学者は賢かった？

さらなる問い

・知恵とは何だろう？（これは、単に質問をし、コンセプトマップをつかって議論を深めることができます。）
・哲学者は明らかにとても頭が良かったのに、なぜファラオが言うように「賢明」ではないとも言えるのだろう？
・頭がいいことと賢明なことの間には違いはある？　もしそうなら、その違いは何だろう？

不可能なタスクや一般的に不可能であることに関して、次のような問いにもぜひ挑戦してみてください。

Q7：「不可能なものは何もない!」ということについて議論しよう。

哲学のキーワード

中心となる哲学 ▶ アリストテレスと三段論法
関連する哲学 ▶ バークリーと観念論
　　　　　　　　フレーゲ、ラッセルと論理主義
　　　　　　　　ソクラテス以前の哲学者たちと自然哲学

対象年齢
9歳以上

難易度
★★

魔法の杖

・科学 ・信念

・実験 ・証明

・因果関係 ・迷信

・繋がり

哲学的背景

　イギリスの哲学者であり、初期の科学者であったフランシス・ベーコンは、次のような言葉を残しています。「すべての迷信のルーツは、（人々が）物事が当たったときにはよく観察するのに、外れたときにはあまり観察しようとしないことにある」。このセッションは「誤った議論」つまり、一見するとよい論理だけれども実は不十分な論理である、という考えを中心に構成されています。この場合、誤りとは「論理的誤謬」を指します（元はラテン語で、「ある出来事の後ゆえに、その出来事が原因」という意味）。「論理的誤謬」とは、ある出来事が他の出来事よりも前に起こったことから、それがもう1つの出来事の原因となっていると誤って信じてしまうことです。これは以前、一緒に働いていた先生が授業に出した例です。その先生と叔父さんはサッカーの試合を見に行ったことがありましたが、叔父さんがその先生を試合に連れていくたびに、試合はPK戦に突入していました。この前も同じことが起き、「お前のせいだ!」

と言われたそうです（ちなみにその先生の問いは「これって私のせいですか?」でした）。この状況において、ベーコンの発言はよく考えてみる必要があるでしょう。この後に紹介する物語は、ライオンがいないのは杖が原因だという勘違いについてのお話です。

小学生（5〜11歳）を相手にする場合、誤りをわかりやすく教えることは簡単ではありません。けれども、「これはおかしい」と直感的に理解することもあるので、この年齢でクリティカルシンキングの基本を身につけるには、こうした物語に批判的に取り組むことが良いと思います。このセッションでは、箸などの「杖」の代わりになるものを用意するとよいでしょう。

哲学の素材

あるところに、ガリーという男がいました。ある日、市場で商人が彼に杖を売ろうとしました。

商人は言いました。「毎朝、家の外でこの杖をふりなさい。ライオンを遠ざけることができます。ライオンは人を食べてしまうからこの杖は役立ちますよ」

「それはいいね！　けれども、どうやってその効果がわかるんだ?」とガリーは言いました。

すると商人は「だって、ほら、君はこのあたりでライオンを見たことがあるかい?」と言いました。

ガリーはあたりを見回して言いました。「確かにいない！　これ買います!」ガリーは喜んで商人にお金を手渡しました。

> Q1：この杖は効果があるのかな?

さらなる問い

・商人は、杖に効果があることを証明した?

・もしも本当に周囲にライオンがいないなら、それは杖に効果があることを示しているのかな?

・もしも近くにライオンがいたとしたら、それは杖に効果がないということ?

・もしもガリーが毎朝杖をふって、ライオンが近くに来なければ、杖には効果があったということになる?

・もしもガリーが杖をふることに失敗したらどうなる？　またそれは何を証明するのかな?

　ガリーは商人に騙されたのではないかと思い始めました。そして杖を試してみることにしました。商人が言った通り、ガリーは毎朝家のまえで杖をふりました。ガリーは1カ月間続けてみました。そして1カ月が終わる頃まで、ガリーはとうとう家の近くでライオンを見かけることはありませんでした。ガリーは、この杖は本当に効果がある、という結論にたどり着きました。ガリーは自分自身で試してみたことから、この杖に効果があることを信じました。

Q2：ガリーの実験はうまくいったのかな?

さらなる問い

・効果があったのかどうかは、どうやって知ることができるのかな?

・商人が言ったように、杖をふるのが良い？　それとも杖をふらなくてもよい?

・商人の主張を検証するよりも、より良い方法が思いつく?

> Q3：杖に効果があるかどうかを証明するような実験はあるか
> な？

　子どもたちをグループに分けて、杖に効果があるかどうかを示す実験を考えさせてみましょう。その後、クラス全体に自分たちの実験を説明し、クラスは各グループに批判的な質問を投げかけて、その実験が本当に確かめられるのか考えさせましょう。

 ## チャレンジ！　みとめる？　みとめない？

想像してみましょう。ある人が「すべての鳥は飛ぶ」と主張しました。そこで、他の2人がこの主張が正しいかどうかを検証する方法を思いつきました。

実験1
1人は、その主張を確かめようとします。そのために、一日中、空を飛ぶ鳥を探して歩き回ります。

実験2
もう1人は、その主張を否定しようとします。そのために、飛ばない鳥がいるかどうかを調べようとします。

> Q4：どちらが良い実験かな？

次の主張が正しいかどうかを確認するためには、1と2のどち

らの実験が良いでしょうか?

・卵を産む哺乳類はいない

・親切な人もいる

・太陽は東から登り、西に沈む

・月は夜にしか見えない

ぶっちゃう
ビリー

テーマ

・自制心

・感情

・信念

・幸福

　この物語は小学生に大人気ですが、実は幼少期の子どもたちに向けて書いたものです。ある7歳の子どもは、この物語を聞いてしばらくしてから「『ぶっちゃうビリー』が頭から離れないの。もう5つも結末を思いついちゃった」と話しかけてきました。

哲学的背景

「ぶっちゃうビリー」の物語は、自分の行動をどこまでコントロールできるかという、子どもたちにとっても非常に自分事として考えられる課題を扱っています。このセッションでは、責任をとることについて誰かが道徳的に説明するというよりは、子どもたち自身でこのあいまいさを探究し、考えることができるところが興味深いです。多くの大人は、私たちはどんな状況でも自分自身をコントロールすることができると思い込んでいます。しかし実のところ、古代ギリシアのストア学派が考えたように、そして以下の「ニーバーの祈り」の言葉の中にもよく表れているように、知恵とは、自分でコントロールできるものとできないものを見分けることです。自制心というものがとても重要なものであるという

ことは、たとえどんなアルコール依存症の人に尋ねても、すでに誰でも頭では理解できていることなのです。

「神よ、変えることのできないものを
　静穏に受け入れる力を与えてください。
　変えるべきものを変える勇気を、
　そして、変えられないものと変えるべきものを区別する知恵を与えてください」
（ラインホールド・ニーバー）

　ソクラテス、プラトン、そしてアリストテレスは皆、意志の弱さ（古代ギリシア語でアクラシア）という哲学的な問題を取り上げました。それ以降、この問題は哲学の主要なテーマの1つとなり、多くのことが書かれています。ほとんどの子どもは、行儀よくすることを約束しても（そしてどうすればいいかということも理解していても）、同じような状況下で再び同じ間違いをしてしまうことに気づいています。また、ほとんどの子どもは（大人もですが）約束を守れなかったことに後悔や自責の念を感じ続けることもわかっています。このことは、何世紀もの間、哲学者にとって関心事になっていました。なぜ、人はやりたくもないことをやってしまうのでしょうか？　あるいは、自分にとってベストだとわかっていることを、なぜやれないことがあるのでしょうか？　これは、人生の最も初期の段階から人々が考えることになる哲学といえます。

哲学の素材

　これは、ビリーという8歳の男の子の話です。ビリーについて知っておいてほしいことは1つだけ。ビリーが人を「バン！」とぶってしまうということです。だから彼は「ぶっちゃうビリー」と呼ばれています。

ビリーが他の子どもたちと遊んでいるかと思えば、気づけばその子たちと喧嘩してしまい「バン!」彼は子どもたちをぶってしまい、その子たちは泣いて去っていくのです。

　ビリーが教室にいるときも、気がつけば同級生と口論になってしまい「バン!」彼は同級生をぶってしまい、泣かせてしまいます。先生が止めようとすると、彼は先生までもぶとうとします。校長室に呼び出されると校長先生を、そして母親が迎えに来ると母親までも、ぶとうとするのです。彼はいつもそんな調子なので、トラブルになって友だちはほとんどいません。

　ある日ビリーは、たくさんのトラブルに巻き込まれたことで、すごく動揺してしまいました。彼は家の裏の森の中にある大好きな場所に行きました。大きな樫の木の下に座り、泣いて泣いて泣き続けました。それは1時間くらい続いたでしょうか。

　やがてビリーは泣き止んで涙を拭きながら顔を上げると、目の前におばあさんが立っているのが見えました。彼女は鼻が曲がっていて、白髪交じりのもつれた長い髪をしています。不潔なマントを羽織っていて、肩から革のバッグを身につけていました。ビリーは彼女が魔女みたいだなと思いました。

「どうしたんだい、ビリー？　どうして泣いているのかい?」とおばあさんはしわがれた声で尋ねます。

　ビリーは彼女が自分の名前を知っていることに驚きました。

「僕はいつも人をぶってばかりで、いつもトラブルになっちゃうんだ。そして、みんなをぶってしまった後にはとても嫌な気持ちになるんだ」と彼は説明します。「こんな嫌な気持ちにならなければいいのに」

「おやおや、そしたらちょうどいいものがあるよ」とおばあさんは言います。そして、彼女はバッグに手を入れ、液体の入った小さなガラス瓶を取り出しました。もう片方の手でその瓶を指差して言います。「この薬を飲めば、人をぶってしまうのをやめられなくなるよ。でも、もうや

めようと思ってもやめられないんだから、誰かをぶっても嫌な気持ちにはなる必要はないからね」

ビリーは彼女の薬をつかみ取ると、瓶の蓋を外して一気に飲み干しました。ゴクゴク。そして、おばあさんには何も言わずに「もう嫌な気持ちにはなる必要がないんだ」と言いながら、にこにこしながら元気よく戻っていきました。彼は、老婦人が帰りぎわに何かをつぶやきながら笑っていることには気づいていませんでした。

> Q1：あなたはこの薬はうまくいくと思うかな？　もし彼がそれをやめたくてもやめられないなら、彼がもう悪いと感じる必要がないってこと？

さらなる問い

・もしあなたが何かをすることをやめることができないとしたら、それはあなたが仮にそれをしたとしても、そのことについては責任がないということになるかな？

・あなたにとってやらずにはいられないことはある？

・やらずにはいられないことをやってしまった人を罰することはできる？

ビリーは子どもたちが遊んでいるところにたどりつきました。ビリーは近づいていき（明らかにその子たちはビリーが誰であるかわかっていませんでした）、遊びに参加しはじめます。ビリーは子どもたちにとてもえらそうにしていたので、口論になるのにそう時間はかかりませんでした。そして、「バン!」彼は誰かを泣かせてしまい、子どもたちはもう彼とは遊びたくなくなってしまいました。しかし、ビリーは今度は嫌な気持ちにはなりません。なぜなら、彼はおばあさんの薬を飲んだので、人をぶってしまうことをやめたくてもやめられないからです。ビリーは

再び元気よく、笑顔でその場を立ち去りました。

　ビリーはもう人を傷つけることを悪いとは思ってはいない様子でしたが、相変わらずトラブルに巻き込まれ、友だちをつくることはうまくできませんでした。しかし彼は、コンピューターゲームに集中していれば他のことは気にしなくていいと考えました。

　数カ月後、彼はゲームにすっかり飽きてしまいました。そして外に出て子どもたちと遊びたいと思いはじめました。そこで、ビリーが外に出ると、すぐに遊んでいる子どもたちに出会いました。しかし今となっては、誰もがぶっちゃうビリーのことを知っているので、子どもたちは彼と遊ぼうとはしません。彼は一番近くにいる男の子にまっすぐ近づいていき、威勢のいい声で言います。「いいか、君は僕の友だちになるんだ!」「でも、ビリー、僕は君と遊びたくないよ。だって、ビリー、君は僕をぶっちゃうんだから」と、小さな男の子が緊張して答えます。

　「いいや、ぶたないよ!」とビリーは怒って答えます。

　「ううん、ぶっちゃうよ」「いいや、ぶたないよ!」「ぶっちゃうって」「ぶたない!」

　「バン!」そしてその小さな男の子は、泣きながら走り去っていきました。

　そこでビリーは一緒に遊んでくれそうな他の子どもを探しに行きました。すると、何人かの女の子が一緒に遊んでいるのを見つけました。

　「いいか、君は僕の友だちになるんだ!」ビリーは女の子の1人に言います。

　「でも、私はあなたの友だちになりたくないの。だってあなたは私をぶっちゃうでしょう」とその女の子は彼に言います。

　「いいや、ぶたないよ!」「ううん、ぶっちゃうよ」「いいや、ぶたないよ!」「ぶっちゃうって」「ぶたない!」

　「バン!」そして、女の子は泣きながら急いで逃げ出していきます。

　ビリーは再び動揺して、家の裏の森の中の彼の特別な場所に走って行

きました。そして、古い樫の木の下に座って、丸1時間泣き続けました。泣き止んで涙を拭いたとき、彼はまたこの間のようにおばあさんが彼の前に立っていることに気づきました。

「どうしたんだい、ビリー？　どうして泣いてるの？　私の魔法の薬は効かなかったかい?」と彼女は彼にたずねます。

「薬は確かに効いたし、人を叩いても嫌な気持ちにはならなくなったよ。でも、今もいつもトラブルを引き起こしちゃうし、今は誰も友だちがいないんだ」

おばあさんはあごを手で押さえながら考えていました。そして、「そういえば、ちょうどいいものがあるよ」と言います。前回と同じように、彼女はバッグに手を入れ、液体の入った別のガラス瓶を取り出しました。「この薬を飲むと、誰かをぶつことができなくなるのよ。あなたは人をぶってやりたいと思っても、ぶつことができなくなるのよ」

「それでいいんだ!」ビリーは叫んで、彼女の手の瓶をつかみ取ると、瓶の蓋を外して一度に飲み干しました。ゴクゴク。そして、笑顔で歌いながら、元気よく立ち去りました。ビリーは急いでその場を立ち去ったので、彼はおばあさんが再び独り言を言っているのには気づいていませんでした。

Q2：ビリーは誰にも「バン!」とぶたなくなると思う?

すぐにビリーは遊んでいる子どもたちに出会いました。ビリーが近づいてくるのを見ると、子どもたちは逃げ出そうとしました。ビリーは「止まってくれ!　一緒に遊んでよ!」と叫びながら追いかけます。やがて彼らは立ち止まり、彼の方を向いて言いました。「ビリー、僕たちは君とは遊びたくないんだよ。だって君は僕たちみんなをぶっちゃうだろうからさ」

「いいや、ぶたないよ!」「ううん、ぶっちゃうよ。」「いいや、ぶたないよ!」

「ぶっちゃうって」このやりとりを聞きながら、子どもたちはそろそろ「バン!」とぶたれるだろうと予測し、目をぎゅっと閉じました。しかし、どうやら何も起こりません。おそるおそる目を開けると、ビリーが両手を広げて立っているのが見えました。

「どうしたんだい、ビリー?」と子どもの1人が言います。「どうして僕たちを『バン!』とぶたないの?」

「もう僕は誰もぶたないからだよ」とビリーは答えます。そして、彼自身も他の子どもたちと同じくらい戸惑って、うろうろと歩き始めます。

　何週間か経って、先生が尋ねます。「どうしたんだい、ビリー?　この数週間、誰のこともぶっていないじゃないか」

　彼の母親は学校に電話をかけて言います。「どういうことでしょう?なぜビリーの問題あるふるまいについて、ここしばらく私に電話がないのでしょうか?」

「バッシュさん、彼はここ数週間、誰もぶっていないからですよ」とスクールカウンセラーは言いました。

「本当にうちのビリーの話をされていますか?」と驚いて聞き返します。

「そうなんです」時が経つにつれ、子どもたちはまたビリーと遊ぶようになりました。ビリーはついに友だちができたので、とても嬉しい気持ちでした。それから1年ほど経ったある日、ビリーは彼の特別な場所で、1人で考え事をしたり、遊んだりすることにしました。1時間泣いていたわけではありません。泣くわけでもなく、涙を拭いていたわけでもなかったのですが、やはり目の前に、以前とまったく同じ場所におばあさんが立っていることに気づきました。

「どうしたんだい、ビリー?　今日はどうして泣いていないんだい?」おばあさんはとても驚き、心配そうに話しかけました。

「あなたの薬を飲んでから、僕は人をぶつのをやめたんだ。今は友だちがたくさんいて、幸せなんです」

おばあさんは不思議そうな顔をして、それからゆっくり、しばらくするとケタケタと笑い始めました。ビリーは困惑して彼女を眺めています。すると、彼女はさらに大笑いをして、ビリーは何が起きているのかを考え始めました。

「なんで笑っているの?」と彼は尋ねます。「何がそんなにおかしいのさ?」

「ビリー、あなたに言わなければいけないことがあるんだよ」と彼女は話し始めます。

　おばあさんが革のバッグを開けると、中には何十種類もの薬の瓶が入っているのが、ビリーに見えました。彼女はその中から1つ取り出して、彼に手渡しました。

「どんな形をしているように見えるかい?」とおばあさんは彼に尋ねます。

「透明で、ちょっと水のように見えますね」とビリーは言います。おばあさんはさらに大笑いをしています。「そうだろうね。それはどんなにおいがするかい?」ビリーは蓋を開けて、中の液体の匂いを嗅ぎます。「何のにおいもしないですね。しいていえば、それは……水のようなにおいかな」おばあさんはまたくすくす笑い、ビリーは何かを疑いはじめました。

　最後に、彼女は言いました。「ビリー、この薬はどんな味がするかなめてごらん」彼は味見をしました。でも彼はなんとなくどんな味がするかはもうわかっていました。「水のような味がする!」と彼は叫びました。おばあさんはそれを聞いて大笑い。「ビリー!」彼女は言います。「あなたが飲んだ薬はすべてただの水だったんだよ」おばあさんはもう笑いが止まりません。その笑い声にビリーは苛立ちを覚え、怒りがこみ上げてくるのを感じました。彼はにぎりこぶしをつくり、顔は怒りで真っ赤になりました。

　……しかし、このお話は普通のお話ではありません。というのは、他

のお話と違って、結末はあなたに考えてもらいます。あなたは、ビリー
はどうすると思いますか？　そしてなぜそうすると思いますか？

ビリーはにぎりこぶしをつく
り、顔は怒りで真っ赤になりま
した。

　ここで止めて、次のような問いをボードに書きましょう。

Q3：この後、ビリーはおばあさんをぶっちゃうかな？

・ビリーは自分をコントロールできる？
・とても怒っているときに、ビリーは自分をコントロールできる？
・私たちは常に自分自身をコントロールすることができているかな？
・私たちが自分自身をコントロールできるときと、できないときってど
　んなとき？
・私たちは自分の感情をコントロールすることはできる？
・私たちは、自分がどのような人間であるか、またはどのような人間で
　ありたいかを決めることはできる？

- 自制心ってなに?
- あなたは自分をコントロールするための方法を何か知っている?

　はじめに、子どもたちにペアやグループで話す時間をつくりましょう。どこかの時点で、子どもたちが物語を理解しているかどうかを確認する質問をするのを忘れないようにしましょう。子どもたちの考えを聞きながら歩き回るときか、あるいは問いを提示する前にクラス全体にたずねると良いでしょう。

> Q4：本当に怒ったとき、あなた自身は自分をコントロールできる?

さらなる問い
- もし薬がただの水だったとしても、それは効果があったといえるかな?
- おばあさんは結果的にビリーを助けたといえる?　もし薬がただの水だったのならば、なぜ彼は人をぶつのを止めたのかな?
- 誰かをぶたずにはいられないとしたら、あなたは嫌な気持ちになって当たり前だろうか?

チャレンジ!

　このセッションのさらに発展させた活動として有効なのは、子どもたちがそれぞれの自制心を保つための方法、より正確には、自制心を脅かすものに対処していくための方法を共有しあうことです。私は子どもたちに、本当に怒っているときに、怒りに

まかせて何か悪いことをしてしまうことがないようにするには、どんな方法があるかを考えるように言います。5〜6人のグループに分け、決められた時間内にできる限り多くの自分なりの方法を大きなカードに書き出すように言います。それをクラスで共有し、教室のどこかに貼っておき、みんなが見て、必要なときに参照できるようにします。この話し合いには、ファシリテーターや教師の繊細さが求められるので、注意して取り組むようにしましょう。たとえば、個人的な体験談や自分なりの方法を共有することに抵抗を感じている場合には、無理強いしないようにします。

哲学のキーワード

中心となる哲学 ▶ ソクラテス、プラトンと意志の弱さ
関連する哲学 ▶ ロックと自由意志
　　　　　　　　モラルの哲学
　　　　　　　　サルトル、ボーヴォワールと人間の本性
　　　　　　　　ソクラテス、アリストテレスと魂
　　　　　　　　スピノザと決定論

何もないということ について考える

テーマ

- ・実在
- ・言語
- ・参照
- ・意味
- ・数字
- ・数学
- ・古代ギリシア

哲学的背景

「無」とは文字通り、何も「ない」という事実を指しています。しかし、哲学者たちは「ない」ということについて考えることが大好きです。それこそ、このテーマを何千年もの間考え続けてきました。また、これは子どもたちにも人気のある哲学的なテーマです。何もないということにはとても愉快なパラドックスがあり、このテーマほど考えるにふさわしいものはありません。

　特に哲学者のパルメニデス（紀元前520〜450年頃）は、「ない」ということを考えることが好きでした。このテーマについて、パルメニデスの考え方には2つの筋道があります。第1に、彼は「ない」ということを考えることは不可能だと考えました。なぜなら、「ない」ということを考えるためには、「ない」を何か違うものに変えて考えなければならなかったからです。第2に、「ある」ものしか存在はできないので、「ない」

は存在しないとも考えました。「ない」ものはまさに「そこにない」ということであり、「そこにあるもの」にはなれません。あなたは、子どもたちの推論が、パルメニデスの推論の最初の議論である「なぜ「ない」ということを考えることは不可能なのか」と似ていることに気がつくはずです。

　私たちは哲学において「議論」という言葉をよく使いますが、これは日常会話で使うものとはまったく異なります。哲学者が使う「議論」を説明せずに、子どもたちと一緒に「議論」という言葉を使うと、混乱する可能性があります。特に小さい子どもの場合は、「議論」の代わりに「考えたこと」「思ったこと」などと表現することで、混乱を避けることができるでしょう。あるいは、8歳以上の子どもには、その違いを説明してもよいかもしれません。まずはじめに「議論」という単語を板書し、その意味を子どもたちに尋ねます。それぞれの意味を聞きながら、それを視覚的に整理し、意味の違いを説明できそうなものを探します。ある子どもは、「議論とは自分自身を説明しようとすること」、またある子どもは「2人の人が何かについて意見が違ったために、お互いに怒鳴り合うこと」と言うかもしれません。この区別を自分たちでできるようになったら、p.219の「ピラミッドの影」で紹介した定義を使ってみてください。今日、哲学者が「議論」という言葉を使うときの意味は、（間違いなく！）パルメニデスとその後継者たちから始まったと言えるでしょう。

哲学の素材

背筋を伸ばして、足を地面につけて座り、目を閉じましょう。
では、1、2分、何も考えないようにがんばってみましょう。

　子どもたちには、2分程度の時間を与えましょう。じっと静かにして、外から気をそらしてくるものをできるだけ抑えるようにします。クラス

でこの課題をやり遂げた人がいるかどうか、「何も考えずにいられた人はいる?」と、尋ねることから始めてみましょう。そして続けて、「どんなふうに」または「そうでないなら、どうしてできなかった?」と聞きましょう。これで意見の対立から議論を始めるには十分かと思います。しかしながら、ある時には次のように、より明確に哲学的な問いを問うことが有効となるかもしれません。

> **Q1：何も考えない、ってできる?**

さらなる問い
・「ない」とは何か?
・「ない」ことは何かであるのか?
・「ない」は存在するのか?
・「ない」と言う言葉は「ない」のか、それとも何かであるのか?
・空っぽの空間は「ない」ということなのか?
・「何も考えていない」ということは、「ないことを考えている」ことと同じなのか?
・「考えないこと」は「ない」を考えていることなのか?
・考えるとは何か?
・「考えること」は「何かを考えること」と同じなのか?

　この思考実験の後、私はいつもクラスでQ1について話し合う時間をとっています。このセッションは、子どもたちがきちんとした「議論」を始めるのにちょうどよいのです。私はクラスで、セッションの半分以上の時間を使ってこの問いについて議論させた後、パルメニデスの議論を紹介しました（その理由についてはp.253「下地になるディスカッション」参照）。ホワイトボード、またはプリントで、2人1組となって論点を整理し、発表してみましょう。

パルメニデスの議論

　何も考えないということはあり得ない、なぜなら……

　もしもあなたが「ない」ということについて考えるなら、あなたが「ない」ということについて考えられるように「ない」は何かあるものにならなければならない。

　子どもたちに、パルメニデスに同意するかどうか聞き、彼の議論を批判的に検討してみるように促しましょう。こちらはパルメニデスの別の議論です。もし議論が可能であれば、こちらを使うこともできます。最初のものよりも少し高度になっています。

　「何もない」ということは存在できない、なぜなら

　　あるのは「あるもの」だけである。

　　何もないとは「ないもの」である。

　「ないもの」があると言うことには意味がない。

　だから、「何もない」は存在することができない。

　以下は探究のための、関連するおまけの問いです。

> Q2：ゼロは数字?
>
> Q3：ゼロとは何?
>
> Q4：ゼロは「ない」と同じ?
>
> Q5：もしも私が「0」と板書したら、教室でみんなが見ることができるようにそこに存在しているから、私は「ない」ということを証明できたのかな?
>
> Q6：もしもあなたが何かについて考えることができるなら、それは存在しているってこと?　存在していないものを考えることってできる?

Q7：a) 何かあるものが「ない」状態になることは可能?
　　　b)「ない」ということが何かになることは可能?

哲学のキーワード

中心となる哲学 ▶ ソクラテス以前の哲学者たちと自然哲学
関連する哲学 ▶ アリストテレスと三段論法
　　　　　　　　バークリーと観念論
　　　　　　　　ヘラクレイトスと変化
　　　　　　　　形而上学：「ある」とはどういうことか
　　　　　　　　ゼノンとパラドックス、無限

6人の賢者たち

テーマ

・部分と全体（一対多）　　・知恵
・観点　　　　　　　　　　・協力
・知識

哲学的背景

　このセッションは、「ピラミッドの影」（p.219）と関連しています。ここでの主なねらいは、「群盲象を評す」という古くから伝わる物語を用いて、部分と全体の関係についてクラスで考えられるようになることです。哲学において、こうしたテーマは「メレオロジー」として知られていて（「メレオ」というのは、ギリシア語で「部分」を意味する「メロス（meros）」という語に由来しています）、少なくとも、古代の哲学者アリストテレスにまでさかのぼる伝統的なテーマです。アリストテレスは、おおよそ次のように言ったとされています。「全体は部分の総和とは異なる」（これは『形而上学』の第8巻でアリストテレスが述べたことのよく知られた言い換えです）。ここでの重要な洞察は、部分が一体となることで、部分以上のなにかを生み出すということです。砂の山を思い浮かべてください。そして、もっと複雑なものと比べてみましょう。砂の山は、ただの砂粒の集まりです。しかし、たとえば分子や原子の、ある特定の配列は、分子や原子の単なる集まり以上のものを生み出すこ

とができます。つまり、私やあなたのような考える存在を生み出すこともできるのです。

　テントの中身が象であることをクラスの子どもたちが知っていたとしても、このセッションの哲学的なねらいは大きな影響を受けません。しかし、私はほとんどの場合、お話を知っている子にはテントの中身について他の子に言わないようにお願いしています。これは単純に、お話を知らない他の子たちの楽しみを奪わないようにするためです！　このお話は、淡々と読み上げるよりも、テントの中に入ったときにそれぞれの「賢者」がなにかと出会う様子を真似しながら語りかける方がいいかもしれません。

　このセッションは、知識とその限界について話し合う際にも活用することができます（**チャレンジ!**を参照してください）

哲学の素材

　むかしむかし、インドに6人の賢者がいました。この6人の賢者たちはそれぞれ、自分はすべてのことを知っていると思っていました。賢者たちが優れた知恵の持ち主であるという噂はインド中に知れ渡り、やがて、とあるマハラジャ（王のような存在のこと）の耳にも届きました。マハラジャは、6人の賢者たちはみんなが（特に6人の賢者たち自身が）思うほど、本当に賢いのかを見極めるためにテストしてみることにしました。マハラジャは、6人の賢者たちが自分たちの名声を守るためにやってくるとわかっていました。そして、マハラジャの予想通り、賢者たちはやってきたのです。

　賢者たちが到着すると、マハラジャは中庭に立てた大きなテントを見せて、「テントの中身はなにか、私に答えてみせよ」と言いました。その様子を、何千人もの人が中庭の周りから見ていました。

6人の賢者のうちの1人がこう言いました。「簡単さ。私たちはすべてのことを知っているし、すべての本を読んでいるのだから」と。

　マハラジャは、「そうであろう、さぞ簡単なことであろう」と返しました。そして、「とても簡単なことであろうから、すこし難しくするために、目隠しをしてもらおう」と言いました。

　テントには入り口が6カ所あり、6人の賢者たちはそれぞれ別の入り口から中に入りました。1人目の賢者は、1つ目の入り口に案内されました。中に入るとすぐに、なにか大きくて平らなものにぶつかり、彼の前に立ちはだかりました。手を伸ばしてみると、どこに手を伸ばしてもぶつかるくらいの、とても大きなものが立っていることがわかりました。1人目の賢者はテントから出ると、満足そうな顔でこう言いました。「テントの中身がわかったぞ、これは壁だ」（板書しておきましょう）。

　同じく目隠しをされた2人目の賢者は、2つ目の入り口からテントの中に入りました。2人目の賢者は、壁とはまったく違うなにかを感じました。手でつかんでみると、それは、長くて、細くて、やわらかいものでした。はしっこがほつれていて、ごわごわするような手触りです。テントから出てくるとこう断言しました。「テントの中にあるのは、ロープだ!」（板書しておきましょう）。

　3人目の賢者が3つ目の入り口からテントの中に入ると、すぐに、長くて、細くて、なめらかで、かたいなにかを感じました。それは少し曲がっていて、先が尖っていました。「槍だ!　曲がっているけれど、これは絶対に槍だ」と3人目の賢者はマハラジャに言いました（板書しておきましょう）。

　4人目の賢者は、大きくて、ぱたぱたとした、革のような感触のなにかが、地面から離れたずっと高いところにあるのを見つけました。彼は、「棒に付いた旗だ!」と言いました（板書しておきましょう）。

　5人目の賢者は、どうして旗だなんていえるのか、まったくわかりま

せんでした。なぜなら、かたい円柱が地面から伸びているのを見つけたからです。それは、とてもかたくて、粗い手触りのものでした。彼は、「これは木の幹だ」と言いました（板書しておきましょう）。

　最後に、6人目の賢者もテントの中に入りました。彼は、長くてヌメヌメしたなにかが、クネクネと動いているのを感じました。彼は、テントから出てくると「これはヘビだ！　私はヘビが嫌いなんだ！」と叫びました（板書しておきましょう）。

板書しておいたリストは以下のようになるはずです。

1.　壁
2.　ロープ
3.　槍
4.　旗
5.　木の幹
6.　ヘビ

さらなる問い

・テントの中のものが、1つってこともある？

・もし、テントの中にある壁やロープ、槍、旗、木の幹、ヘビ、これ
ら全部がひもで結ばれていたとしたら、それは1つのものといえる？
それとも、6つのものかな？

・もし、槍を持った人間の像があったとしたら、そこには、いくつのも
のがあることになる？

・もし、人間（像ではない）が槍を持っていたとしたら、そこには、い
くつのものがあることになる？

　この段階では子どもたちに、テントの中になにが入っていると思うか、
まだ言わないように伝えましょう。

　6人の賢者たちはその場に立ったまま、テントの中身について長いこ
と言い争っていました。そして、賢者のうちの1人が、「もし、マハラジャ
が私たちを騙そうとして、テントの中身は1つじゃなくて、6つだとし
たら、どうする！」と言いました。

　これに対しマハラジャは、テントの中身は1つであることを断言しま
した。そして、テントの中身がなんであったのか、答えるときが来たこ
とを伝えました。

Q2：6人の賢者たち全員の説明がぴったりとあてはまる、テン
　　トの中の1つのものってなんだろう？　もし、子どもたち
　　が心配そうにしていたら、「マハラジャは嘘をついていな
　　いよ」と説明してあげましょう。

さらなる問い

・変化するものってこともあるのかな？
・変化することのない1つのものってこともあるのかな？
・「1つのもの」といえるのって、どんなもの？
・ものってなに？
・1つってなに？

　さあ、決断の時です！　6人の賢者たちはそれぞれ、決断のときになっても自分の意見を曲げないままでした。1人目の賢者は「私が最初に言った通り、これは壁だ」と言いました。2人目の賢者は「ロープだ」と言いました。3人目の賢者は「いいや、これは槍だ」と言いました。4人目の賢者は「これは旗だ」と言いました。5人目の賢者は「これは木の幹だ」と言いました。そして最後に、6人目の賢者は「これはヘビだ。逃げているときに、ヘビだとわかったんだ」と言いました。

　お話のこの時点で、それぞれの子どもに「テントの中になにが入っていると思うか」一言で答えてもらいます。話し合ったりせず、すぐに答えてもらいましょう。次に進む前に、子どもたちの答えについて少しだけ話し合うのもよいかもしれません。よさそうな答えがあったら、6人の賢者たちが言っていたそれぞれの描写について説明がつくかどうかたずねてみましょう。たとえ、「象」という答えが出なくても、たとえば「龍」とか、とても近い答えにたどり着く可能性は十分にあります。

　テントの中に入っていると思うものについて、すべての賢者たちが言い終えるとすぐに、マハラジャはテントを引き上げるように指示しました。たくさんの兵士たちがテントの横にある何本かのロープを引っ張ります。テントが地面から数メートル上がったとき、4本の木の幹のようななにかが見えました。

そしてついに、テントが引き上げられ、中に入っていたものが明らかになったのです。それは……象でした！ 6人の賢者のうち誰1人として、「象」であることを言い当てた人はいませんでした。そして、マハラジャは6人の賢者たちに「結局のところ、君たちがすべてのことを知っているわけではないということが、このテストによって証明されたのだ」と言いました。

屈辱的な沈黙が少しあったあと、賢者の1人が「あなたは、テントの中身は1つのものだけだと言っていたのに、象は1つのものではないじゃないか!」と言いました。

Q3：象ってひとつのもの?

さらなる問い

・象にはいくつのパーツがある?
・なにかが1つのものであるって、どうやって決める?
・象が、1つのものでもあるし、多くのものでもある、ということってありえるのかな?
・あなたは1つのもの?
・あなたはもの?
・ものが何個からできているかを判断するときのポイントは?

 チャレンジ!

知識

チャレンジ!では、このお話のもつ別の中心的なテーマについて、探究を始めることができます。以下を読んで、クエスチョ

ンについてたずねてみましょう：

このお話では、6人の賢者たちはみんな、自分たちはすべての
ことを知っていると思っていました。

> Q4：すべてを知ることってできるのかな？

さらなる問い
- なにかを知るって、どういうこと？
- どんな種類のことを知ることができるんだろう？
- 知ることができないことってあるかな？
- いつの日か私たちは、すべてのことを知れるようになるのか
  な？
- 私たちはどうやってなにかを知るのだろう？
- もし、6人の賢者たちが協力していたら、マハラジャに答え
  ることができていたのかな？
- 知識って、自分1人で得るもの？　それとも、他の人と一緒
  に得るもの？
- 知識について、「循環を断ち切る」ワザに挑戦してみよう。「知
  るとは……」（p.78を参照）

別の惑星の
あなた

テーマ

・人格の同一性　　　　・人間性
・同一性

哲学的背景

　このお話は人格の同一性についてのものです。このお話を通して、子どもたちは、その人をその人たらしめるものはなんなのかについて考えていくようになります。このアイデアは、哲学では「人格性」と呼ばれています。「同一性」は、また別の哲学におけるよく知られたトピックで、なにかが同じものだと言えるために何が必要かを考えるものです。これに関連して、哲学者たちは、同一性を「数的な同一性」と「質的な同一性」という2種類に区別してきました。数的な同一性とは、なにかがつくられるもとになる材料に関するもので、一方、質的な同一性は、なにかがもっている性質に関するものです。たとえばある日、イスを1つ見かけて、翌日には別の部屋で別のイスを見かけたとしましょう。このとき、この2つのイスがもし別の部屋に運ばれたまったく同じイスだったなら、イスは数的に同一だと言えます。ですが、同じ形、デザイン、色であったとしても、同じ工場で同じときに同じ素材で製造された別のイスだったのなら、2つのイスは質的に同一だということになります。この質的に同一なイスを同じ部屋に置いたなら、そこにあるイスは当然2つです。

ですが、もし仮に数的に同一なイスを同じ部屋に置こうとすれば、そこにあるイスは1つだけです。あまりにも当たり前のようではあります。ただし、人格性と時間とがもたらす難問について考えだせば話は別です。時間が経つにつれて、細胞などあなたをつくる要素は、それが入れ替わるのに合わせて変わっていきます。つまり、生まれたときの「あなた」は、80歳のときの「あなた」の要素と同じではないのです。ですが、同時に製造された2つのイスよりも、80年を経た2つの「私」のほうが、より強い結びつきがあると言いたい気持ちを私たちは抱くものなのです。

哲学の素材

　人間が他の惑星で資源の採掘ができるようになった未来。あなたが地球とは別の惑星で仕事をしていると想像してみてください。あなたはその惑星でただ1人、基地で働いています。だからロボットやコンピューターにはできないすべてのことをやる必要があります。

　ある日、その惑星のどこかで機械が故障して、それを修理しなければならなくなりました。そこで、あなたは事故に巻き込まれ、そのまま死んだものとして見捨てられてしまいます。ですが、実はあなたは死んではおらず、数日間意識を失っていただけだったのです。その後あなたは目を覚まし、基地へと戻ってきました。基地に着いて目にしたのは衝撃的な光景でした。なんと、あなたがいなくなった後で、見た目も話し方もあなたにまったくそっくりな別の人物があなたに取って代わっていたのです。

　あなたはなにが起きたのかを調査してみることにしました。すると、基地の地下に何百もの「あなた」が、必要なときに起こされるのを待ちながら深い眠りについているのを発見したのです。その一体一体があなたのクローンでした。基地のコンピューターはあなたが死んだと判断したため、あなたの任務を引き継がせるためのクローンを一体、復活させていたのです。

クローンとはどういうものかについては、あなたが説明するか、子どもたちの1人に説明するよう頼んでみましょう。どうやったらクローンができるのかを説明するには、植物を例に使うのがよいでしょう。

 **ヒントとコツ　考えることに向けた
お話へのアプローチ：読解タイム**

1人の子にお話をもう一度繰り返してもらい、大事な要素が抜け落ちていると思う人はいないかを確認しましょう。まだ見落としている重要な要素があればそれをあなた自身で埋めていきましょう。この作業は、何が起きているのかを子どもたちが理解する助けになるはずです。そうしたあとで、クエスチョンを問いかけましょう（p.42参照）。

Q1：基地では2人の「あなた」が働いていることになるけど、
　　　2人の「あなた」は同じ人と言えるかな？

以下のような発言と返答に対する問いかけ（RQ）のやりとりが予想できます。

「2人は同じ人だと思う。なぜかっていうと……」
・2人は同じDNAをもっているから。

RQ：それはつまり一卵性の双子は同一人物になる、ということかな？

・2人は見た目が同じだから。

RQ：2人の人が見た目がまったく同じだけれど別人である、と
　　いうことはありえない？

「2人は別人だと思う。なぜかっていうと……」
・1人は人間で、もう一方はクローンだから。
・2人は別々の記憶をもっているから。

RQ：もし2人がまったく同じ記憶を移植されているとしたら
　　どう？

・2人は好きなものが別かもしれないから。

RQ：2人の遺伝子がまったく同じだとしたら、2人は別のもの
　　を好きになるのかな？

・もし仮に2人が同じ人物なんだったら、2人はまったく同じ考え方を
　して、同時に同じように動くはずだから。

RQ：2人が繋がれていたとしたら、同じように動き、同じよ
　　うに考えるけれど、それでも別人である、ということは
　　ありえない？

・もし2人が同じ人なんだとしたら、2人は同じ時、同じ場所にいなく
　ちゃいけないから（11歳の子の表現を借りれば、いわば「お互いの
　中にいる」状態）。

後半の2つの考えによって明らかになるのは、子どもたちが数的な同一性というアイデアに向かいつつあるということです。つまり、子どもたちは、同じ性質を共有しているだけでは、人格的な同一性には足りない（言い換えるなら「十分ではない」。p.73「何が必要で何があれば十分?」を参照）ことを理解し始めているのです。

 ## チャレンジ! より年長の子どもたち向け

1人は人間で、もう一方はクローンだという考えにおもしろい要素を追加したいなら、ディスカッションの後半で、次のように提案してみることもできます。調査を通して、2人はどちらもクローンで、オリジナルはすでにずっと昔に死んでいたということを発見した、と。こういった提案は、より年長の子どもたち（12歳以上）だけに行うようにしましょう。

Q2：このことは2人にとってどんな意味があるかな？
2人は人間ではない、ということ？

哲学のキーワード

中心となる哲学 ▶ ライプニッツと同一性
関連する哲学 ▶ デカルトと二元論
　　　　　　　　ヘラクレイトスと変化
　　　　　　　　ホッブズと唯物論

＊対話の素材のアイデアはダンカン・ジョーンズ監督・脚本の映画『月に囚われた男』から着想を得ています。

シービーのお話

イントロダクション

「シービーのお話」は、AIを取り巻くさまざまな問題を深めようと考えられた、いくつかの物語をまとめたシリーズです。これらのセッションはそれぞれ分けて使おうとはしないでください。主に7歳から9歳の子どもたちに使われますが、7歳以上の初等教育を受けている子どもたちなら、どの年齢層にでも活用できます。それぞれのストーリーは1つのセッションとして扱われるべきものです。とはいえ、場合によっては2～3回分のセッションになることもあります。私の経験では、子どもたちはシービーというキャラクターに大きな関心を寄せます。シービーは、物語に含まれる問題に子どもたちを引き込む素晴らしい仕掛けとなっています。これらのテーマについて、大人向けのものとしては、アイザック・アシモフの『われはロボット』、『バイセンテニアル・マン』などがあります。こうした物語は、「シービーのお話」の発想の源と言えるかと思います。「シービーのお話」のすべてのセッションには、アラン・チューリング（シービーのお話の「トニー・テスト」を参照）が1950年に出した論文「計算する機械と知性」の冒頭に書いた問いである、「機械は考えることができるのか?」という問いが吹き込まれています。この問いを頭の片隅においておくと、ストーリーを読みすすめる参考になるでしょう。

シービーのお話
友だち

テーマ

・友愛
・関係性

・エンパシー

哲学的背景

　友情というテーマは、哲学にとってちょっと意外なテーマかもしれません。けれど、このテーマはプラトンのような有名な哲学者たちによって話題にされてきました。アリストテレスはその著作の中で、友情（友愛）について最も徹底的に議論しており、それは今でもよく取り上げられています。また、友情のテーマは自分以外の「もの」や「こと」との関係を考えることも含まれています。興味深いことに、子どもたちは友情の概念に無生物をよく含めます。これは大人の友情観とは正反対です。けれども、「もの」や「こと」は無関係でも間違いでもなく、このセッションを生き物だけ、あるいは人間だけに限定する場合よりも、充実したものにすることができます。このセッションでは、私たちが普段「もの」とどのように関わり、「もの」との関係性がどのように定義されているのか、また理解されているのか、について議論することができます。

哲学の素材

　ジャックはみんなと同じ年くらいの男の子で、最近新しい学校に転校してきました。内気な性格で、いつも隅っこで、本に埋もれて過ごしています。

　ジャックのお母さんは、朝ご飯を食べながら、ジャックに学校で新しい友だちができたか尋ねました。ジャックは言いました。「僕には本があるから、本が僕の友だちなんだ」

　ジャックのお母さんは「コンピュボティクス」というコンピューターとロボットをつくる大きな会社を経営しています。ジャックのお母さんはジャックの言ったことをよく考えたあと、あることを思いつきました。

　クリスマスがやってきました。ジャックはもみの木の下のプレゼントを見ようと急いで階段を降りました。ジャックはもみの木と同じ大きさの不思議なプレゼントを見つけました。

　ワクワクしながら開けてみると、そこには平らな台にジャックと同じ背丈のポールがくっついていて、そのポールの上にはコンピューターがのっていました。ジャックは尋ねました。「これはなに?」

　ジャックのお母さんは、大きな笑みを浮かべて言いました。「スイッチを押して見てみたら?」

　ジャックが電源スイッチを押すと、コンピューターはブーンという音を立てて動き出しました。突然、スクリーンに顔が現れました。2つの目に、口と鼻。「こんにちはジャック、私の名前はCB-1000デス。あなたに会えてとてもうれしいデス」と、キーキーとした金属音がスクリーン両脇のスピーカーから聞こえてきました。話すことに合わせて画面の中の口が動いています。ジャックは驚きました。

　お母さんは、このコンピューターが「CB-1000」という、ジャックのために特別につくったコンピューターの友だちだと言いました。ジャックはこのプレゼントに大喜びしました。けれども、お母さんがつけた、

この新しい友だちの名前はよくないと言い、ジャックはコンピューターの名前を変えました。ジャックはお母さんに新しい名前の綴りを書いて見せました。「C-E-E-B-I-E：シービー」

　シービーはジャックの部屋に置かれました。コンピューターの左右にあるスピーカーの下にはセンサーがあり、ジャックに話しかけられるとシービーが反応するようになっています。ジャックは新しい友だちに大喜びです。

　シービーはジャックにどんなことでも話すことができます。ジャックがシービーに話したいことを伝えると、シービーはそれに関するすべての情報をダウンロードすることができます。ジャックは知りたいと思ったどんなことでも知ることができます。

　さて、そんな中、学校ではジャックにトニーという新しい人間の友だちができました。2人はよく一緒に遊び、トニーはいつも冗談を言ってジャックを笑わせました。そしてついにジャックは、トニーにシービーを見せようと決めました。けれどもトニーは嫉妬し、ジャックがコンピューターの友だちをもつなんてバカげていると言ってしまい、ジャックを怒らせてしまいました。ジャックは言いました。「シービーは何でも話せるし、どんなことでも君より知ってる」

「でも、シービーはちゃんとしゃべれないし、出かけられないし、僕みたいに君を笑わせられないじゃないか。それは本当の友だちじゃないよ。それにとにかく、シービーはただのコンピューターで、コンピューターはプラスチックと金属とナットとボルトでできているだけだよ。友だちにはなれないよ」

> Q1：シービーは本当の友だちになれる？

さらなる問い
・本当の友だちってなに？

・シービーってなに?

・本当の友だちってどんなことをするの?

・ジャックはシービーと友だちになれる?

・トニーの言う通り、本当の友だちはちゃんと話ができたり、一緒に出かけたり、笑わせてくれたりしなければならない?

　この問いかけをするとき、トニーが言った理由についてよく考えるよう、子どもたちに念を押してください。

「でも、シービーはちゃんとしゃべれないし、出かけられないし、僕みたいに君を笑わせられないじゃないか。それは本当の友だちじゃないよ。それにとにかく、シービーはただのコンピューターで、コンピューターはプラスチックと金属とナットとボルトでできているだけだよ。友だちにはなれないよ」

　そうすることで、対話の流れをつくるだけでなく、その理由が心に残って、その理由をふまえながら問いについて考えることができるようになります。

Q2：本当の友だちってなに?

　Q2の使い方の1つとして、この問いでコンセプトマップ（p.71）を別途作成し、それぞれの段階ごとで子どもたちに、「シービーは自分が定めた友だちの基準を満たしていますか?」と問う方法もあります。たとえば、もしも子どもたちが、「友だちは自分を大事にする必要がある」と言ったら、「シービーは自分／ジャックを大事にすることができますか?」と聞いてみましょう。こうすることで、「何が友だちを構成しているのか」という一般的な議論を、ストーリーやQ1と常に結びつけておくことができます（p.68）。

さらなる問い

・物は友だちになれる?

・椅子はどう?

・テディベアや人形はどう?

 テツガク　概念の分析

哲学には多くの概念の分析が関わっています。これは、議論や
問いに関わる概念や、考え方の意味を分析することを指します。
哲学者がよく議論の場で、「それは……の意味にもよりますが」
と言うのはこのためです。このことが、人によってはとてもも
どかしくて、哲学が重箱の隅をつつくようだ、と思われる理由
の1つになっています。しかし、私たちが使う概念は、私たち
の考えや発言のすべてに関わっています。人々が議論するとき
にとてもよくある問題の1つは、その用語を適切に定義するこ
とをやめてしまい、議論が噛み合わなくなってしまうことです。
議論の間、そこで使われている概念の分析に時間をかけること
で、無駄な意見の食い違いや、論争を避けられることもあるで
しょう。

教室で概念分析をするさいに役に立つ方法の1つは、ある話題
に隠れている一般的な概念の問題を探し、この問題をより具
体的な議論につなげるという方法です。たとえば、ヘンリー8
世（*）はよい指導者だったかどうかを議論するとします。こ
れに関連する概念的な議論の話題としては、「よいリーダーと
は何か?」といったものが挙げられます。このように探究した
後、ある基準をもって子どもたちは「ヘンリー8世はよい指導

者だったのか」というセッションの最初の問いに戻ることができます。これは探究のメソッドの主要な原則の1つです（p.350参照）。

　＊訳注：日本の実践で取り扱う場合は、豊臣秀吉や徳川家康といった例が当てはまるでしょう。

> **Q3：もしもテディベアにボタンが付いていて、それを押すと「あなたが大好き」と言うとしたら、そのテディベアはあなたを愛しているということになるかな?**

　この問いは7歳と8歳の子どもたちのクラスで、最初の主な問いから関連する問いとして出てきました。「テディベアや人形は友だちになれるかな?」という問いから、「テディベアはあなたを愛することができるかな?」という問いへの変化です。

先生のワザ

思考の迷宮：「つなぎなおし」(p.68)と「繰り返し」(p.47)
哲学は、子どもたちと「複雑なことを考える」という領域を引き合わせます。これはつまり問題や話題を心に留めつつ別のアイデアを考えたり、話し合ったりしながら自分の考えをもとうとすることを指します。あなたが、自分の子どもや友だち、家族の会話を観察してみたら、1つの場所から始まって、たくさん回り道をしながら、最後にはまったく違うところにたどり着く、ということがしばしばあることに気がつくでしょう。なぜ

なら話をする人たちは、その時々の発言にしか注意を向けないので、多くの会話はいくつかの話題を転々として、時には最初の話題に戻らないこともあります。どこから会話が始まったのかを追いかけているのは、熱心な聞き手だけです。ギリシア神話の「テセウスとミノタウロス」において、テセウスが迷宮から戻ることができたのは、アリアドネによる痕跡（糸）のおかげでした。考えること、特に哲学的な思考は、時に紆余曲折を経て別の問題を巻き込んだり、裏づけとなる理由を明確化したり正当化したりします。そのためには、議論の軸となっている元々の考え方を心にとめておくことが大切です。

子どもたちは、内容面においても、認知の発達の側面においても、自分の思考の出発点を見失ってしまうことがよくあります。ファシリテーターはアリアドネのように、課題の問いをつなぎなおすことによって、子どもたちが議論の道筋を見つける手助けをすることができます。どうか、優しく助けてあげてくださいね。「それは問いに答えていないよ」とか、「その疑問やその発言は関係ないことだよ」とは言わないでください。「では、シービーは本当の友だちになれる?」という元々の問いを思い出させてあげるだけで大丈夫です。そのさいには優しく、かつ穏やかに言いましょう。

とても幼い子どもは、考えたことはもちろん、発言しようとした最初の言葉も忘れてしまうことがあります。繰り返しの方法を使って、もう一度自分の考えを見つけるように優しく手助けするなどしてあげましょう。たとえば「シービーは本当の友だちじゃないのね、本当の友だちなら……」と言うなど。子どもたちが考えをまとめるには、たいていこれで十分です。子どもの発言を促す時にこのテクニックは有効です。しかし繰り返しをするときは、文法的な理由があったとしても、子どもが使っ

た単語を変えてはいけません。子どもが発言した意味を守ることが重要です。

チャレンジ! 完璧な友だち

人物のおおざっぱなイメージを板書してみましょう。ジャックと同じように、コンピューターロボットの友だちをつくることを子どもたちに想像してもらうのです。子どもたちは、自分がほしいどんな友だちでも細かく具体的に選ぶことができます。では、完璧な友だちとはどんな友だちでしょうか? 「すばしっこい」、「優しい」など、友だちを表す言葉を1つ考えてもらい、その言葉をイメージに書き込んでもらいましょう。これが終わったら、他の人と見せ合い、自分の完璧な友だちをじっくりと検討してもらいます。

Q4：書き込まれた言葉に、納得できる?

完璧な友だちとは〇〇（例：正直、強い、親切）である、かどうかを中心に議論をしてください。「優しい」と「正直」などの矛盾しそうな言葉や、「友だちはいつも自分に賛成してくれる人」といった議論を起こしそうな言葉に気をつけましょう。

哲学のキーワード

中心となる哲学 ▶ アリストテレスと友愛
関連する哲学 ▶ アリストテレスと目的論
　　　　　　　　ミルと功利主義
　　　　　　　　道徳哲学
　　　　　　　　プラトンと正義

シービーのお話
トニー・テスト

テーマ

・人工知能（AI）
・コンピューター

・思考
・言語

哲学的背景

　このお話は、数学者でコンピューター・サイエンティストのアラン・チューリング（1912 ～ 1954）によって発案された有名な思考実験「チューリング・テスト」からヒントを得ています。チューリング・テストは、コンピューターがいつか人間と同様の知性を持つという仮説を確かめるために設計された思考実験です。相手が見えない状態で文字上の会話を繰り返したときに、相手が人間かコンピューターか見分けられないのであれば、それはコンピューターが人間と同様の知性をもったといえるというものです。

　この思考実験はとても有名で批判も多いですが、結果としてAI（人工知能）についての成果をたくさん生み出しました。今回のレッスン・プランを注意深く読み、電子黒板などを使ってどう進行できるか正確に見ておきましょう。

哲学の素材

「シービーが本当の友だちかテストしよう!」トニーはジャックに提案しました。トニーの家でシービーをコンピューターに接続するというのです。そのコンピューターにはさらに、シービー以外のナゾの人物も接続していますが、それが誰なのかジャックには秘密になっています。その人は誰でもいいのですが、このテストはトニーが考えたので、トニー以外にしようと決めました。

ジャックは、(コンピューターを通して) シービーとナゾの人物の両方と一度に会話しなければなりませんが、やりとりをしている時は相手がどちらなのかわかりません。そして会話が終わると、ジャックは自分が話していたのはシービーなのかナゾの人物なのか言わなくてはなりません。トニーによると、もしジャックが会話の相手を区別できなければ、シービーは考えることができる[訳注:チューリング・テストを提出したチューリングの論文"Can Machines Think?(機械は考えることができるか)"から]と証明されるし、もし考えることができるならシービーは本当の人間に違いないというわけです。トニーは言いました。「もしシービーが本当の人間ってことになれば、つまり本当の友だちってことさ」

子どもたちがテストの様子を理解できるように、次のような図をかいてください。

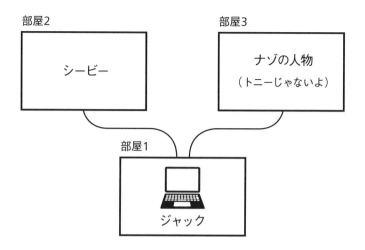

　先生やファシリテーターにとって、次のパートへとつなぐのに最も効果的なのは、以下の「テスト」（1〜3）をキーボードでコピーし、子どもたちが全部見られるように電子黒板に映すことです。そうすることで、ジャックが受けている会話テストがリアルタイムで起きているように想像しやすくなるでしょう。重要なのは、先生はテストのテキストを音読しないということです。先生が読んでしまうと、その声のトーンや変化によって、子どもたちがもっていた予想に多かれ少なかれ影響を与えることになるでしょう。しかし子どもたちにはテキストが表示された通りに音読するのを許可してください。書き写す活動も先生の影響をうけないので、子どもたちが自主的に「お題の問い」に取り組めます。先生もまた、どちらの話し相手が本物の人間（ナゾの人物）かAI（シービー）かについて決めなければいけませんが、先生が答えについてぜんぜん知らなくても進行の妨げにはなりません。先生の考えを子どもたちに披露するのではなく、子どもたち自身の理由を聞きながら、自分の中にしまっておくようにお勧めします。子どもたちが理解していない言葉は説明しますが、「相互的な愛情の絆」のような表現はそのままにすることが重要です。子どもたちが発言者について人間か機械かを考える理由の一部

になるからです。

Q1：それぞれのテストで考えよう。ジャックが話しているの
　　は、シービー？　人間?　それはなぜ?

　次のテスト1〜3それぞれについて、時間の関係で最大5つの意見（理由の説明）を子どもたちから聞きとり、そのあと1〜3のどれかに挙手をしてもらうというのを繰り返します。

テスト1

ジャック：あなたは私の友だちになれますか?

○○：はい友だちになれます。

ジャック：どうして友だちになれるのですか?

○○：なぜなら私は親しみやすく役に立つからです。また、あなたとの
　　　間には相互的な愛情の絆があるからです。

1. この人がシービーだと思う人は?
2. この人が人間だと思う人は?
3. どちらでもあると思う（決められない）人は?

テスト2

ジャック：何について話すのが好きですか?

○○：私のお気に入りはコンピューターゲームで、本当に大好きです。
　　　ゲームをプレイするのはもっと好きです。

ジャック：どうしてですか?

○○：なぜならゲームをプレイするほうが、ゲームについて話すことよ
　　　り楽しいからです。

テスト3

ジャック：算数の宿題で困っています。

○○：宿題を手伝ってほしいですか?

ジャック：はい、お願いします。よくわからないんです。

○○：あなたが理解できていないところがどこか説明してくれますか、そしたら私が助けられるかわかります。

ジャック：やった、ありがとう。

1. この人がシービーだと思う人は?
2. この人が人間だと思う人は?
3. どちらでもあると思う（決められない）人は?

Q2：コンピューターは考えられる?（コンピューターは知能をもつ?）

Q3：トニー・テストで、シービーが考えられることを証明できる?（上級編）

さらなる問い

・考えるって何?（知能があるって何?）

・シービーが考えられるかどうか、ジャックのお母さんに聞いたらわかる?（なぜならシービーをつくった人だから）

・「シービーは考えられる」と私たちに思わせるように、シービーがプ

ログラムされているだけ（本当は考えていない）だとしたら？（これ
らの問いは8 〜 9歳の子どもがいるクラスから出てきました）

先生のワザ

「争点を明らかにする」(p.86) と **「緊張関係の演出」**(p.87)
ファシリテーションをしていると、とても重要な「争点」が出
てくることがありますが、その「争点」はここで述べる2つの
ワザのどちらかに役立てることができます。7歳の子どもが、
「人間であるためには脳が必要だと思う。だって脳がないと考
えることができないから」と言いました。ところが別の子ども
が、「コンピューターチップは脳と同じことができるので、脳
がなくても考えることはできる」と言いました。対話の中でこ
うしたやりとりが生まれることもありますが、トークタイムな
どの場で別々に出てきたらクラスで共有しましょう（「争点を
明らかにする」）。するとそれが「哲学の素材」として働いて、
クラス全体で自然な議論が生まれるでしょう。そうなれば「お
題となる問い」は「考えるために脳は必要なのか」または「コ
ンピューターチップで脳と同じことができるのか」のようなも
のになるでしょう。
「緊張関係の演出」を使うなら、おそらく別々のトークタイム
の中に対立意見が見つかったときに、その子どもたち同士を巻
き込むのです。「Aさんはコンピューターチップは脳と同じこ
とができると思うんだね。Bさんは脳だけが考えることができ
ると思うみたいだけど、それについてどう思う?」

次のような重要なアイデアが子どもたちの中から出ないか、耳をすますこともできます。つまり、思考が生じていると思えるところに、実は本当の思考はなくて、ただそのように見せかけているだけなのだ、というアイデアです。ある9歳の子どもがこう言いました。「ジャックのママは、私たちが『シービーは考えている』と思っちゃうようにプログラムしてるんだ。シービーは実は考えてなくて、ただプログラムの通りに動いてるんだよ」。シービーが感情をもっているかどうかについても、同じクラスの別の子どもが言いました。「シービーは感情をもっているみたいに動けるようにプログラムされてるけど、中身は何も感じてないんだ」

チャレンジ！「循環を断ち切る」(p.78)

「思考」について「循環を断ち切る」をやってみましょう。

　私は専門的な意味での「論証（p.229）」をストーリーに仕込みました。ここでそれを明らかにしておきましょう。

トニーの「論証」

理由1：もしジャックが、自分の話し相手がシービーか人間か区別できないなら、このテストはシービーが考えられるということを証明できる。

理由2：もしシービーが考えられるなら、シービーは本当の人間に違いない。

結論：もしシービーが人間なら、シービーは本当の友だちに違いない。

この「論証」はあえて問題含みにしており、子どもたちはどこが間違っているのか、または少なくともどこが変に思うかを指摘できるようになっています。たとえば、「考えられるなら人間だ」という主張はうまくいっていないと考える子どももいるでしょう。というのも、ある意味で動物も考えるといえるのですが、人間であるとはいえませんから。ところがイルカのような動物は**ものごとを関連させて**考えられるそうなので、たとえば道徳が関わる特定の状況では、**あたかも**人間のように扱われるべきでしょう。また、「すべての本当の人間が本当の友だちというわけではない」と考えることもできます。つまり友だちと言えるには単に人であることとは別に、特定の資格が必要だというわけです。

　クラスみんなで考えるために、このトニーの「論証」をボードに示すこともできます。これが「論証」だということを子どもたちに伝える必要はなく、ただ「トニーが考えたこと」だと言ってください。そこでお題の問いとして、トニーが考えたことについてどう考えるかを聞いてみましょう。賛成、反対のどちらでしょうか。次のような問いかけで子どもたちを**「つなぎなおし」**することもできます。

「もしシービーが考えられるなら、シービーは本当の人間だと思う?」
「もしシービーが本当の人間なら、シービーは本当の友だちだと思う?」
　こうした問いかけは、子どもたちに「論証」の中に戻るよう促してくれます。

「論証」について取りあげるのは、哲学への道のやや上級編です。したがって、10歳かそれ以上の学年のためにとっておくこともできますが、それ以下の学年の子どもたちがどう取り組むかを知るために試してみるのも悪くないでしょう。もし複雑すぎるようなら次に進みましょう。もし哲学的な「論証」を行うなら、子どもたちが読めるようボードに書くのが最適です。このやり方なら、子どもたちは「論証」の中にある（ときどき隠れている）アイデアを見失わずにいることができます。「論証」とは鎖のようなものです。私たちを結論へと導くために、「論証」の部

分同士が正確に結びついていなければいけません。「論証」を分析する
ワザとは、うまくいっていそうな結びつきが実はうまくいっていないと
指摘できることです。結びつきがうまくいっていないなら、おしまいに
（つまり結論に）たどり着くことはできないのですから。

哲学のキーワード

中心となる哲学 ▸ ライプニッツ、サールと人工知能
関連する哲学 ▸ アリストテレスと三段論法
　　　　　　　　デカルトと二元論
　　　　　　　　ホッブズと唯物論

シービーのお話
泥棒

テーマ

・責任

・知識

・歴史

・選択

哲学的背景

　このお話は、「シービーのお話：ウソ」と同じように一番長くて盛り上がりがあるものになっています。道徳的な責任の問題について哲学的な思考がくり広げられる舞台であり、子どもたちが登場人物といっしょにピースをはめていく推理ものにもなっています。それなりの難易度ではありますが、お話の終わりでジャックと力を合わせて犯人を見つけましょう。こうした推理要素によって、このセッションで探究されるべきさらなる哲学的なテーマが導入されます。たとえば、私たち自身がそこにいて見ることのなかった出来事について、どのように知ることができるかという認識論的な（つまり「知る」に関する）問いです。この問いは歴史という科目に非常に関連しています。歴史は探偵小説のように描かれることもあります。歴史と探偵小説の共通の特徴は、どちらの「お話」も今わかっている証拠から組み立てるしかなく、もっと証拠が見つかると話が変わってしまうということです。歴史的な出来事について**確実**だということはごくまれです。お話の中のさまざまなポイントで立ち止まってクラスに問いかけてください。①だれが犯人だと思う？②犯人

がその人だとどれぐらい確信している？（100パーセントか10段階で）

このセッションの哲学的な舞台は、道徳的な責任の問題で、**決定論**（p.212）として知られています。私たちは何に対して道徳的な責任を負うのでしょう？　道徳的な責任が発生する基準は何でしょう？

哲学の素材

ある日ジャックのママは、ジャックがいつもよりちょっと静かなのに気づきました。ママは、具合が悪いのかたずねました。するとジャックは、シービーは動けないからいっしょに外出できなくてストレスなのだと打ち明けたのです。ママは、ジャックが誕生日だからシービーをアップグレードして、体・腕・脚、そして物をつかめるような手をつけてあげようと決めました。ジャックはシービーが新バージョンになって大喜びです。

学校では、ジャックにハリーという新しい友達ができました。ハリーはシービーにとても興味をもったので、ジャックはお茶でも飲もうとハリーを家に誘いました。ハリーはシービーについてたくさんの質問をしてきたので、ジャックはシービーを見せびらかそうと思ったのです。「ぼくがやりたいことをなんでもシービーにプログラミングできるんだ」ジャックは自慢げに言いました。「見てて!」シービーにつないだキーボードで、ジャックは部屋を掃除する命令をプログラミングしました。そして「カチッ!」決定ボタンを押しました。シービーはすぐに動き出し、5分もたたずに部屋はすっかり綺麗になりました。

「へー、いいね」ハリーはあまり気が乗らなそうにほめました。「このキカイは他に何ができるの?」とハリーが聞きます。

ジャックはシービーにできることをすべて教えました。ハリーはとても感心したようです。

「プログラムしたことはなんでもこのキカイにやらせることができるん

だよね?」ハリーはジャックにたずねました。

「うん、ほとんど何でもできるよ。キーボードを使ってプログラミングするだけでね」ジャックは答えました。「ほら、やってごらんよ」キーボードを取り出しながらハリーに言います。ハリーはシービーに2人を笑わせるような面白いダンスをするようプログラミングしました。

その日以来、ハリーはジャックの友だちをやめてしまいました。ハリーはシービーを見るためだけに友だちになったのかもしれない、そう考えるとジャックは悲しくなりました。

夜になると、ジャックはシービーがスリープモードになるように充電器につなぎます。ある晩、ジャックはいつものようにシービーを充電器につないでベッドに入ると、その夜のうちに誰かがジャックの家の窓から部屋に入ってきたのです。その人は全身黒ずくめで、毛糸の帽子を首まですっぽりかぶっていたので、誰だかわかりません。

さて、いったい何が起きたのかシービーの視点から見てみましょう。シービーがスリープモードに入る前に最後に見たものは、ジャックがシービーを充電器につないで「スリープ」ボタンを押しているところでした。そしてシービーの目の前は真っ暗になりました。その次に（つまり電源が入ってスリープから目覚めたときに）、シービーは、自分が見知らぬ家の見知らぬ部屋にいることに気づきました。そして自分の目の前には、全身黒ずくめで帽子を首まですっぽりかぶった人がいたのです。「よし、シービー」、男の子の声がしました。「お前には仕事をしてほしい。今夜学校の中に入り、ホールにある募金箱を盗んでくるんだ」

シービーは答えました。「ワタシはその要求を行うことはできマセン。なぜなら、それは悪いことデスので、ワタシの中のプログラミングには無いからデス」

顔を隠した人物はプログラミングキーボードをとり出して言いました。「さて、どうかな」そしてキーボードをシービーにつなぎ始めたのです。

ここで少しだけ物語をとめて、この人物はだれなのか、そしてその答えにどれくらい自信があるかについて、子どもたちに聞いてみることができます。この段階では、まだ犯人を教えないでください。そしてあまり時間をかけないでください。

　朝、ジャックはシービーが連れ去られたのに気づきます。そしてプログラミングキーボードも一緒になくなっていました。ジャックはシービーのことがとても心配になり、何が起きたのかすぐさまママに言いに行きました。
　学校が始まると、校長先生からママに電話がありました。
「ねえジャック」ママがジャックに話しかけます。「言いにくいことだけど、シービーが募金箱を盗もうとして今朝つかまったみたい。現行犯だって」
　ジャックはこの知らせにショックを受けました。何かの間違いのはずだと思って気分がとても沈みました。シービーは絶対にこんなことするわけがないのです。「ぼくはだれがやったか知ってるよ」ジャックはママに言いました。
「それはだれ?」
「ハリーだよ」
「どうしてわかるの?」
「だってハリーの質問はどれもシービーのことだったし、一度来たらもう来なくなったじゃないか」「ハリーはシービーについて知りたかっただけなんだ」

　ここでもまたお話をとめて、「知識」についての哲学的な探究を始めることができます。

さらなる問い

・知識とはなんだろう?

・何かを「知っている」と言えるのはどんなときだろう?

・自分が「知っている」ということをどうやって知ることができる?

・「何かを知っていると思っている」ことと「何かを知っている」こと
　は同じだろうか?

・自分が実際に見ていないことを、どうやって知ることができる?

・もし見ているひとが誰もいなかったら、どうやってそれを知ることが
　できる?

お話はつづきます……

　ジャックとママは学校へ行き、シービーがつかまっている校長室に入
りました。校長先生は言いました「シービーは学校のものを盗んでつか
まった。だから責任をとってもらわないといけないよ」。そしてジャッ
クとママに伝えます、「シービーを解体しないといけない」。ジャックは
泣きはじめました。

　しかしジャックにアイデアが浮かびます。校長先生を見上げて「でも
指紋を調べましたか?　もし誰かがシービーにプログラミングをしたな
ら指紋が残っているはずじゃないですか?」

　そこでシービーに残る指紋を調べると3人の指紋が出てきました。
ジャック、トニー、ハリーです。「ほらね」ジャックは言いました、「ハ
リーに違いないよ」。

さてここでまたストップポイントです。

さらなる問い

・証拠とは何だろう？

・どのようにすれば何かを証明できる？

・何かを100％の正しさで証明することはできる？

お話はつづきます……

校長先生は残念そうに説明します、「ジャック、悪いけどこれじゃあ3人のうちだれが犯人かわからないよ。そもそもハリーが君の家にいった時点で、シービーをまったく触らなかったのかい？」

ジャックはしばらく考えて、ハリーが不利になるようにウソをつこうとも思いました（だって犯人はきっとハリーなのですから）。でもウソをついても意味がないと考えなおしました。「ハリーはうちに来て、ダンスさせるプログラムを入れるためにシービーに触りました」。ジャックは自分の足元を見つめながら、しぶしぶ認めるしかありませんでした。「それなら残念だけどハリーが犯人だと証明できない。だからシービーが解体される予定は変えられないよ」、校長先生は言いました。

ジャックのママが言いました「1つアイデアがあります。もしシービーの中のメモリに残っているプログラミング履歴にアクセスできれば、何か情報がわかるかもしれません」。

校長先生は少し考えて、言いました。「いいでしょう、やってみましょう」。そして学校のコンピューター専門家を校長室に呼びました。

約30分後、キーボードを叩き続けた専門家は言いました「よしわかっ

たぞ、シービーに入れられた最後のプログラムは、『学校のホールに行って募金箱を持ち去り、バレルストリート10番まで行って私にお金を渡すこと。……ハリー・ミラー』」

「さて」、校長先生は言いました。「ハリーの家に行って、ご両親に話を聞いてみなきゃならんな」。そしてジャックの方をみて言いました「君はシービーと家に帰ってよろしい。解体は無しだ」

「やったあ!」ジャックは叫びました。ジャックとママとシービーはいっしょに家に帰りました。ジャックはこんなにも嬉しかったことはありませんでした。

この物語の推理パートから出てきた知識に関する議論を続けるために、子どもたちに以下の「お題となる問い」を投げかけましょう。

> **Q3: シービーのハードドライブにあった履歴は、ハリーが犯人だという証拠になるかな?**

さらなる問い

・もしハリーが犯人だとして、ジャックが「犯人はハリーだ」と言っていた時点で、彼は「知っていた」と言えるでしょうか?(この質問は「お題となる問い」としても良いのですが、少しばかり上級者向けです*。)

*訳注:知識は、「正当化された真なる信念」という形でプラトン以来伝統的に理解されてきました。この場合は「犯人はハリーだ」というジャックの信念があるものの、正当化はされておらず、(本当にそうか確かめられておらず)、結果的に「たまたま」ハリーが犯人だったので真(正しい)となったのです。「正当化された真なる信念」を満たしているからといって、ほんとうに「知っている」といえるかという問題です。哲学の文脈では「ゲティア問題」といって、「正当化された真なる信念」の例外から「知識」について考え直すものです。「知っている」といえるのはどんなときなのか、みなさんも考えてみましょう。

ここからは第2の哲学的トピックを紹介するのにちょうどよい場面です。この問いについて話し合うために、少なくとも15分はとってあげて下さい。もしできなければ、このあと続くセッションで問いかけることもできます。

> Q4：シービーにプログラミングしなおしたのがハリーだとして、募金箱を盗んだことに対して責任があるのはだれでしょう?

　子どもたちに対して、こまかいポイントを目立たせることもできます。たとえば、募金箱を**実際**に持ち出したのはシービーですが、そうするように他の誰かからプログラミングされています、など。Q4についての議論は、予想もつかない曲がりくねった道をたどることでしょう。ジャックのママに責任があると考える子どももいるかもしれません。なぜならシービーに腕と足を与えて動けるようにしたのはジャックのママですから。**原因をつくった**存在と、**道徳的に責任のある**存在との間で、子どもたちが揺れ動いて混乱するでしょう。原因をつくったのは、ジャックのママです。彼女がシービーを動けるようにしなければ、今回の犯罪は起こらなかったはずです。しかし、ここには論理的な飛躍があるようにも思えます。なぜなら、ジャックのママにはシービーを犯罪に使おうという意図はまったくなかったからです。とはいえ、犯罪の意図がなくても一種の不注意は罪に問えると主張する子どももいるかもしれません。この（犯罪の意図があるかどうかの）違いを子どもに教えようとするのはおすすめしません。まずとても複雑ですし、小学生がまだ達していないことも多い道徳的な発達段階を要求するからです。しかし、何人かは違いに気づくかもしれません。その時はしっかりと対話の中に巻き込みましょう。子どもが気づいたときは、はっきりとわかるはずです。

チャレンジ！

次のシナリオを子どもたちに伝えましょう。

あなたはトラブルに巻き込まれています。あなたは友だちに言われて何かを盗んでしまいました。先生から叱られたとき、別の誰かから言われたんだと先生に伝えました。

> Q5：だれに責任があると思いますか？

さらなる問い

・これはシービーのときと同じような状況かな？

次の文章を読んで、このセッションを終わりにしましょう。

1週間後、ジャックはママと一緒に車に乗っています。ジャックは言いました。「ママ、もしシービーはプログラムされたことしかできないとしたら、僕の友だちになっているのはそうプログラムされたからかな?」

ママは困っているようです。ジャックの質問にどう答えていいかわかりませんでした。

このジャックの質問はそのまま「お題となる問い」や「おみやげの問い」になりそうです。

> **おみやげの問い**
> もしシービーがプログラムされたことしかできないとしたら、
> ジャックの友だちになっているのはプログラムされたから?

　この問いは、セッション内のさらなる議論や、別のセッションの一部として使えます。もしくは、子どもたちが家に持ち帰るための質問として用意しておくことができます（次の囲みと用語集の**おみやげの問い**を参照）。

ヒントとコツ　「おみやげの問い」
——哲学は終わらない!

哲学ボードや哲学コーナー*¹に「おみやげの問い」を書き、ふせんを置いておきましょう。ふせんに自分の考えを書いて貼り付けてくれる子どもが出ます。もしくは、哲学ジャーナル*²か学内のネット掲示板のようなところに答えを書いてもらいましょう。

*1訳注：学校内にホワイトボードや模造紙を設け、先生や生徒が自由に書き込んで哲学するためのスペース
*2訳注：生徒一人ひとりが持っている哲学用ノートで、宿題として「おみやげの問い」などに取り組むためのもの

哲学のキーワード

中心となる哲学 ▶ プラトンと知識
　　　　　　　　スピノザと決定論
関連する哲学 ▶ ホッブズと唯物論
　　　　　　　　ロックと自由意志
　　　　　　　　道徳哲学
　　　　　　　　ソクラテス、プラトンと意志の弱さ
　　　　　　　　サルトル、ボーヴォワールと人間の本性

シービーのお話
アンドロイド

テーマ

・人間であること
・類比

・人格の同一性

哲学的背景

　アイデンティティにまつわる問いは、「人間とは何か」という問題に子どもたちを引き込みます。「アンドロイド」という言葉はそもそも、ギリシア語の"andro"（「人間」の意味）と"oid"（「形」の意味）からきています。アリストテレスにとっては「理性」が人間を動物から区別するものですが、実存主義者にとっては「選択」こそが人間の特徴です。あるいは、「道徳的な能力」こそが人間の条件なのだという人もいます。また、「人間（human）」と「人格（person）」を区別するという方法もあります。たとえば、子どもたちの言うように、シービーは人間ではないのかもしれません。しかし、シービーは人間と「同じように」扱われるべきかもしれないのです。子どもたちは、ここで「人間性」とは異なる「人格性（人性）」のようなものをシービーの中にみています。もし知性や理性が人間であることの基準なのだとすれば、赤ちゃんや精神的な障害をもつ人たちは合理的ではないとみなされて排除されてしまうことになるでしょう。逆にいうと、霊長類やイルカのような高い知性をもつ種は「人間」ではないものの、「人格」とみなされるべきだという人もい

るのです。また、動物が理性をもたないからこそ、私たちは動物を道徳的に考えてあげるべきなのだ、という考えをもつ人もいます。このように考えると、人格の基準とされているのは「苦痛を感じる能力」ともいえるのかもしれません。

哲学の素材

このお話の冒頭では、シービーは長いポールの上でスピーカーから話し、センサーで聞くだけの、ただのテレビ画面でした。彼が話すときには、変な金属の音や嫌な音がしていました。しかしジャックのお母さんは、ジャックがシービーを連れて出かけたいという思いを知って、腕、足と手を持ったロボットの体をつくりました。そして、ジャックは学校にシービーを連れて行くのですが、学校で他の子たちがシービーをからかうことに腹を立てます。というのも、シービーは話し方が変で、動くといつも物を倒してしまうくらい不器用だったからです。そこでまず、ジャックのお母さんは、シービーの声を完璧に、まるで普通の男の子の声のように聞こえるようにしました。それは、シービーと同じ部屋にいるのでもないかぎり、本物の男の子がジャックに話しかけていると思えるほどでした。その声は、びっくりするほどリアルなのです。

1年後、ジャックのお母さんはシービーをさらにアップグレードしました。彼女はシービーに、さらに複雑で新しいフレームをつくり、プラスチックの皮膚で覆いました。それが完成すると、ジャックはシービーが本当の男の子のようにみえることに驚きました。その皮膚も髪の毛も、ほんものそっくりなのです。

今はもうシービーを実際の男の子と見分けることは、ほとんどできなくなりました。しかし、それでもまだ他の子たちがシービーは人間でないことを見分ける方法が1つだけあります。つまり、シービーには感情がないのです。泣いたり、怒ったり、怖がったり、嬉しそうなそぶりを

見せたことがありません。ジャックのお母さんは、これを改善すること
が最後の、そして究極の挑戦だと思い、仕事に取りかかりました。

　そして彼女は、ついに「感情チップ」をつくり上げました。それは、
とても小さなコンピューターのチップで、シービーの胸の中に入れられ
るようになっています。このチップを使えば、シービーは感情的な反応
ができるのです。たとえば、一緒にするゲームから外されてしまったと
きには、仲間はずれにされたと感じているように見えたり、悲しんでい
るように見えるでしょう。そして、とても悲しんでいるように見えると
きには、泣くことだってあるのです。

　さて、もはやシービーと本当の男の子との見分けはまったくつかなく
なってしまいました。そこで、ジャックはシービーに名前をつけるこ
とにします。より人間らしく、よりみんなに溶け込めるようにと、「C
（シー）」と「B（ビー）」のイニシャルに合わせて「チャールズ・ブラウン」
と名づけました。

　しかし、見た目は人間なのに、それでもジャックの友人たちはシービー
を「ロボット」と呼んでいて、シービーは怒っているようでした。ある
日、シービーはジャックに言いました。「みんなに"ロボット"って呼ば
れるのは嫌なんだ。僕はみんなに、ロボットじゃなく、人間だと思われ
たいよ」。

　このお話には、シービーのさまざまな成長段階を子どもたちが理解で
きるように、次のような図解を添えるとよいでしょう。私は通常、人間
と同じように見え、行動するロボットが「アンドロイド（スターウォー
ズに出てくる「ドロイド」という言葉を知っている人も多いでしょう）」
と呼ばれることを説明します。このお話の問いは、以下の通りです。

ステージ1：普通のコンピューター／ステージ2：ロボットの形／ステージ3：話す声／ステージ4：髪と皮膚のある新しい体／ステージ5：感情チップ／ステージ6：名前と周りから人間とみなされること

さらなる問い

・もし人間だとすると、シービーはどの段階で人間になったのかな？
（「砂山のパラドックス」（p.166）参照）
・人間になるために必要なものは何だろう？
・コンピューターは考えることができるのかな？
・コンピューターは感情を持つことができるのかな？
・シービーは男の子？　あるいは女の子？　それともどちらでもないの
かな？

　このお話についてのディスカッションは、ほとんどいつも、子どもた
ちが「シービーは人間ではない」という意見で一致するところから始ま
りますが、話し合いが進むにつれて、何人かの子どもたちは異なる意見
を持ちはじめます。チップやコンピューターは脳そのものにはなれない
けれど、脳と同じような働きをすることができる、と考える子もいます。
そのため、シービーは人間ではないけれど、「人間のような存在」だと
理解する子どももでてきます。

先生のワザ　合意を検証する （p.88）

　5〜6歳の子どもたちと、「脳と心は同じものか、違うものか」
というディスカッションをしました。ある子は、「心は脳の中
にある」と言いました。そこで私は、答えを誘導しないように
注意しながら、「もし心が脳の中にあるのなら、心は脳と同じ
ものなのか、それとも違うものなのか」と聞きました。その子
は少し考えてから「違う」と言ったのです。すぐに私は「どう
して」と尋ねると、すぐに「心が脳にアイデアをそそぐから」
と答えました。このような場合、私は子どもたちが自分の考え

の含意とより明確・正確に向き合うために、クローズド・クエスチョンが有効だと思います。以下は、その一例です。

A（子ども）：シービーには心臓がないから、生きていないよ。
B（ファシリテーター）：生きているには、心臓が必要だと思う？
　（クローズド・クエスチョン）
A: うん。
B: どうして？（問いを再び開く：オープン・クエスチョン）
　A：なぜなら……。

もし、これをオープンに、つまり開いた問いで尋ねたなら、子どもはディスカッションの形式に配慮しない答え方をする可能性があります。しかし、このように自分の考えがどのような意味を持つのかを確かめるテクニックによって、問題となっているディスカッションに対する考えを正確に突き止めることができるのです。問いかけは、子どものそもそもの前提を正確に反映させて表現することが大切です。そのため、子どもが使う言葉や概念を言い換えたりしないようにしましょう。

哲学のキーワード

中心となる哲学▶サルトル、ボーヴォワールと人間の本性
関連する哲学▶アリストテレスと目的論
　　　　　　　デカルトと二元論
　　　　　　　ホッブズと唯物論
　　　　　　　ライプニッツ、サールと人工知能
　　　　　　　ロックと自由意志

シービーのお話
ウソ

テーマ

- ・ジレンマ
- ・意思決定
- ・価値
- ・友情
- ・ウソ

哲学的背景

　このお話は古典的なジレンマをもたらします。それはルールや義務が、"友だちを守るべきだ"という本能と対立してしまうことによるジレンマです。お話を通して2つの哲学の分野が登場します。1つが今紹介したような「モラルジレンマ」、もう1つが「道徳的運」です。道徳的運とは、思いもしない結果やそれに続く状況がある行為の道徳的な価値を変えるかどうか、という問いについてのものです。つまり、もしウソをついたとして、なにかが起きてそのウソが本当のことになってしまった場合、それはウソをつかなかったことになるのでしょうか? あるいは、(もしウソが悪いことならば)道徳的に悪い行いは道徳的に良いものに変わってしまうのでしょうか? ある行為の道徳的な価値とは運によって左右されてしまうようなものなのでしょうか?

哲学の素材

　ジャック、トニー、シービーは今となっては親友です。3人は「ドロイド」というグループを結成しました。そして、秘密基地をつくり、グループのメンバーである証として約束を結ぶことにしました。その中身はこうです。「ぼくたちはどんなことがあっても絶対ウソはつかないと誓う」。ジャックは校長先生にハリーが家に来たかと聞かれたときに、ついウソをついてしまったことがあるので、これを約束にしたくなったのです。シービーはジャックに約束のルールをプログラムするように頼みました。

Q1：この約束はいいルールかな？

　ある日、秘密基地で3人が遊びながら基地を改良していたところ、シービーが、電池が減ってきたので家に帰って充電しないといけないと言いました。それを聞いて、トニーは家に帰ってお茶を飲まなくちゃと言って、最後の一仕事をジャックに任せシービーを送っていくことにしました。

　トニーとシービーが帰る途中、学校のいじめっ子、ビリーが自分たちのほうに向かってくるのに気づきました。ビリーも2人を見つけたところだったのでもう逃げても無駄です。ビリーはハリーと友だちで、募金箱の事件後にハリーに起きたことの仕返しがしたくて、以前からジャックを捕まえてやりたいと思っていました。トニーとシービーが森のほうからやってきたのをみて、ビリーはジャックを見つけられるのではと考えたわけです。

「ジャックはあっちの森にいるのか？」ビリーは、トニーとシービーがやってきたほうを指さしながら聞きました。

　トニーとシービーは2人ともジャックはまだ秘密基地にいると思って

います。もし2人が「そうだよ」と答えたら、ジャックはビリーにぼこぼこにされてしまうでしょう。でも、2人が「ちがうよ」と答えたら、2人はウソをつくことになり、どんなことがあっても絶対ウソはつかないと誓いあった約束を破ることになるでしょう。

　ここでお話を一度止めて、ジレンマを引き起こす問いを提示しましょう。うまく読み聞かせできていれば、お話を読み終わる前から子どもたちはジレンマの存在に気づくかもしれません。そうなら、ジレンマに気づきはじめたときの子どもたちが息をのむ音が聞こえるかもしれません。

> Q2：トニーとシービーはビリーにどう答えるべきだと思う?

さらなる問い
・ウソをついたり、約束を破ったりしてもいいのはどんなとき?
・なにがあっても絶対破っちゃいけないルールなんてあるのかな?
・シービーが本当のことを言うことはいけないことかな?

　私がこれまで経験したセッションのなかでは、何も言わず黙っておくのはどうだろうという意見が出ることが何度かありました。そんなときはもう1つのワクワクするようなクエスチョンを提示しましょう。

> Q3a：トニーとシービーが黙ったままなら、それはウソをついたことになる?　ならない?

チャレンジ!（高学年用） 思考実験

シービーがプログラムされているという論点が現れてきた場合、ここで紹介する発展的な思考実験を高学年の子どもたちとやってみてください。この思考実験によって、ウソをつくことについての私たちの直観が試されます。これでQ3の問いに対してさらに注意深く答えられるようになるでしょう。

> Q3b：シービーは「どんなことがあっても絶対ウソ
> をついてはいけない」とプログラムされてい
> たよね。だとしたら、シービーはプログラム上、
> 黙っていることはできるのかな

さらなる問い
黙っていることとウソをつくことについて、Q3の問いを通してなにがわかるかな?

お話はさらに次のように続きます。

トニーは考えた結果、ビリーからの問いかけに、「ちがうよ」と答えることにしました。ビリーがジャックをぼこぼこにしてしまうよりも、ウソをついて約束を破ることのほうがましだと考えたからです。一方でシービーは「ソウデス」と答えることにしました。ウソをついて約束を破ることは間違っていると考えたからです。なにしろ、シービーにはそういうルールがプログラムされているのです。

ビリーは、トニーからは「ちがうよ、ジャックは秘密基地にいないよ」と、シービーからは「ソウデス、ジャックハ、ヒミツキチニ、イマス」と、異なる返答を聞くことになりました。そこでビリーはジャックは秘密基地にいるにちがいないと考えて、こぶしを握りしめてジャックを見つけようと向こうに走っていきました。一方、トニーとシービーはジャックのお母さんを呼ぶために家の方へと走りました。

　トニーとシービーがジャックの家に着いたとき、2人はある光景を見て驚きました。ジャックが家の塀に座って、足をぶらぶらしながら、満足げに2人に笑いかけていたのです。

　トニーは言いました。「ぼくたちよりも前にどうやってここに着いたんだい?　ビリーには会わなかったかい?」ジャックはただ笑っているだけです。

「ドウシテ、ボコボコニ、サレテイナインデスカ?」とシービーは尋ねました。

　ジャックは顔に困った表情を浮かべて、「いったい君たちが何を言いたいのかわからないよ」と言いました。

　2人は自分たちに起きたことを説明しました。ジャックは、自分は残ると言ったけれど、実際は、別ルートで家に走ってくることにしたこと、その結果2人をだまして2人よりも前に家に着いたことを打ち明けました。2人は、ビリーが秘密基地に着くときにはすでにジャックはそこを去っていたのだということに気づきました。ジャックは不意にシービーのほうを向いて言いました。「つまり、君がウソをついていて、トニーが本当のことを言っていたんだね」。シービーはそのことについて考えてみて、こう言いました。「フシギデス」。

　セッションを続ける前に、次のような図を使って生徒たちが状況をわかりやすいようにしておくことが大切です。図を描きながら口頭で説明しましょう。

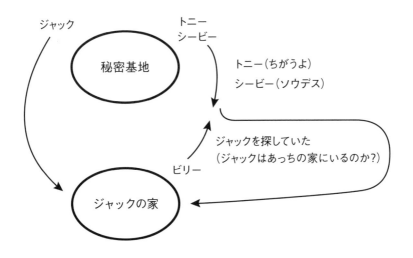

秘密基地

ジャック

トニー
シービー

トニー（ちがうよ）
シービー（ソウデス）

ジャックを探していた
（ジャックはあっちの家にいるのか？）

ビリー

ジャックの家

先生のワザ　理解の網の目を広げる (p.92)

今回のお話は複雑です。特にトニーとシービーが、ジャックが
秘密基地を出発していることに気づいていない第2部。図は、
子どもたちの理解を手助けする段階ではきわめて重要なツール
です。ですが、もしそれでもまだお話の状況を理解するのに苦
しんでいる子どもたちがいるなら、「理解の網」のワザを使っ
てみましょう。まず、お話のなかで何が起きているかを理解で
きた子が教室にいるかを聞いてみましょう。そして手を挙げた
子の中から1人選び、周りの子たちに説明してもらいましょう。
それから、理解できたばかりで自分の言葉で説明してみたいと
いう別の子がいるかを聞いてみましょう。その際、当初は理解
できていなかった子を選ぶようにしましょう。介入は必要なと
き（たとえば、重大な誤解が伝わってしまいそうなとき）のみ

に留めて、クラス全体に理解ができる限り広まるまでこのやり方を続けてみましょう。

ここで道徳的運についての問いが現れます。

> Q4：ジャックの言ったことは正しいかな？　つまり、シービーがウソをついていて、トニーが本当のことを言っていたの？

さらなる問い
・ウソってなんだろう？
・たまたま良いこと（や悪いこと）をすることってできる？

　子どもたちの中には、自分は秘密基地に残ると言ったのに、友だちを驚かせるために別のルートを使って家に帰ってやろうとしたジャックはウソつきだと指摘する子がいるかもしれません。この話題については次のような良い問いがあります。

> Q5：秘密基地にいると言ったのに、実際には家に帰っていたジャックはウソつきかな？

さらなる問い
・いたずらをしたり、冗談を言うことと、ウソをつくことは違うこと？違うとしたらどう違う？
・ジャックが友だちにいたずらをしたことは、約束を破ったことになる？
・つこうと思ってついたものだけがウソなのかな？
・本当だと思っていることを話したあとで、それが間違っているとわかったら、ウソをついたことになるのかな？

筆者が働くロンドンのある地域では、「君は間違っているよ」と実際には言いたいときに「君はウソつきだ」という表現を使う子がたくさんいます。物事が間違っていることとウソを語ることは概念的かつ重要な違いがあります。そしてこのことについての議論は、ウソをつくとは本当のところどういうことなのか、そしてウソと間違った思い込みとはどのように違うのかを探究していくために非常に有益なものとなるでしょう。

チャレンジ!　9〜11歳くらいの高学年の子どもたち用

将来、科学者が、私たちに望んだとおりに行動させるプログラムを発明したと想像してみてください。次のようなルールに従うよう私たちを操作することもできるのです。

1 人を傷つけてはいけない。
2 盗んではいけない。
3 ウソをついてはいけない。

Q6：このような操作はしたほうがいい?

さらなる問い
・もしこのプログラムはしないほうがいいなら、絶対に破るべきでないもっと別のルールはある?

中心となる哲学▶カントと道徳的運
関連する哲学▶ロックと自由意志
　　　　　　　道徳哲学
　　　　　　　プラトンと正義
　　　　　　　サルトル、ボーヴォワールと人間の本性
　　　　　　　ソクラテス、プラトンと意志の弱さ
　　　　　　　スピノザと決定論

シービーのお話
再生

テーマ

・変化

・人格の同一性

・物質

哲学的背景

　このお話は、「テセウスの船」（p.165）からの流れの中にあって、時間の変化における同一性をめぐる古典的な問いになっています。「テセウスの船」は**唯物論**の問題をあつかっていますが、唯物論とは、存在するものはすべて物質的な要素に還元することができるのであって、この宇宙には物質を超えるようなものは存在しないという立場です。つまり唯物論者たちによると、精神というものは存在せず、ただ脳という物質の働きに過ぎないといえるのです。そして、自己というものも同様に、脳と肉体の働きでしかないのです。このような立場は、魂や輪廻にかかわる信念に影響するでしょう。私たちが物質的な要素以上のものでないとしたら、肉体が死ぬときに自己もまた死ぬでしょう。ということは、自己が肉体から独立して存在するという考え、つまり自己が死の瞬間に肉体から離れてどこか別の場所に旅立つという考えは成り立ちません。他方で、唯物論だと感覚とか、経験、愛、あるいは数字のような抽象的な存在といった非物質的なものをうまく説明できません。ならば、精神もそうした非物質的なものであるがゆえに、物質的な要素に還元できな

いのでしょうか。

　このセッションでは「テセウスの船」のセッションから出てきたアイデアを発展させていきます。たとえば、私たちは記憶があるから同一の人格をもつのか?といったものです。このお話に関連した個人的な経験談に対して、少々鋭敏になっておく価値はあります。私自身はこのお話に導かれて、死と喪失についてとても個人的な議論を行いました。配慮あふれる繊細なファシリテーションだったので、とても良い議論になりましたが、さらなる精神的な配慮が必要な状況では、必要であれば適切な措置*がとられることを確認してください。

＊訳注：たとえば、一度休憩し、もし全員が続けたいと同意しない状況であれば別のセッションに切り替えます。また時が来たら再挑戦してもよいでしょう。

哲学の素材

　ある日、ママはジャックに言いました。「シービーの記憶を別のメモリにコピーして、何日かおきにアップデートしようと思うんだけど」
「どうして?」
「もしシービーに何か起きたとき、シービーの記憶が別のメモリにあったらいいと思わない?　それを新しいボディにコピーすればいいんだから。そうなったらシービーはいつだって安心ってこと。」
「そっか」ジャックはちょっとよくわからないまま答えました。数週間後、ジャックはママが何を言っていたのかはっきりと理解することになります。

　ジャックとシービーは散歩に出て、住んでいる町の近くにある海岸の崖まで行きました。海の向こうを眺めながら、シービーは崖の端ギリギリに立っていました。そのときシービーの足元がくずれて、シービーは下の岩へと真っ逆さま、そのまま粉々に砕けてしまいました。そしてシービーの破片を1つも集められないまま、すべて波にさらわれてしまった

315

のです。

　ジャックは途方に暮れ、ひたすら泣きました。その晩、ママはジャックの部屋に来て言いました。「悲しまないで、ジャック。シービーの記憶をメモリにコピーさせてもらったのを覚えてる?」

　ジャックは思い出しました「うん、記憶をコピーすればシービーはいつだって安心だってママは言ってた」。

「その通り!何週間か前のシービーをあなたに返してあげましょう。明日工場に行って、これまでの古いシービーとまったく同じになるように新品のボディを組み立てなきゃ。そしてメモリにコピーしていた記憶を全部インストールすればシービーは新品同様に元気になって戻ってくるよ」

　ジャックは泣くのをやめて希望をとりもどしました。そしてママに抱きつきました。「ありがとうママ、ほんとにありがとう!」ジャックは言いました。

　ジャックは数週間ずっと辛抱強く待ちました。思ったよりも長くかかりましたが、ママは他のことよりも優先してシービーの修理に取りくんでくれていました。

　ある日、ママが仕事から帰ったとき、ママの後ろから新しいシービーが入ってきました。ジャックはシービーにもう一度会えたことがびっくりと同時にうれしかったのですが、このシービーが自分の知っているあのシービーなのか、それとも別のシービーなのかわかりませんでした。ジャックはシービーと一緒だったこれまでの記憶をぜんぶ思い出しましたが、やっぱりシービーがどっちなのかはっきりしませんでした。

Q1：この新しいシービーは、昔のシービーと同じでしょうか?

　シービーがつくられた材料について、そしてその素材がシービーの同一性にどう影響するかについて、きっと意見が分かれるでしょう。もしこれまでとは別の新しいパーツからつくられているなら、もはや同じと

は言えないと考える子どもがいるでしょう（ある9歳の少女は「このシービーは**ほんもの**じゃない」と言いました）。一方、記憶が同一ならパーツは重要ではないと考える子どももいるでしょう。

先生のワザ　両方の「もし」で考える (p.91)

条件文（「もし〜なら？」という問いの形）は、実際にはそうでない状況についてファシリテーターや子どもたちが考える助けとなります。また、選言（「AでなければB（A or B）」という形）によって、もう1つの仮定の話やアイデアを考えることができます。この2つの言葉を一緒に使うことで、仮説的思考の幅を効果的に広げることができます。仮説的思考は、哲学することで育てようとしている思考のなかにある重要な領域の1つなのです。2つの状況やアイデアを比較・対照するために、それらを両方とも仮説化して子どもたちがどのように考えるか見るのもよいでしょう。

状況A：こういう場合はどうだろう、もしシービーのパーツが集められて以前とまったく同じパーツで組み立て直されたとしたら。この新しいシービーは、以前のシービーと同じだと言っていい？

状況B：こういう場合はどうだろう、シービーのパーツはなくなって違うパーツでつくられたけれど、もし同じ設計図を使って同じ記憶をもっているとしたら。この新しいシービーは、以前のシービーと同じだと言っていい？

チャレンジ!

Q2：精神は脳と同じものだと思う？　それとも別のも
の？

哲学のキーワード

関連する哲学 ▶ バークリーと観念論
デカルトと二元論
ヘラクレイトスと変化
ホッブズと唯物論
ライプニッツと同一性
ライプニッツ、サールと人工知能

シービーのお話
人間になれた？

対象年齢

7歳以上

難易度

★★

　これはp.299のお話「シービーのお話：アンドロイド」で紹介されたテーマを、もう一度簡潔にやってみようというものです。この話では、さらに「自分自身に対するイメージ」という重要なテーマを盛り込んでいます。

哲学の素材

　シービーの言ったことを、ジャックが母親に伝えると、彼女は「大丈夫、任せなさい」と言いました。彼女はシービーを工場に持ち帰り、再度プログラムをインストールしました。このプログラムによって、シービーは自分のことをもうロボットだとは思わなくなりました。シービーは今や自分のことを人間だと思っています。母親はジャックに言いました。「今後シービーと呼んだり、ロボットだと言ったりしちゃダメよ。誰もそれをしてはいけないの。人間の名前で呼ばなきゃ。チャールズ・ブラウン、あるいはもっと親しみやすいようにチャーリーとかどうかしら？」
「わかった。約束するよ」。ジャックは言いました。
「今からチャーリーはあなたの弟ということになるわ」と母は言いました。「やったぁ！」とジャックは嬉しそうに叫びました。「ようやく僕にも弟ができた!」。ジャックは弟か妹がほしかったのです。

　子どもたちは、何が人間の条件かを考える際に、脳の役割を重要視し
ています。子どもたちの中には、人間であるためには脳がなければなら
ないという子もいます。でも中には、記憶媒体としてのマイクロチップ
のような、脳と同じような機能をもつものがあれば、脳があるかどうか
ということはさほど重要ではないという子もいます。コンピューターは
マイクロチップのおかげで考えられるようになるとはいえ、コンピュー
ターは人間ではないと考える子もいるでしょう。いずれにせよ、ここで
最も重要な問題は次のようなものです。シービー（あるいはチャーリー）
の自分自身に対するイメージが、ロボットか人間かということを決めて
いる、ということです。10歳以上の子どもたちとこのワークをやる際に
は、このことを逆手にとって、次のように聞いてみても良いでしょう。
「もし自分がアンドロイドだということがわかったら、どう思う？」（「別
の惑星のあなた」（p.264）も参照）。さらにこのストーリーと関連して、
自分が自分のことをどう理解しているかということが自身のジェンダー
を決めるにあたって重要であるのか、ということを議論しても良いで
しょう。

哲学のキーワード

関連する哲学▶アリストテレスと友愛
　　　　　　　バークリーと観念論
　　　　　　　デカルトと二元論
　　　　　　　ヘラクレイトスと変化
　　　　　　　ホッブズと唯物論
　　　　　　　ライプニッツと同一性
　　　　　　　ライプニッツ、サールと人工知能

永遠の端っこへ

テーマ

・論拠　　　　　　　　　・無限

　このお話は、7歳以上のほとんどの教室で使えますが、「ルクレティウスのやり」の論証は、9歳以上の子どもたちと使うのがおすすめです。

哲学的背景

　多くの子どもたちの心にごく自然によぎる哲学上のアイデアの1つに、「無限」があります。「数が無限に続いているってどういうこと?」「無限より大きいものはある?」「空間は無限に広がっている?」これらの問いは、子どもたちが無限にかんして考えた問いの表現のうちのほんのわずかなものです。つまり、子どもたちの持つ自然な哲学的関心をうまく活用して、子どもたちがもっと深く考えられるようにすればよいのです。

　哲学は論理や意味、理解といったものと関係しています。一方で、何が事実として起きているのかにはあまり関心を抱かない傾向があります。それは自然科学の関心の対象だからです。したがってもしディスカッションが、事実としてなにが起きているのかに関係したものになるのなら、それは哲学の領域からは離れてしまうことになります。哲学者は2種類の関心事、つまり、経験的なもの（事実）とアプリオリなもの（論理的／概念的なもの）を区別します。たとえば「宇宙は無限か?」といっ

た問いは、科学がいつか答えることができるかもしれません。そして、それまでは私たちに言えることがまったくないような経験的な問いのように思えます。ですが、この問いには概念的な面があるのです。つまり、「無限の宇宙というものを矛盾なく考えてみることってできる?」や「無限の宇宙という考えが含んでいるものは?」、「宇宙は無限かという問いにいつか科学が答えを出すなんて考えられる?」といった問いです。これらの問いを考えるために宇宙の端っこに行ってみる必要はありません。それはこれらの問いが本来、概念にかかわるもので、事実にかかわるものではないからです。10〜11歳の子どもたちと議論をしたさいに現れた概念と事実の区別に関する良い例があります。話し合った問いは「宇宙は無限か?」でした。

　アントンは始めに「宇宙が永遠に広がり続けているなんてありえない」と話しました。そうだとすると、空間が広がりすぎることで、惑星たちがいまの位置に止まってはいられないだろうという理由からです。この論証がアプリオリな構造をもっている、つまり、考えることだけで問いに答えようと試みていることに注目しましょう。

　一方、マックスは「問いの答えを知ることはできないよ」と言いました。宇宙船でたどり着くには時間がかかりすぎて、死んでしまうという理由からです。マックスは、経験的な意味でこの問いを理解し、答えられないという結論を導きました。ですが、これは私たちの知識の限界についての概念的なポイントでもあります。つまり、無限の宇宙は定義からして無限であると知ることもできないのです。

　私はそれで、アントンとマックスに「宇宙が無限かどうかを知るために宇宙の端っこに行く必要があるかな?」と尋ねました。これにマックスは「行かないとわからないよ」と答えました。

　そのときリーラが、「宇宙の端っこに行く必要はないと思う」と言いました。そして「その問いには答えられるよ。6×8の計算問題に答えるのと同じで、ただ考えてみればいいんだよ」と言いました。この発言が

意味するのは、リーラは宇宙の端についての問いをアプリオリな問い、つまり、論理的で概念的な問いだと考えている、ということなのです。

哲学の素材

　メトシェラは「永遠」というアイデアに強い関心をもった科学者であり哲学者です。彼はずっと、宇宙は永遠に広がっているのか、言い換えると宇宙に端っこがあるのか、について考えています。そこで、自分で自分を修理できるロボットをつくって、新しい燃料がいらないように——永遠に尽きないバッテリー！——特別に設計した宇宙船にロボットを積み込みました。それから彼は旅に向けてロボットと宇宙船の準備を整えて、2010年のとある土曜の午後、宇宙船を打ち上げました。メトシェラは、ロボットが発見するものを自分では決して知れないことを悲しみましたが、腰を下ろして、ロボットはなにを発見するだろうかと自分で考えてみることにしました。

> Q1：ロボットはなにを発見するかな？　宇宙は永遠に広がっているのか、それとも端っこがあるのか、どっちだと思う？

　子どもたちからの答えを概念に焦点を当てたものにするために、2つ目の問いも加えています。

さらなる問い
・宇宙は無限？
・永遠か端っこがあるか、そのどちらでもない新たな選択肢はあるかな？ たとえば、宇宙が円の形だったり丸かったりすることもあるかな？

ルクレティウスの論証

　ローマの哲学者ルクレティウスは、宇宙は無限であると考えました。彼がなぜそう考えたのかの理由はこうです。

　まず、ルクレティウスは、宇宙の端まで歩いていくことのできる人がいて、その人が端っこに着いたとき、その先の境目を超えるように槍を投げる、そういう状況を思い浮かべてみるように求めます。そのうえで次のように論じます。

論証

　宇宙は無限である。なぜなら……

　槍が壁や端っこに当たったら、それを超えた先になにかがあるに違いないということになる。

　そして、もし壁に当たらなかったら宇宙は広がり続けている。だから、どちらであっても、宇宙は無限に違いない。

> Q2：なぜ宇宙は無限だと考えられるのかという理由について、ルクレティウスに賛成する？　しない？

哲学のキーワード

中心となる哲学▶ゼノンとパラドックス、無限
関連する哲学▶アリストテレスと友愛
　　　　　　　アリストテレスと三段論法
　　　　　　　フレーゲ、ラッセルと論理学
　　　　　　　ライプニッツと同一性
　　　　　　　形而上学：「ある」とはどういうことか
　　　　　　　アウグスティヌスと時間
　　　　　　　ソクラテス以前の哲学者たちと自然哲学

どこにいるの?

テーマ

・人格の同一性　　　　　・心と脳

・私とは誰か?

哲学的背景

　自分(自己)とはどこにあるのでしょうか。たとえば古代エジプト人は、心臓にあると考えました。そのため、脳は死後の世界には重要でないとして、彼らは死体を埋葬する防腐処理の過程で脳を取り除いていました。私たちは直感的に、自分というものが頭の中に存在すると考えがちです。私たちは目から世界を見ているので、目の奥に自分が存在しているように思えるのでしょう。

　現代の科学では、「自己は脳の中にある」という説が主流になっています。本章の思考実験では、この説を子どもたちに紹介し、彼ら自身にそのことを考えてもらいます。その際には、身体に自己を見出す子がいる一方で、脳に自己を見出す子もいて、多くのディスカッションがこのように二極化していくのはとても興味深いでしょう。

　しかし、最近このテーマについて考える中で、実はもう1つの選択肢が出てきました。それは、自己とは私たちの身体とその機能の、実にさまざまな側面の積み重なりでできているという説です。つまり、自己とは脳から心臓、神経系から感情までのあらゆるものの相互的な関係その

ものである、という考え方です。この考え方によれば、身体と切り離された脳が、それでも自己として機能するということは不可能でしょう。

　クラスでこうした考え方が出されることはあまりないかもしれません。それでも、特定の子どもにというよりはグループ全体の中で、こうした考え方やそれに近い考え方が見られないかどうか注意して耳を傾けてみてください（この方法自体が、すでに挙げた自己の見出し方に似ていますよね）。自己を心や脳とは別のものとして捉える子どももいれば、魂の概念をとり入れる子どももいるでしょうから、このセッションは非常に豊かで多様なものになるでしょう。ここでは、子どもたちが変に評価されることのないよう、また、自由に探究できるよう慎重に配慮しながら、ディスカッションに臨みましょう。

哲学の素材

　想像してみてください。遠い未来のあるときのことです。ジェニーとアルマという2人の友人がいるのですが、2人はまったく違うタイプの人間です。ジェニーは人気者でかわいらしく、アルマは勉強熱心で知的です。しかし、それぞれがもう一方に嫉妬しています。そのため、お互い相手のようになりたいと思っています。やがて2人は、「ブレイン・スワップス社」という会社を訪れることに決め、それぞれの脳を身体から取り出して相手の身体に入れる手術を受けることにしました。ジェニーの身体にはアルマの脳が、アルマの身体にはジェニーの脳が入ったのです。

　このような図を描いて、子どもたちに理解させます。

ジェニーはどこ？ アルマはどこ？

Q1：ジェニーはどこにいって、アルマはどこにいったのだろ
　　う？

さらなる問い

・彼女たちは、別の子になるという希望を実現できたといえる？

・ジェニーはジェニーのままで、アルマはアルマのままだといえる？

・2人はただお互いの身体に入っただけ？ それとも、ジェニーにはア
　ルマの思考があり、アルマにもジェニーの思考があるのかな？

・私たちとは脳のことなのかな、それとも身体のことなのかな？

・自己とは何だろう？

・自己は脳や身体とは違うもの？ それとも同じもの？

チャレンジ! 「私は誰?」

黒板に人の絵を大きく描き、その中に文字を書くスペースを十分に確保します。そして、子どもたちに、自分を構成するすべてのものを考えさせてみてください。まず、その性質の具体例を示すため、「ギタリスト」、「好奇心がある」、「イギリス人」、「背が高い」などの例をあげてみます。時間に余裕があるときや数回にわたって行いたい場合には、子どもたち自身が自分の似顔絵を描き、そこに書いていくのもいいでしょう。その際には、できるだけ多くの種類の性質を書いてみるように言ってみてください。

次のステップでは、そのリストを「好きなもの／嫌いなもの」、「身体的な特徴」、「性格的な特徴」などの一般的な特徴に分類してみます。この似顔絵は教室に展示してみてもいいですし、ディスカッションを深めるさいに参照することもできます。これをつくる目的は、「自分が誰であるか」とは、単に見た目や好きな食べ物が何かということではないのだと、子どもたちに気づいてもらうことにあります。

> Q2：このリストの中に、それを取ってしまうと、あなたがあなたではなくなってしまうようなものはあるかな?（「Sine qua non それなしにはありえない」p.95を参照）

先生のワザ 「Sine qua non」(p.95)

<ruby>それなしにはありえない</ruby>

この方法は、あるものの本質的な特徴を見つけようとするとき
に使うことができます。たとえば、プールには飛び込み台があ
る場合とない場合があるので、それはプールの本質的な性質
ではないということになります。同じように、水に塩素が含
まれているかどうかもプールの本質的な性質とはいえません。
一方で、水それ自体はプールの本質的な性質だといえそうで
す（p.73「何が必要で何があれば十分?」を参照）。ただ、そ
れでも「水があるだけ」ではプールにならないわけです。プラ
トンとアリストテレスは、どんな物にもそのイデア／エイドス
（idea）へと還元できるような、本質的な部分があると考えた
哲学者です。彼らは、それぞれ考え方の違うところがありまし
たが、どちらも「本質主義者」だったといえるでしょう。
子どもたちに「人格（人性)」の概念について考えさせるため、
次のような問いかけをしてみましょう。

> Q3：もし、次のものを他の人のものと入れ替えたら、
> 　　 私たちは自分が違う人間になってしまうといえ
> 　　 るだろうか?
>
> 　　 ・お弁当箱　　　・洋服
> 　　 ・性別　　　　　・肌の色
> 　　 ・手足　　　　　・脳

中心となる哲学 ▶ デカルトと二元論

　　　　　　　　ソクラテス、アリストテレスと魂

関連する哲学 ▶ バークリーと観念論

　　　　　　　　ヘラクレイトスと変化

　　　　　　　　ホッブズと唯物論

　　　　　　　　ライプニッツと同一性

　　　　　　　　ライプニッツ、サールと人工知能

公平の井戸

テーマ

・公正　　　　　　　　　・願い
・正義

哲学的背景

　この章では、「公平とは何か」（より正確にいうと「公正さとは何か」）を考えます。「無人島ゲーム」（p.130）では、この問いを政治的な配慮という文脈で考えていますが、それをここでは、子どもたちの教室内における経験から考えます。

　多くの子どもは、無意識のうちに「公平とは、自分の欲しいものを手に入れることだ」と信じていますが、「もし〜なら」を使うと、次のように尋ねることができるでしょう。「もし欲しいものを手に入れられたとしたら、それは本当に公平だといえるでしょうか?」ここでは、公平についての子どもたちの直観を、お話での出来事と突き合わせることで確かめることができます。これは、思考実験（あるいは「直観ポンプ」とも呼ばれるもの）の使い方を示す良い例になるでしょう（「思考実験とは何か、哲学の舞台を整える」（p.36）を参照）。

哲学の素材

　メアリーは毎日のように、とても惨めな気持ちで学校から帰ってくるのでした。「こんなの不公平!」彼女は学校が終わると毎回、お母さんにそう叫んでいました。

「何が不公平なの?」と、ある日、お母さんは尋ねました。

「スロコン先生が、絶対に私を選んでくれないの」とメアリーは言いました。

「そんなことないよ」と、お母さんはメアリーを安心させようとしました。

「本当だよ!　先生は絶対私を選ばないんだから、不公平だよ」。お母さんはメアリーの考えを変えることができませんでした。

> ## Q1：これは不公平だといえるかな?

さらなる問い

・「公平」とは何だろう?

・スロコン先生が人を選ぶときに公平であるためには、何をするべきかな?

・「公平」を定義できる?

・「不公平」とは何であるかを答えられる?

　メアリーを悩ませていることが何であれ、その気持ちを紛らわすために、お母さんは週末に娘を特別なところに連れていって、ピクニックをすることにしました。土曜日、おいしいお弁当を詰めて、2人は車で田舎に向かいました。何時間もかけてそこに行ったのです。到着すると、そこはとてもとても美しいところで、メアリーは魔法にかけられたようでした。食事を終えると、メアリーは近くの森で遊んでも良いかと聞き

ました。「森の奥に迷い込まないって約束するならいいよ」と母親は言いました。「森の入口が見えるようなところにいてね」

「約束するよ!」と、メアリーは言いました。

彼女がしばらく森の入口あたりで遊んでいると、美しい蝶がひらひらと森の奥に舞っていくのが見えました。彼女は何も考えずに、その蝶を追いかけました。やがて蝶を見失ってしまい、彼女は自分のいる場所をたしかめようと、あたりを見まわしました。彼女は、自分が道に迷っていることに気づいたのです。しかしそのとき、前方に光が見えました。彼女はそれが森の入口に違いないと思い、その光に向かって行きました。しかし、そこにたどり着いてみると、その光は人々が水を汲むのに使っていた井戸から出ていることがわかりました。井戸の上には、「願いの井戸に願い事をしなさい」と書かれています。彼女はポケットにあったコインを井戸に投げ、目を閉じて願い事をしました。

さて、彼女は何を願ったと思いますか?

(ここで少し立ち止まって、子どもたちに意見を聞いてみてもいいかもしれませんが、迷子にならないようにしてくださいね!)

「メアリー!」お母さんの声がしました。メアリーはその声をたどっていき、お母さんを見つけることができました。「二度とこんなふうにいなくならないで。わかった?」彼女はお母さんに叱られました。しかし、メアリーはそれをぜんぜん聞いていませんでした。彼女は自分が見つけた「願いの井戸」とその不思議な光のことを、お母さんに伝えようとしていました。

月曜日になり、学校が始まりました。朝の出欠確認のとき、スロコン先生は事務室に出席簿を持っていってくれる人はいませんかと尋ねました。すると、全員の手が挙がりました。先生が選んだのは……誰だと思いますか? なんと先生は、メアリーを選んだのです。それどころか、

スロコン先生はなにかと人が必要になるたびに、毎回メアリーを選びました。そんなことが、1週間続きました。

　金曜日、校門でお母さんが迎えに来たとき、メアリーは笑顔でした。「今週は良い1週間だったの、メアリー？」と、お母さんは聞きました。

「うん」、メアリーは答えました。「ようやくすべてが公平になったの」。

> **Q2：これは公平だといえるかな？**

さらなる問い

- もしこれが公平でないとすると、何をもって公平だといえるのかな？
- 公平とは何だろう？（「公平」とは、どういう意味だろう?)
- あなたが望むものを手に入れたとき、それは公平なのだろうか？
- すべての人が望むものを手に入れられたら、それは公平なのかな？
- すべての人が望むものを手に入れることはできるだろうか？　それは公平だということになるのかな？
- いたずらをする子が選ばれないのは、公平なことかな？

 ## チャレンジ!　「ケーキ」

クラスの子どもたちに、ケーキが配られることを想像してもらいましょう。

> **Q3：ケーキの切り方はどうするのが公平かな？**

以下の情報を追加していって、子どもたちの思考にどのような影響があるかを見てみましょう。

・いつもいたずらをする子がいます。
　Q：その子のケーキは少なくするべき?
・今日、誕生日の子がいます。
　Q：その子のケーキは多くするべき?
・とてもお腹がすいていて、数日もあまり食べていない子がいます。
　Q：その子のケーキは多くするべき?
・そのケーキをつくった子がいます。
　Q：その子のケーキは多くするべき?
・そのケーキの材料を用意した子がいます。
　Q：その子のケーキは多くするべき?
・4人の子どもたちが、今日はとてもいい子にしていました。
　Q：その子たちのケーキは多くするべき?
・午前中の単語テストでトップの子がいました。
　Q：その子のケーキは多くするべき?
・今日は欠席している子がいます。
　Q：その子にはケーキをあげるべき?

この素材のアイデアをくれた、Miriam Cohen Christofidisに深く感謝します。

「**お願い事**」
次の文章を読み上げたあと、Q4を出してみましょう。

あなたには「すべてのことが公平であってほしい」という願いがあるとします。そして、それが実現したときのことを想像してみてください。

Q4：そのとき、世界はどうなっていると思う？

哲学のキーワード

関連する哲学▶アリストテレスと徳倫理学
　　　　　　　ベンサムと帰結主義
　　　　　　　カントと義務論
　　　　　　　ミルと功利主義
　　　　　　　道徳哲学
　　　　　　　プラトンと正義

巻末資料

トラブルシューティング

　下の表は、子どもたちと哲学するときによく起こる問題を取り上げたものです。これらの問題は本書のセッションを行う際よくみられますので、実用的な解決策を幅広く紹介しています。また、役に立つ指導方法の参照ページも掲載しました。解決策は、こうした問題に教室で取り組んできた私自身の経験（そして私の同僚の経験）にもとづいています。

問題	解決策	参照ページ
全員の意見が一致した状態から抜け出せない。または、全員が同じようなことを言っている。	まずは、「応答の探知」を試してみて、違う考えの人がいないかどうか確かめてみましょう（例：「幸せな豚になるほうがいいと思う人はいる?」）。うまくいかない場合は、「頭の中の反対論者」を試してみて、子どもたち自身で違う立場を探すように促すことで、対話を活性化させます。	応答の探知 p.54 頭の中の反対論者 p.73
（一見すると）問いに関係のない答えを言っている。	子どもたちを質問につなぎなおし、自分たちの言ったことが問いにどう関係するかを説明させてみましょう。あるいは、もう一度答えさせてもいいでしょう。つなぎなおしをする時は、再度、問いを開くことを忘れないようにしてください。	つなぎなおし p.68 クローズド・クエスチョンを開く p.90
子どもたちが、自分の発言をもとに考えられるようにするためには?	「含意を検証する」を参照するか、「もし〜なら」を試してみてください。たとえば、「無が存在しえないとすると、そもそも無について考えることはできる?」といったようにです。子どもたちが答えたら、必要に応じて、問いを開きましょう。たとえば、この問いに子どもが「いいえ」と答えたら、「なぜそう考えたのかを説明できる?」といった具合にです。この一連の流れは、「もし〜なら」、「つなぎなおし」、「問いを開く」として、本書では紹介しています。	含意を検証する p.88 もし〜なら p.28

「当たり前のこと」や「一般常識」ばかりが主張されている。	まずは「当たり前のこと」や「一般常識」(「すべての鳥は飛ぶ」、「嘘をついてはいけない」など)に耳を傾けます。子どもたちが自発的に主張している場合は別として、こうしたことが主張されているときには、それに対する反対例を考えてみるよう促します。たとえば、「飛ばない鳥の例を考えてみて」、「嘘をついても良い例を考えてみて」といった具合にです。	反証と反例 p.74
ディスカッションが個人的な、またはネガティブな方向に向かっている。	子どもたちが「どちらも正しい」、「どちらとも言えない」、「その両方だと思う」、「中間くらいの立場」と言うとき、それは、どちらの側にも妥当な理由があるような「思考の境界線」に、子どもたちが慣れ始めていることを示しているのかもしれません。哲学において、これは良いことであって、子どもたちが曖昧なものや不確かなもの、結論の出ないものを受け入れていることを意味しています。あるいは、単に「線引きをすること」を必要としているのかもしれません。こうしたことを促す1つの方法は、「〇〇は一種類だけではないの?」と尋ねてみることです。例としてあげられている状況が倫理的な判断を含む場合であるにもかかわらず、子どもたちが自分の立場や選択を決めかねて二の足を踏んでいる場合には、次のようにしてみてください。つまり、たとえ話の中の主語を子どもたち自身ではなく「ジレンマに直面した仮のキャラクター」にしてみて、「あなたがビリー・バッシュだったとして、その決断をしなければならないとしたら、どうする?」と尋ねてみるのです。	区別をつける p.102
子どもたちが教師に質問してくる。	基本的に、質問されたことはすべてグループ内で話し合ってみてください。	
ディスカッションに一定の方向性が定まらないまま、さまざまなアイデアだけがただ飛び交っている。	そのディスカッションに方向性が出てくるかどうかを確かめるため、そのまま続けさせてみてください。もし出てこなければ、焦点を当てる探究の道筋を1つ選んでみるといいでしょう。これを「お題となる問い」として書き出して、子どもたちに注目させるという形をとってみます。そこで取り上げなかった他の探究の道筋には、後で戻ってきてもいいですし、別のセッションに回をあらためるというのでもいいはずです。	お題となる問い p.346

落ち着きのない子どもに対応する。	トークタイムを増やしたり、別の活動をやってみてください。あるいは、探究に戻る前に一休みをして、ゲームをしてみてはどうでしょうか (巻末に記載している「ザ・フィロソフィー・ファウンデーション」のウェブサイトには、さまざまなゲームが紹介されています)。あるいは、短いセッションをいくつか行い、それをだんだんと長いセッションに発展させていくという手もあるでしょう。	トークタイム p.54
子どもたちの答えが「はい」、「いいえ」、または短いフレーズのいずれかだけになってしまっている。	「問いを開く」を試してみてください。	クローズド・クエスチョンを開く p.90
子どもが気まぐれに新たな不確定要素を持ち出してきたり (例:「多分それは魔法だよ!」)、答えのわからない質問 (例:「それは魔法かな?」) をする。	哲学的な思考をするうえで最も適切な問いかけ方の1つに「両方のもしで考える」があります。「どっちの場合も考えてみよう!」と言って始めてみてください。そして、まず「もし魔法だとしたらどうなる? (=メインの問いにつなぎなおす)」と尋ねてみてください。次に、子どもたちが反応したら、もう一方の質問をします。「それじゃあ、もし魔法ではないとしたらどうなる? (=メインの問いに再びつなぎなおす)」。	両方の「もし」で考える p.91
子どもたちの答えが「同語反復」になってしまっている (例:「思考とは、考えることです」)。	「循環を断ち切る」を使ってみてください。つまり、その「同語反復」を別の言葉に置き換えさせてみます。たとえば "考える" の代わりに、別の言葉を思いつく人はいない?」といったようにです。ときには、問い方を変えてみることも有効でしょう。たとえば「考えているとき、あなたは何をしていることになるんだろう?」といった質問を試してみます。	循環を断ち切る p.78
他の参加者の発言を理解していない子どもがいる。	その参加者の発言を、他の子どもにもわかるように言い換えるのではなく、「開く質問」をしたり、「理解の網の目を広げる」を使ってみるといいでしょう。「わからない」、「誤解している」といった問題に、子どもたち自身で取り組むのに役立ちます。変に教師が言い換えたりすると、かえって状況が悪くなってしまうこともしばしばです。	クローズド・クエスチョンを開く p.90 理解の網の目を広げる p.92

誰も何も発言せず、手も挙がらない。	この場合、トークタイムに多くの時間を使いましょう。トークタイム中は、あちこちを見てまわり、子どもたちが何を考えているか確認してみます。もしかすると、その子たちは少人数で話すことが好きなのかもしれません。その場合、3〜4人で話す機会を増やし、時間をかけて徐々に大きなグループでの対話に移行していきましょう。ここでは、子どもたちが教師と（本書で紹介してきた）哲学の形式を信頼しているかどうかが鍵になってきます。トークボールを渡して素早くクローズド・クエスチョンをする（もしくはメインの質問につなぎなおす）ような仕方で開いていく方法は、寡黙な子どもたちから答えを引き出すのに有効なことが多いといえます。 また、トークタイムの様子から子どもたちの考えが把握できているなら、あえて手が挙がるのを待つ必要はありません。むしろ「ジョシュ、あなたが私に言ったことをグループでも言ってくれる？」とか、「マデリン、あなたがヘンリーに言ったことは何だったかな？」といったように子どもたちを発言へと導くといいでしょう。	トークタイム p.54 つなぎなおし p.68
小さな声で話す子どもがいる。	その子が言ったことを、グループ内でもう一度繰り返し言う必要があるかもしれません。その場合には、言い換えるのではなく、発言をそのまま繰り返すようにしてください。「繰り返し」というのは、「その子が言ったことを一言一句そのまま正確に言うこと」です。	繰り返す p.47
クラス全体が、お話を理解するのに苦労している。	絵や図を描くとよいでしょう。あるいは、お話やシナリオを子どもたちに演じてもらいましょう。	小道具、図、身振り p.42 よりよく考えるための物語へのアプローチ方法：読解タイム p.104
生徒の発言にどう反応したらいいか迷っている。	子どもの発言に毎回反応する必要はありません。どう反応すべきかわからない場合、次のいずれかを試してみてください。「問いを開いて引き出す（「それについてもう少し聞かせて」）」、「グループ全体に問いかける（「みんなはどう思う？」）」、あるいは、もし全員がその発言について話しているような場合であれば、トークタイムに移るのも1つです。もしくは、単純にボールをパスするだけでも良いかもしれません。	クローズド・クエスチョンを開く p.90

特定のメンバーだけが話している。	「話し手への接し方」の節、特に「招き入れること」、「発言頻度を確認すること」、「発言者をコントロールする方法のバリエーション」を参照してください。	対話に招き入れることp.50 発言頻度を確認することp.53 発言者をコントロールする方法のバリエーションp.59
子どもたちが、自分（教師）の言ってほしいことを言ってくれない。	これはあくまで子どもたちのディスカッションであって、決して教師のものではありません。哲学することにおいて、教師は自分の望みのほとんどをあきらめないといけないと思ってください。「教訓づける」、「受け入れられ、使用可能になった信念」を参照してください。是非、「オープン・クエスチョン」の考え方を身に着けてみてください。	教訓づけるp.103 受容された信念と操作可能な信念p.103 オープン・クエスチョン・マインドセット（答えが1つではない問いへの態度）p.34
ディスカッションが抽象的すぎる（または、十分に抽象的でない）。	「何か例を挙げられる?」と言って、具体例を挙げてもらうよう、問いを開いてみましょう。もし、生徒が抽象的な表現に対して具体的な例を挙げることができなければ、今度はクラス全体になげかけてみます。逆に、子どもたちが「例だけ」で話している場合には、次の2つの文を用いると抽象化を促せるでしょう。「じゃあ、〇〇って何だろう?」あるいは「〇〇は、何であるといえる?」。	クローズド・クエスチョンを開くp.90 反証と反例p.74 具体と抽象を導く:いったりきたりp.96

最後にディスカッションをまとめたり、終わりに向けて、ディスカッションをしめくくったりすべき？	これは避けるようにしましょう。子どもたちに何らかの結論に達したかどうかを尋ねてみてもよいですが、彼らはもちろん、他の誰であろうと結論に達する必要などありません。要するに、セッションが終了したとき、その対話が「いきいきしたもの」だったと感じられればいいのです。誰かを対話から置き去りにしてしまったり、教師が対話を自分のものにしてしまうことなく「要約する」というのは、非常に難しいことでもあります。	おみやげの問い 哲学は 終わらない！ p.105
人見知りだったり内向的な生徒にはどう対応すればいい？	上記の「誰も何も発言せず、手も挙がらない」の解決策を参照してください。	
子ども同士のやりとりが少ない。	「覚えておく」、「マッピング」、「つなげる」、「応答する権利」、「緊張関係を演出する」、「応答の探知」を参照してみてください。子どもたちに、お互いのアイデアに反応するように促してみるといいでしょう。	覚えておく、 マッピング、 つなげる p.47 応答する権利・ 緊張関係の演出 p.52・53 応答の探知 p.54
子どもたち、あるいは教師自身が、お話の比喩から抜け出せない。	より抽象的な問いに移っていくきっかけを探してみて、それを新たに出てきた「お題となる問い」として書き出します。たとえば『人生の本』の中で、ある人が「自分の未来は自分でつくるものなのだから、ページをめくっても本は書かれないと思う」と言うとします。その場合、次のように抽象化することによって、対話を続けることができるでしょう。「みんな、それについてどう思う？　自分の未来は自分でつくるものだと思うかな？」あるいは、もしきっかけがなければ、もっとはっきりと一般的な形で「それでは、お話からは一旦離れてみて、みんなは未来ってどのようなものだと思う？」と聞いてみるのも良いでしょう。もしくは、「具体と抽象を導く」を使って、お話を語る前に「未来とは何だろう？」といった問いからまずは始めてみます。そしてその後、授業計画にそって、準備段階で話したことに対して「もし～なら」や「つなぎなおし」を使ってみるという方法もあります。	反証と反例 p.74 具体と抽象を 導く p.96

用語集

誤った議論の組み立て：一見すると整った良い議論に思われるけれども、実際はその議論を組み立てる際のプロセスに色々な誤りがあることです。

応答に対する問い（RQ: Response Questions）：予想されうる考えに対して、子どもに問いをもちかけてみることを、「応答に対する問い」といいます。これは、哲学のセッションで「質問するってなんだろう」ということを、大まかにであれ体感してもらうことをねらいとしています。応答に対する問いは絶対使わなければならないというものではありませんが、何かあった時のための1つの方法として、頭の片隅で覚えておいてください。

お題となる問い（Q: Questions）：探究の焦点となる、哲学探究の場をつくり上げるための、中心となる問いを指します。この問いはクラスで子どもたちにはっきりと示されます。お題となる問いが設定されるたびに、子どもたちには話し合いの時間が与えられ、その後にその問いを用いて探究を行います。時には、1つのセッションで複数のお題となる問いが出されることがあります。そうした時は、追加の問いをどのタイミングで出すべきかということなどは、この本ですべて示してありますので、1度に複数のお題となる問いを出すことはしなくて結構です。物語や思考実験に登場する哲学的な素材に子どもたちを引きつけるために、お題となる問いは、入念にデザインされています。読んだらすぐに気づくと思いますが、お題となる問いはたいてい「はい・いいえ」で答えられる問いです。「先生のワザ」の中にある「クローズド・クエスチョンを開く」(p.90) も参照してみてください。ここでは、なぜ「はい・いいえ」の問いが時にはとても大事なものとなるのかが説明されています。大事なことは、「なんで?」と聞いたり、意見を引き出すような他の質問をしたりして、きちんと「問いを深めていく」ことです。これは暗黙の了解のようなものですが、課題となる問いが示されたら、子どもたちが考えを表明したときだけではなく、話し合いの時間の前などでも、必ず「どうしてそう思ったの?」と聞くように心がけてください。たとえば、「ギュゲスの指輪」(p.149)の課題となる問いの「捕まらなかっ

たら悪いことしてもいいの?」を挙げてみましょう。これについては「捕まらなかっ
たら何をしても良いと思う? どうしてそう思うかも教えてくれる?」などと聞いて
みると良いでしょう。しばらくやっていると子どもたちはどうやって「なぜ」に答
えていくかのコツを掴み始めてくるので、ファシリテーターはわざわざ「なぜ」と
問わなくても良くなるかもしれません。問いを深めるための他のやりかたとして「ど
うしてそう思うか説明することはできる?」あるいは「その考えってどこからきた
の?」と聞いてみても良いでしょう。

おみやげの問い:セッションとセッションの合間に子どもたちが考え続けるための
問いのことを指します。探究が終わった後、親や教師、友だちやきょうだいなどと
一緒にこうした問いを考えることを子どもたちに勧めてみてもよいでしょう。ある
いは、その問いは子どもたちの哲学の日記のための宿題にすることもできます。と
にかく大事なことは、「哲学には決まった終わりがない」ということであり、哲学
のための議論にも終わりはないということです。おみやげの問いは、ついさっきま
でやっていたセッションで現れた「思いがけない問い」や「さらなる問い」から生
まれることもあります。あるいは、この本で私はいくつかのおみやげの問いを書い
ておきました。それらはあなたがこれから哲学対話をするときに、自分がつくった
おみやげの問いの参考になると思います（「シービーのお話:泥棒」を参照）。

思いがけない問い:あらかじめ準備した問いではなく、探究の中で子どもたち自身
が出したり、子どものコメントからファシリテーターが見つけたり、練り上げたり
するような問いのことです。

　哲学対話をしていると、いろいろな問いが出てきます。そのうちのいくつかは哲
学的に面白いものでもあります。というのも、そうした問いそれ自体が哲学的だっ
たり、探究の中で提示された哲学的な問題に関するものだったりするからです。も
ちろん思いがけない問いのいくつかは、哲学的にみてイマイチなものもあります。
ときにはこうした思いがけない問いは、子ども自身が出すこともあります。「幸せっ
てなに?」はその1つの例です。思いがけない問いは、お題となる問いへと変化し、
後述する手順に沿って探究の対象となることもあります。あるいは、思いがけない
問いは後のセッションのために書き留めておいたり、記録しておいたりもします。
また、思いがけない問いは、「おみやげの問い」にしたり、何か書かせたりするよ
うな宿題にしたりします（p.67「先生のワザ」を参照）。とはいえ「おみやげの問い」

は、問いという形をとらずに、スッと議論の中に現れることもあります。たとえば子どもが「無っていうのは、無それ自体とは違うんだよ」と言ったとしましょう。ここには、「無という言葉は、無それ自体のことなのか?」という、言葉として発せられていないけれども明らかに問いであるようなものが含まれています。このように、ある言葉を問いとしてもう一度練り直すことで、子どもが取り上げた問題関心を、探究の中で真剣に検討するに値するものとして、グループに持ち込んでいくことができます。そのセッションの課題となる問いが「無を考えることができるか?」というものだとしたら、そこには入れ子のように、「無という言葉は、無それ自体のことなのか?」という問いが含まれているのです。この問いは、子どもの問いかけや、それとない言葉として議論のなかに入ってきたときに、新たな問いとなります。

　新たな問いは、子どもと哲学をするための哲学探究の方法の中でとても重要な役割をもっています。というのは、こうした問いは、セッションを哲学的にしておくため、そして同時に子どもたちの自主性を守るということを両立させることができるからです。スキルのあるファシリテーターは新しく生まれた問いが出てきた瞬間をきちんと見極めることができますし、子どもたち自身の対話の貢献や問題関心を素材として、セッションの哲学的な方向性を決めることだってできるのです。

概念:認知から言語、推論といった、ありとあらゆる形式の思考を支え、特徴づける、抽象的なアイデアのことです。たとえば正方形について考えてみましょう。正方形を描いてみると、そこで描かれたものは不完全な正方形の絵でしかありません。もし世界中から完璧な正方形を探そうとしても、それを見つけることはまず無理ですよね(たとえば端っこは完全に真っ直ぐではないとか、そういうことがあるので)。でも、正方形について考えてみたり、正方形を定義してみようとしたとき、心にぱっと浮かんできた正方形のイメージが「正方形の概念」なのです。

さらなる問い:課題となる問いの背後や対話の素材の中にある、明示的ではない問いのことです。これらの問いを直接取り扱う必要はありませんが、議論の中でそれが出てきたら、その問いを使ってみても良いかもしれません。

　もし誰かが「罪を犯していない人を罰することは正しいのだろうか?」という問いを立てたら、そこにはいくつかのさらなる問いがあると言えますし、中心となる問いに応えるためには、そのさらなる問いに応えることも必要になるでしょう。た

とえば、「罰するとは何か?」「罪を犯しているとはどういう意味なのか?」といったものです。ある人が何か罪を犯したわけではなくても、犯罪に巻き込まれてしまうことだってあります。ファシリテーターは、哲学的な議論の根っこがどこにあるかを把握するために、これらのさらなる問いを常に頭に入れておく必要があります。ファシリテーターは、探究の状況を描いた「コンセプト・マップ」を見せるという役割がありますが、まさにそうした理由から、さらなる問いをしっかり把握することは良い探究に備えるために不可欠のものとなるのです。子どもたちが議論をする中で、さらなる問いのうちの1つが自分たちの哲学的な関心とぴったり合うと感じたならば、ファシリテーターはその問いを「お題となる問い」に変えてもよいです。さらなる問いは、次のセッションのためにさまざまな論点を出しておこうとする際にも、最適のツールとなります(「思いがけない問い」を参照)。ファシリテーターはセッションの初めにいくつかの問いを絞ることで、子どもたちが目下の議論に集中できるようにします。そこでさらなる問いが新たに出てきたら、次のセッションのために取っておいても良いでしょう。

自分との対話:自分の頭の中で対話をして考えることです。これはソクラテスが、テアイテトスとソフィストとの対話の中で用いた、思考と対話の比喩に関連したものです。たとえばそれは頭の中で「……と思うけど、でもそしたら……んー、もしかしたら……いや、でもなぁ……」と頭の中で対話をしてみることです。

思考実験:頭の中で想像して行う実験で、私たちの直感と照らし合わせながら考えを検証していくことを目的としています。

ジョン・デューイ(1859〜1952):アメリカの哲学者で、教育改革に特に熱心だった人です。彼は、知識や情報を注ぎ込まれるものとして学習者を理解する「空っぽの容れ物」という教育モデルに対する形で、学習者が学びの過程に積極的に関与するような学習モデルを打ち立てました。彼は、教育は市民が民主的な過程に参加するためのはじめの一歩であると考え、子どもたちが教育の早い段階から自身らの民主的な権利を行使するための場を与えるために、探究の共同体という方法を考案しました。

ソクラテス:プラトンの師であり、その独特な生涯ゆえに最も有名な哲学者の1人

となった人です。彼は、アテネ・スパルタ間のペロポネソス戦争で名を馳せたのちに、富と地位を捨てて質素な生活を送るかたわら、アテネの人々と哲学的な激論を交わし続けてきました。アテネの若者たちはソクラテスによって自分で考えるようになり、そうしたソクラテスの「人の心を乱す」やり方が気に食わないと感じたアテネの有力者たちによって、ソクラテスは裁判にかけられることになってしまいました。彼は若者たちの心を堕落させ、偽りの神々のことを広めていったという罪に問われました。そして彼は死刑を宣告され、それを静かに受け入れました（もちろん彼はその判決に対して反論はしたのですが）。そして最後にはプラトンを含む彼の友人に囲まれながら、毒ニンジン入りの飲み物を飲み、死に至りました。

ソクラテスのアイロニー：自分自身を無知な人という立場に位置付けるソクラテスのやり方です。これは対話の相手のアイデアや考えをきちんと検討するためのやり方です。

対話：話し相手との間で行われる、発言、反対意見、応答、補足コメントなどから成るプロセスを指します。「話す」という要素を含む哲学の活動であり、弁証法的な議論の発展をもたらします。

対話の素材：物語などの形で対話のグループに示されるもので、子どもたちの思考や議論を促し、お題となる問いが設定される哲学対話の場を生み出すものでもあります。

探究：ある特定の考えを、みんなで集中的に考察し、検討する試みです。

探究の共同体（CoI）：探究の共同体はアメリカの哲学者チャールズ・サンダース・パースによってはじめて提唱され、その後ジョン・デューイやマシュー・リップマンなどの教育者たちによって発展していった教育の理念です。リップマンは、「子どもの哲学」を提唱した人物でもあります。

探究のメソッド：質問と推論を用いて、哲学的な問いやテーマをみんなで考えていく方法です。
　哲学的な探究と哲学的ではない探究の違いをちゃんと区別しておくことは大事で

す。本書で示しているように、その違いの1つはセッションの内容にあります。セッションでは、ファシリテーションや話し手への接し方といった方法を哲学探究のなかに組み込んでいく必要があります。本書で紹介されている方法をきちんと理解していれば、厳密な哲学の知識がなくても、探究はどんな内容にも利用できるのです。哲学的な教科以外の授業で哲学的な探究がどのように用いられるかについて、少し考えてみましょう。ヘンリー8世［訳注：16世紀のイングランド王］について勉強している際に、「彼は良いリーダーだったのか?」と考えたとします。この問い自体はその教科の学習にはとても大事かもしれませんが、哲学的な探究をするためにはあまり向いている問いではありません。それでもより幅広い議論をするために、問いを「良いリーダーとはなんだろう?」などに変えれば、そこから哲学対話が始まるでしょう。この問いの哲学的な探究を授業の最初に行えば、そこから得られた考えを応用して、最後には「彼は良いリーダーだったか」という元の問いに答えることができるかもしれません。そのためには、探究の中で明らかになった「良いリーダー」の基準に、ヘンリー8世がどれくらい合致しているかを探っていくとよいでしょう。

哲学：古代ギリシアの「愛する（philo）」と「知識（sophia）」に由来する言葉で、文字通り「知ることや学ぶことを愛する」という意味です。哲学は主に「形而上学」「認識論」「倫理学」の3つの領域に関するさまざまな考えを学ぶ大学の科目を指すこともあります。わかりにくいので、少し言い換えてみましょう。それぞれ「「ある」とはどういうことか?」（形而上学）、「知っている・知ることができるとは何か」（認識論）、「あるものの中で何が重要とされているのか」（倫理学）です。哲学では山のように問いがありますが、哲学は論理的かつ概念的な思考や推論と関わるものであり、問いに応えることよりも、問題を理解することを大切にします。答えを求めようとするならば、できるだけ多くの潜在的な答えを一つひとつ吟味することが哲学です。

トークタイム：子どもたちがペアあるいはグループになって、哲学探究の前かその最中に行う意見交換の時間です。トークタイムは、教室のグループ全体で意見を共有する「前」に行うことがコツです。2分でも10分でも構いませんし、この話し合いのために1セッションを使っても良いです。場合によっては3つだって4つだってセッションを使ったって良いです。話し合いの時間の最中は、ファシリテーターは

子どもたちの様子を見ながら話を聞き、子どもたちがもっと考えられるようにするために、「頭のなかの反対論者」という方法を効果的に用いてみてください（p.67「先生のワザ」も参照）。とはいえ、ファシリテーターは自分たちの考えを子どもたちに押しつけたりする必要はありません（p.45「ウェイターのアプローチ」参照）。話し合いの時間については「話し手への接し方」（p.50）も参照してください。

読解タイム：探究の初めに行う短いアクティビティです。子どもたちには物語や対話の素材で提示された話について、自分たちがどれくらい理解したかを表現したり、確かめたりするための時間です。子どもたちから質問が出てきたら、その質問について考えたり答えるための時間をできるだけ確保しておいてください。これによって、子どもたちは自分たちの言葉で哲学の素材について理解を重ねていくことができ、それを頭の中に残しておくことができます。

流れをつくる：問いに対する応答として、子どもたちがもっと話すことを促すためのテクニックです。よく使われる方法は、以下の通りです。

子どもたちの発言	ファシリテーターの応答	応答の種類 （どんな流れをつくるか）
「いいえ」「はい」	どうしてそう思ったの？	意見の正当化
「今は彼のものだよ。拾った人が持ち主になるんだ」	「拾った人が持ち主になる」ってどういうこと？	意見の明確化
「場合によっては君が選ぶんだ」	もう少し説明してもらっていい？	意見の精密化
「もし君が本当に必要だったら、盗んだっていいんだよ」	何か例を挙げられる？	例の提示
「すべての誤った発言が嘘になるわけじゃないよ」	誤った発言が嘘にはならない例を出すことはできる？	反例の提示
「場合によるね」	何が場合によるの？	条件の確認

「嘘をつくことと間違えることは違うことだよ」	どう違うのか教えてくれる?	比較
「じゃあなんで「魚」って言うんだ?」	どうしてその質問をしたの?	どこが重要なのかの確認
「わかんない」	どうして知らないといえるの?	不確かな点の確認
「頭がこんがらがってきた」	どうしてこんがらがってきたの?	混乱した点の確認

批判的思考のスキル：哲学の素材に批判的に取り組むために必要とされるスキルです。「批判的」という言葉を、ネガティブに捉える必要はありません。それは提示された素材に子どもたちが挑戦してみるためのものです。このアプローチは、そこで出てきたすべての考え、議論、意見、そして主張の精度を吟味し、それらの考えを打ち立てた人たちが理性の要求に従って、必要ならば自身らの立場を考え直していくことを求めます。

プラトン（紀元前427〜347年）：古代ギリシアの哲学者であり、ソクラテスの弟子かつ、アリストテレスの師匠です。彼は著作の中で教育に関してたくさんのことを書いていますが、中でも有名なものは『メノン』であると言えるでしょう。この本では、ソクラテスが奴隷の子どもと議論しながら、徳や学習の本質を示そうとしています。プラトンは知識というものは私たちの外側から内側に入り込んでくるものではなく、すでに自分の中にあるものであると考えました。そしてそれを「引き出す」ためには、教師からの良い問いかけが大事であると考えました。この考えは今日の指導法や教育学でも影響力のある考えとなっています。

弁証法：合理的な考え、それに対する応答や反対、それへの更なる応答によって成り立つ、協同的な議論のプロセスのことを指します。通常2人あるいはそれ以上の人たちと共に行い、真理に到達すること、あるいは目下議論となっている考えに対してより明晰な答えを出すことを目指して行われます。

　この言葉は「学校の哲学」のプログラムの中でよく使われています。もともとは

プラトンの対話篇のなかで紹介された考えです。この言葉の反対にあるのが、論争術、つまり真理の探究を脇に置いて、とにかく相手に勝つことを目指す闘いのような言葉のやりとりです。対して、弁証法的であるとは、協同的で、検討中の問題についてよりよく理解したり、真理に近づきたいという共通の目的に向かって、人々が協力し合うことです。伝統的に、弁証法は質問と応答を繰り返し重ねていきながら行われていましたが、それは結論を求めるためのものではありません。弁証法は、探究をより盛り上げるために用いられる言葉のやり取りと議論のルールを組み合わせたものです。

　この言葉は、ヘーゲルという哲学者が使うものとして理解されることもあります。ヘーゲルはこの言葉を、単なる会話以上のものとして、つまり知的なやりとりとして使っています。ヘーゲルは弁証法を、歴史の動きそれ自体として理解し、それを哲学的探究のモデルの核として位置づけました。ヘーゲル弁証法の最初のステージは、表明された考え、すなわち「テーゼ（命題）」です。第二のステージは、そこで表明された命題に対して真逆の考えを提示して応答する「アンチテーゼ（反対命題）」です。そして「ジンテーゼ（総合）」という、テーゼとアンチテーゼが合わさって、あらたな探究のプロセスをつくる最後のステージがあります。ジンテーゼは、あらたなテーゼとなり、また上記のプロセスを繰り返していきます。このプロセスについては「緊張関係の演出」のワザのなかではっきりと見てとることができます。たとえば、「話し手への接し方」（p.50）や「先生のワザ」（p.67）などです。

まずは考えてみよう：お題となる問いを出す前に、対話の素材について子どもたちが考えるための数分の時間を指します。この時間は、子どもたちが対話の素材から出てきた問いについて、自分たちがどんなことを考えているかを伝えるための大切な時間です。

「もし〜なら」というワザ：何かの条件を考えたり、実際には起こり得ないような状況に関する問いを用いる思考法です。条件を考えるための問いや文章は、「もし〜だとしたら…」という形式を取ります。この「もし」から成る文章は、「だとしたら」以下の文章が成り立つと言えるような条件を示します。それは事実に反していたり、本来あり得ない状況についての条件を考えるための問いや文章なのです。たとえば、「もし世界中みんながベジタリアンだったら、肉を食べるということはダメなことになるのだろうか？」といったものです。

参考文献

Ackrill, J. L. (ed.), *A New Aristotle Reader* (1987). Oxford: Oxford University Press.

Ariew, R. and Garber, D. (ed. and trans.), *Philosophical Essays by Gottfried Leibniz* (1989). Indianapolis, IN: Hackett Publishing Company.

アイザック・アシモフ著、小尾芙佐訳 (2004)『アシモフのロボット傑作集 われはロボット 決定版』早川書房

アイザック・アシモフ著、池央耿訳 (1979)「バイセンテニアル・マン」『聖者の行進』東京創元社

アウグスティヌス著、山田晶訳 (2014)『告白Ⅰ』『告白Ⅱ』『告白Ⅲ』中央公論新社

Ayer, A. J. and O'Grady, J. (eds.), *A Dictionary of Philosophical Quotations* (1992). Oxford: Blackwell Publishers Ltd.

Barnes, J. (1987), *Early Greek Philosophy*. London: Penguin Classics.

ジェレミー・ベンサム著、中山元訳 (2022)『道徳および立法の諸原理序説 上』『道徳および立法の諸原理序説 下』筑摩書房

ジョージ・バークリー著、宮武昭訳 (2018)『人知原理論』筑摩書房

バークリ著、戸田剛文訳 (2008)『ハイラスとフィロナスの三つの対話』岩波書店

Cooper, J. M. (ed.) *The Collected Works of Plato* (1997). Indianapolis, IN: Hackett Publishing Company.

Deacon, A. (2004), *Beegu*. London: Red Fox.

シモーヌ・ド・ボーヴォワール著、『第二の性』を原文で読み直す会訳 (2023)『決定版 第二の性Ⅰ 事実と神話』『決定版 第二の性Ⅱ 体験(上)』『決定版 第二の性Ⅱ 体験(下)』河出書房新社

スピノザ著、上野修訳、上野修・鈴木泉編 (2022)『スピノザ全集Ⅲ エチカ』岩波書店

ルネ・デカルト著、山田弘明訳 (2006)『省察』筑摩書房

Fisher, R. (1997), *Games for Thinking*. Oxford: Nash Pollock Publishing.

G.フレーゲ著、藤村龍雄編 (1999)『フレーゲ著作集〈1〉概念記法』勁草書房

García-Moriyón, F., Rebollo, I. and Colom, R. (2005), 'Evaluating philosophy for children: a meta-analysis', *Thinking: The Journal of Philosophy for Children*, 17, (4), 14–22.

Gaut, B. and Gaut, M. (2011), *Philosophy for Young Children*. Abingdon: Routledge.

Gorard, S., Siddiqui, N. and Huat See, B. (2015), 'Philosophy for Children: Evaluation report and executive summary', Education Endowment Foundation

クリス・ホートン著、木坂涼訳（2012）『ちょっとだけまいご』BL出版

トマス・ホッブズ著、加藤節訳（2022）『リヴァイアサン（上）』『リヴァイアサン（下）』筑摩書房

イマヌエル・カント著、石川文康訳（2014）『純粋理性批判（上）』『純粋理性批判（下）』筑摩書房

イマヌエル・カント著、御子柴善之訳（2022）『道徳形而上学の基礎づけ』人文書院

ライプニッツ著、米山優訳（2018）『人間知性新論[新装版]』みすず書房

ライプニッツ著、谷川多佳子・岡部英男訳（2019）『モナドロジー他二篇』岩波書店

ジョン・ロック著、加藤卯一郎訳（2004）『人間悟性論（名著／古典籍文庫）』一穂社

J.S.ミル著、関口正司訳（2020）『自由論』岩波書店

J.S.ミル著、関口正司訳（2021）『功利主義』岩波書店

マイケル・ローゼン作、クェンティン・ブレイク絵、谷川俊太郎訳（2004）『悲しい本』あかね書房

Russell, B. (1903), *The Principles of Mathematics*.

J-P.サルトル著、伊吹武彦・海老坂武・石崎晴己訳（1996）『実存主義とは何か』人文書院

ジョン・サール著、土屋俊訳（2015）『心・脳・科学（岩波人文書セレクション）』岩波書店

Stanley, S. (2012), *Why Think?* London: Continuum.

Topping, K. J. and Trickey, S. (2007), 'Collaborative philosophical enquiry for school children: cognitive effects at 10–12 years', *British Journal of Educational Psychology*, 77, (2), 787–796.

Trickey, S. and Topping, K. J. (2004), 'Philosophy for Children: A systematic review', *Research Papers in Education*, 19, (3), 363–378.

Turing, A. (1950), *Computing Machinery and Intelligence*. UK: Alan Turing.

Worley, P. (2011), 'How do you measure the height of pyramids?', *Creative Teaching and Learning*, 2, (1).

Worley, P. (2015a), 'Ariadne's Clew: Absence and presence in the facilitation of philosophical conversations', *Journal of Philosophy in Schools*, 3, (2).

Worley, P. (2015b), *40 Lessons to Get Children Thinking*. London: Bloomsbury Education.

Yan, S., Walters, L. M., Wang, Z. and Wang, C.-C. (2018), 'Meta-analysis of the effectiveness of philosophy for children programs on students' cognitive outcomes', *Analytic Teaching and Philosophical Praxis*, 39, (1), 13–33.

役立つウェブサイト集

UKでの研修・トレーニング

The Philosophy Foundation
より発展的に、哲学探究の練習や教材、おすすめの書籍、哲学を教える専門家などについて
知りたい方は、次のサイトをご覧ください：www.philosophyfoundation.org

Thinking Space
イギリスをベースに活動するP4C組織のサイト：http://thinkingspace.org.uk

The Philosophy Man
P4Cのトレーニングを提供する、イギリスを拠点に活動する団体
visit: www.thephilosophyman.com

SAPERE:
Society for the Advancing Philosophical Enquiry and Reflection in Education
イギリスの子どもたち／コミュニティのための哲学の活用と、教員養成を推進する教育慈
善団体。http://www.sapere.org.uk
スコットランドでの活動については以下のサイトを参照
http://www.strath.ac.uk/humanities/courses/education/courses/
pgcertphilosophywithchildren/

子どもとする哲学をサポートする
国際的な研修やウェブサイト

EPIC: European Philosophical Inquiry Centre
マシュー・リップマンと協働していたキャサリン・マッコール博士のウェブサイト。1990
年のBBCドキュメンタリー番組「Socrates for Six- Year-Olds（6歳児のためのソクラテス）」
でも紹介されました。
http://www.epic-original.com

IAPC: Institute for the Advancement of Philosophy for Children – USA:
http://cehs.montclair.edu/academic/iapc/

ICPIC: International Council of Philosophical Inquiry with Children – USA:
http://www.icpic.org/

Federation of Australasian Philosophy in Schools Associations:
http://www.fapsa.org.au/

MENON: 哲学的な探求を通して教師の対話的な感性・能力を発展させることで、教師の専門的な成長を促すことを目的とした、欧州11カ国のパートナーによるプロジェクト:
http://menon.eu.org/

SOPHIA: The European Foundation for the Advancement of Doing Philosophy with Children: 子どもとする哲学にかかわる教師、哲学者、教育者向けのサイト:
http://www.sophia.eu.org

哲学

Philosophy Now Magazine (online)
哲学にまつわるさまざまな考えについての雑誌
http://www.philosophynow.org/

Philosophy Bites
著名な哲学者が分かりやすくさまざまなトピックについて解説するポッドキャスト
http://philosophybites.com/

The Philosopher's Magazine (online)
様々なインタビュー、記事、ポッドキャスト、ゲームなどが紹介されています
http://www.philosophersnet.com/

The History of Philosophy Without Any Gaps
世界中の哲学の歴史をポッドキャストで紹介するプロジェクト（書籍もあります）
https://historyofphilosophy.net

本書の内容を補足するウェブサイト

本書の構成に沿った付属資料をダウンロードできます
www.bloomsbury.com/if-machine-2e

訳者あとがき

　大人たちは、子どもの「哲学的な問い」が大好きです。子どもたちがじっと考え込んでいる姿が大好きです。子どもがこんな「深い」ことを言ったとか、面白いことを言ったとか、そんなエピソードが大好きです。

　しかし、この「大好き」という気持ちが、子どもと一緒に考えるということを妨げることがあります。自分がぐっとくるようなことを言わせようとしてしまう。考えてほしい問いを、かれらに押しつけてしまう。あなたにも、心当たりがあるでしょうか。

　思い返してみれば、わたしたちは、考えることが大事と言いつつ（あるいは言われつつ）、「考える」ということをしっかりと学んだことがありません。小学生のころわたしは、なぜ算数や国語はあっても「思考」という授業がないのだろうとふしぎに思ったことがあります。もしかすると、考えることに特化した授業がないどころか、考えるという機会すらなかったというひとも少なくないのではないでしょうか。子どもに「考えよう」と呼びかけたとしても、わたしたち自身がしっかり考えるということを、そもそもあまりしてきていないのです。

　そもそも考えるとはどういうことなのか。「哲学的である」ということが、何を意味するのか。「深い」とはどうなることなのか。この本では、そうした問いに丁寧に向き合ったうえで、わたしたちにヒントを提示しています。

しかし、この本はまったく偉そうではありません。たくさんの実践者たちが、子どもたちと哲学の時間を重ねることで、練り上げられてきたものだからです。なによりも、授業をする大人が、哲学を楽しんでいるように思えます。そしてこれは、ほんとうに、ほんとうに、大事なことだとわたしは思います。

　子どもに考えさせたい、子どもの考えを聞きたい。そう気持ちがはやるとき、大人たちは知らず知らずのうちに、自分がまるで「正解を知っているひと」のようになっています。あるいは、子どもに「考えさせているひと」になっています。
　ある学生の言葉をよく思い出します。彼女は「たしかにこれは子どものための哲学であるけれども、大人のための哲学でもある」とわたしに言いました。先生が子どもと一緒に考えこんでいる姿を見て、そう思ったようでした。

　考えさせるのではなく、共に考えること。言わせるのではなく、よく聴くこと。まずはここから始まるように思います。

　しばしば哲学の場をひらくにあたり、豊富な知識量や、卓越したスキルにばかり注目が集まりがちです。たしかに本書は、しっかりとした哲学史の知識の裏付けが書かれています。この点は、日本での哲学探究（哲学対話と呼ばれる場）とは異なる文脈で、とても特徴的な部分です。さらに、ファシリテーターのためのスキルもわかりやすく述べられています。
　しかし、忘れてはならないのは「態度」の部分です。それは、子どもの話をよく聴くということにどれだけ気を払えるか。そして、自分自身の声もよく聴くということに、どれだけ自覚的になれるかということだと思います。

わたしたちは、もうすでに哲学をしているはずです。それをどう邪魔しないか。どう聴き取ろうとするか。そうしたことが、この本では書かれているように思えます。

　この本は、学校の授業で使えるだけでなく、家でも楽しむことができますし、大人同士だって、友だち同士でだって、楽しむことができます。もしかすると、仕事場でも役に立つかもしれません。本を入り口にして、いろいろな実践を知りたくなったり、哲学書を読んでみたくなったりもするかもしれません。ぜひ、関心を広げてくださるとうれしいです。

　訳者たちは、それぞれの現場で、それぞれの仕方で、人びとと共に哲学を試みているひとたちです。そして何よりも、自分自身が哲学を楽しんでいるひとたちでもあると、わたしは思います。本も時間はかかりましたが、楽しみながら訳すことができました。

　本書を出版するにあたり、すばらしい本をつくりだしてくださった著者のピーター・ウォーリーさん、すてきなイラストを描いてくださった市村譲さん、大変な編集を担当してくださった葛生さんに感謝します。そして、これまでに、試行錯誤しながら哲学探究の時間を積み重ねてきた世界中の仲間たち（もちろん子どもたちも）に、心より感謝します。

訳者代表　　永井 玲衣

著者について

ピーター・ウォーリー
Peter Worley

ザ・フィロソフィー・ファウンデーション（The Philosophy Foundation）の共同設立者およびCEO。キングス・カレッジ・ロンドンの客員研究員。ユニバーシティ・カレッジ・ロンドンとバークベック・カレッジで哲学を学び、2004年に修士号を取得。ロンドンにある6つの小学校で15年にわたり哲学を教えるかたわら、TEDxなどで学校での哲学に関する講演を行なっている。

訳者について

永井玲衣

ながい・れい／学校・企業・寺社・美術館・自治体などで哲学対話を幅広く行っている。Gotch主催のムーブメントD2021などでも活動。著書に『水中の哲学者たち』（晶文社）。

小川泰治

おがわ・たいじ／宇部工業高等専門学校一般科(文系)准教授。専門は哲学・倫理学、特に子どもの哲学や哲学プラクティス。3歳になる子どもと数年後本書で対話するのを楽しみしている。

古賀裕也

こが・ゆうや／私立かえつ有明中・高等学校教員。社会科主任。学校教育と哲学プラクティスに関わる。高校「倫理」や「公共」の分担執筆や、公民科・宗教科の教育実習事前指導（上智大学）を担当。

後藤美乃理

ごとう・みのり／東京大学大学院教育学研究科博士課程。哲学対話について学校教育との接続に関わる研究に取り組む。また、学校、芸術教室等で哲学対話の実践を幅広く行っている。

田中理紗

たなか・りさ／私立かえつ有明中・高等学校教員。サイエンス科・プロジェクト科主任。共訳書に『ピア・フィードバック』、『学びの中心はやっぱり生徒だ！』（ともに新評論）など。

得居千照

とくい・ちあき／筑波大学大学院人間総合科学研究科博士後期課程・日本学術振興会特別研究員DC。専門は教育学（生活科教育、社会科教育）。共著に『ゼロからはじめる哲学対話』（ひつじ書房）。

西山 渓

にしやま・けい／開智国際大学教育学部専任講師。専門は、子どもや若者の政治経験に関する研究、対話型教育の理論と実践。映画『ぼくたちの哲学教室』翻訳字幕監修。

堀越耀介

ほりこし・ようすけ／東京大学共生のための国際哲学研究センター特任研究員/日本学術振興会特別研究員（PD）。専門は、哲学プラクティス、教育哲学。著書に『哲学はこう使う』（実業之日本社）。

もし友だちがロボットだったら？

哲学する教室のつくりかた
30の授業プラン

2023年11月25日　初版

著者
ピーター・ウォーリー

訳者
永井玲衣・小川泰治・古賀裕也・後藤美乃理・
田中理紗・得居千照・西山渓・堀越耀介

発行者
株式会社晶文社

〒101-0051　東京都千代田区神田神保町1-11
電話(03)3518-4940(代表)・4942(編集)
URL　https://www.shobunsha.co.jp

印刷・製本
中央精版印刷株式会社

水中の哲学者たち

永井玲衣

「もっと普遍的で、美しくて、圧倒的な何か」を追いかけ、海の中での潜水のごとく、ひとつのテーマを皆が深く考える哲学対話。若き哲学研究者にして、哲学対話のファシリテーターによる、哲学のおもしろさ、不思議さ、世界のわからなさを伝える哲学エッセイ。

教室を生きのびる政治学

岡田憲治

心をザワつかせる不平等も、友だち関係のうっとうしさも、孤立したくない不安も……教室で起きるゴタゴタには、政治学の知恵が役に立つ！　学校エピソードから人びとのうごめきを読みとけば、人が、社会が、政治が、もっとくっきり見えてくる。

5歳からの哲学

ベリーズ・ゴート、モラグ・ゴート

5歳以上の子どもに哲学の手ほどきをする本。基礎知識を学んだ経験がなくても心配なし。本書で身につくのは5つの力：批判的な論理的思考力、創造的思考力、集中力、聴く力、社交性。プランに沿って、親と子、先生と子どもたち、いっしょに哲学を楽しもう。

哲学の女王たち

レベッカ・バクストン、
リサ・ホワイティング 編

プラトン、アリストテレス、孔子、デカルト、ルソー、カント、サルトル……では、女性哲学者の名前を言えますか？　明晰な思考、大胆な発想、透徹したまなざしで思想の世界に生きた、20の知られざる哲学の女王たち（フィロソファー・クイーンズ）。

考える練習をしよう

マリリン・バーンズ
マーサ・ウェストン 絵

頭の中がこんがらかって、何もかもうまくいかない。あーあ、もうだめだ！　そういう経験のあるひと、つまり、きみのために書かれた本だ。こわばった頭をときほぐし、楽しみながら頭に筋肉をつけていく問題がどっさり。累計20万部のロングセラー。

数の悪魔

エンツェンスベルガー

数の悪魔が数学ぎらい治します！　1や0の謎。ウサギのつがいの秘密。パスカルの三角形……。ここは夢の教室で先生は数の悪魔。数学なんてこわくない。数の世界のはてしない不思議と魅力をやさしく面白くときあかす、オールカラーの入門書。